岩波講座　世界歴史　4

南アジアと東南アジア

～一五世紀

岩波講座

世界歴史

04

南アジアと東南アジア

～一五世紀

岩波書店

第4巻【責任編集】弘末雅士
【編集協力】古井龍介
青山　亨

目次

コラム | *Column*

大韓民国
日本
黄海
河
黄
西安
中国
江
南京
長
杭州
東シナ海
小笠原諸島
南西諸島
沖縄島
北回帰線
泉州
南嶺山脈
台湾
紅河(ホン川)
珠江
広州
ルソン海峡
太平洋
ハノイ
ラオス
海南島
トンキン湾
フィリピン海
チュオンソン山脈
ヴィエンチャン
ルソン島
ベトナム
マニラ
フィリピン
南シナ海
ダンレック山脈
ミンドロ島
サマル島
カンボジア
トンレサップ湖
パナイ島
セブ島
プノンペン
ホーチミン
パラワン島
ネグロス島
パラオ諸島
メコン川
スールー海
ミンダナオ島
マレーシア
ブルネイ
バンダル・スリ・ブガワン
セレベス海
ハルマヘラ島
カプアス山脈
シンガポール
ポンティアナック
ボルネオ(カリマンタン)島
マカッサル海峡
モルッカ(マルク)諸島
ニューギニア島
カリマタ海峡
スラウェシ島
大スンダ列島
セラム島
パレンバン
マカッサル
バンダ海
ジャカルタ
ジャワ海
インドネシア
アラフラ海
スンダ海峡
ジャワ島
バリ島
スンバワ島
フロレス島
ディリ
東ティモール
ロンボク島
ティモール島
スンバ島
小スンダ列島
オーストラリア
110°
120°
130°
140°
30°
20°
10°
0°
10°

アジア(現在)

イラン
アフガニスタン
ヒンドゥークシュ山脈
カイバル峠
カラコルム山脈
イスラマーバード
パキスタン
スレイマン山脈
インダス川
タール砂漠
ヤムナー川
デリー
アーグラー
カラチ
チベット高原
ヒマラヤ山脈
ネパール
カトマンズ
ブータン
アッサム
ブラフマプトラ川
ガンジス川
バングラデシュ
ダッカ
コルカタ
雲南
カーティヤーワール（サウラーシュトラ）半島
ヴィンディヤ山脈
インド
ゴーダーヴァリー川
ムンバイ
西ガーツ山脈
アラビア海
ゴア
デカン高原
クリシュナー川
東ガーツ山脈
マラバール海岸
コロマンデル海岸
チェンナイ
カーヴェーリ川
ベンガル湾
ミャンマー
アラカン山脈
エーヤーワディー川
タンルウィン川
ルアンパバーン
チェンマイ
ヤンゴン
チャオプラヤー川
タイ
マルタバン湾
バンコク
アンダマン諸島
アンダマン海
タイ湾
スリランカ
コロンボ
クラ地峡
バンドン湾
ニコバル諸島
マレー半島
モルディヴ
マラッカ海峡
クアラルンプール
スマトラ島
バリサン山脈
赤道
インド洋
60°
70°
80°
90°
100°
30°
20°
10°
0°

南アジアと東南

インドの現在の行政区分（2022年）

カーブル
タクシラ
カシミール
アラコシア
ガンダーラ
パンジャーブ
ラホール
チベット
ターネーサル
ウッチュ
バローチスターン
インダス川
デリー
ガンジス川
ネパール
マトゥラー
ドーアーブ
スィンド
アーグラー
カナウジ
ジャウンプル
ヤムナー川
タール砂漠
ラージャスターン
ビハール
ブラフマプトラ川
パータリプトラ
プラヤーガ
ダシャプラ
ナーランダー
カッチ
マールワー
ベンガル
ウッジャイン
グジャラート
ナルマダー川
タームラリプティ
オリッサ
タプティ川
マハーナディー川
ナーシク
ヴィダルバ
ブバネーシュワル
ゴーダーヴァリー川
カールレー
ベンガル湾
デカン
クリシュナー川
ダーボル
ビーダル
ヴィシャーカパットナム
コンカン海岸
パッタダカル
ゴア
ヴィジャヤナガル
トゥンガバドラー川
バトカル
カーンチープラム
マンガルール
マーマッラプラム
アリカメードゥ
カーヴェーリ川
コーリコード
(カリカット)
パッタナム
コチ
マアバル
コッラム
アヌラーダプラ
ポロンナルワ
カーヤル
スリランカ
マンナール湾

南アジア世界

大理
昆明
広州
紅河
交趾
(交州, 安南都護府)
九真
トンキン湾
海南島
太平洋
エーヤーワディー川
アヴァ
チャウセー
パガン
シッタン川
タンルウィン川
ミンブー
シュリークシェートラ
チェンマイ
ルアンパバーン
チュオンソン山脈
メコン川
タトン
スコータイ
バゴー
(ペグー)
ベンガル湾
ドヴァーラヴァティー
チャオプラヤー川
ダンレック山脈
アユタヤ
アンコール
日南
フエ
ダナン
ホイアン
チャーキュウ
サーフィン
ヴィジャヤ
チャンパー
(林邑)
カウターラ
扶南
(真臘)
サンボー・プレイ・クック
パーンドゥランガ
南シナ海
ルソン島
テナセリウム
タイ湾
クラ地峡
チャイヤー
アンコール・ボレイ
オケオ
ターンブラリンガ
(ナコンシータマラート)
パッタルン
パタニ
クダー
クランタン
トルンガヌ
マレー半島
マラッカ海峡
パハン
ムラカ
ラムリ
サムドラ・パサイ
カンペ
コタチナ
バルス
スマトラ島
シュリーヴィジャヤ
ムアラジャンビ
ジャンビ
バンカ島
バタンハリ川
ムシ川
パレンバン
ブリトゥン島
ジャワ海
スールー海
セレベス海
マハカム川
ボルネオ
(カリマンタン)島
クタイ
マカッサル海峡
マルク
(モルッカ)諸島
インド洋
タールマー
スンダ海峡
マタラム
ブランタス川
ジャワ島
クディリ
バリ島

東南アジア世界

展 望 | *Perspective*

展望｜*Perspective*

南アジア世界の形成と発展

古井龍介

はじめに

南アジア世界の多様性──環境・社会集団・文化

インド亜大陸を中心とする南アジア世界を特徴づけるのは、多様性である。多彩な地形とモンスーンの波動との複雑な連関は、ヒマラヤの高山からコロマンデルとマラバールの南インド東西両海岸、東のガンジス・デルタから西のタール砂漠までを含む多様な環境をもたらした。環境の多様性はまた、乾燥地での雑穀作と牧畜、大河の氾濫原での水稲作、森林や丘陵地帯での狩猟採集と移動農耕、海陸の様々な水域での漁撈など、それに適応した生業の多様性につながったが、これら人の営みは環境に対して様々な、時に大きな影響を与えた。多様な生業には、それらを可能とする、様々な権力関係を内包した社会組織が伴い、その各々が、独自の文化を発展させた。多様な社会と文化の相互作用は、それらをつなげ、統合し、横断する、より大きく複雑な社会組織と文化を生み出した。

このように多様な環境の中、様々な生業・社会・文化を持つ人々が共時的に存在し、相互に作用しあうことによって生じたダイナミズムが、現在に至る南アジア史を作り上げてきた。このダイナミズムが生起する場として、前近代

特に大きな役割を果たしたのが、南アジア世界内外のフロンティアである。(1)

南アジア史の展開——内外のフロンティア

南アジア世界の内なるフロンティアとは、定住農耕と国家を持つ社会と、それらを持たない社会とが対峙する境域である。後述のように前一〇〇〇年紀半ばに定住農耕社会とそれを基盤とする国家が成立すると、それらの森林や乾燥地への拡大およびそこに居住する狩猟採集社会や遊牧社会との対立・交渉が、長期的な歴史変化の主題となった。このような歴史的過程が展開する場としての内なるフロンティアは、森林や乾燥地を蚕食し、そこに住む人々をより奥地へと後退させ、あるいは定住農耕社会に取り込みつつ、前進していった。

もう一つの、外なるフロンティアとは、南アジア世界と外部世界とが接触する海陸の境域である。インド洋に半島を突き出した南アジアは、海路を通じて交流する東西世界の中央に位置するのみならず、豊かな産物に恵まれたため、双方からそれらを求める商人達の来訪を受けた(辛島 一九九九：一三三頁)。沿岸の諸港では外の世界から文物がもたらされたのみならず、商人達が居留して現地社会と交流、さらには定着して新たな集団を形成し、現地社会の一部となっていった。陸上においては、ヒンドゥークシュ山脈を越えて内陸アジアの乾燥地とつながる亜大陸西北部が外部世界との境域であり、乾燥地は亜大陸内部にも南と東に分かれて広がっていた(Gommans 2018: 51-62)。西北部からは中央アジアの遊牧集団が度々進入したが、彼らは南アジア世界をユーラシアの東西を結ぶ交易ネットワークと繋げ、それらを通して生活様式や文物を伝えるのみならず、西インドを中心とする広範な地域に、在地の文化を取り込みつつ定着していった。その一方で、亜大陸東北部はビルマ、さらには雲南の高地との境域であり、それらとの交流を通して独自の発展を遂げていった。

以上のような南アジア世界の内外のフロンティアはまた、社会と文化のフロンティアでもあった。多様な社会集団と彼らの文化の相互交渉と混交は、内外のフロンティアを内包する特定の地理的範囲で独特の社会と文化が形成され、それらをアイデンティティーの核とする地域が南アジア各地に成長する歴史過程を駆動した。その後近代化を通して実体化・固定化していった諸地域と文化は、現在に至るまで南アジアとその歴史を規定している。

本稿では南アジア世界の内外のフロンティアと、そこで生じるダイナミズムに着目しつつ、最初期から一五世紀に至る前近代南アジア世界の歴史を展望する。

一、原史から歴史へ

最初の文明と断絶・連続

約六万五〇〇〇年前にインド亜大陸に到来し、約三万年前までには他の人類を押しのけて亜大陸全域に広がっていた新人は(*Joseph* 2018: 42-44, 51-57)、前七〇〇〇年紀から前二〇〇〇年紀に定住と農耕・牧畜を基盤とする新石器文化を各地で成立させた。特に、イランのザグロス山脈からの牧畜農耕民の到来に伴ってパキスタン西部バローチスターン高原の麓のメヘルガルで成立した新石器文化では(*Ibid*.: 65-74, 80-97)、最初期の前七〇〇〇年紀から日干し煉瓦で住居・貯蔵庫が建てられ、ムギ類を中心とする穀物や綿の栽培とウシなどの動物の飼育が営まれており、ビーズ製作用の海水産の貝やトルコ石、ラピス・ラズリなども遠隔地から交易で得ていた。このような新石器文化の村落は前五〇〇〇年紀には地域性の強い彩文土器を発展させつつバローチスターン高原各地に展開し、前五〇〇〇年紀末から前三〇〇〇年紀初頭には製作技術を高め、遠隔地との交易を活発にしつつインダス平原を含むより広い地域に広がっていった(小磯 二〇〇七:一七―二二頁)。その中から登場したのが、南アジア最初の文明、インダス文明である。

インダス文明は前二六〇〇年頃に成立し、前一九〇〇年頃まで存続した。三〇〇〇を超える関連遺跡は、インダス流域を中心とするインド亜大陸北西部の東西一八〇〇キロ、南北一五〇〇キロの広範囲に分布する(本巻小磯論文)。沖積平野での大規模農耕に支えられ南アジア最初の都市化を経験したこの文明が、それ以前にインダス流域とバローチスターン高原、パンジャーブ平原東部で成立していた地域文化を統合するかたちで成立し(上杉 二〇〇七:四一頁)、隣接する西インドの中石器文化社会とも交易を行う一方で(小磯 二〇〇七:一九頁)、中央アジアやメソポタミア諸都市とも活発な陸上・海洋交易を行うなど、内外のフロンティアを内包していたことは特筆に値する(近藤 二〇〇七:二七―三一、三八―三九頁)。

前一九〇〇年頃にインダス文明は衰退し、城壁に囲まれた都市や現在に至るまで未解読のインダス文字など、都市文明を代表する文化要素は断絶したが、土器の様式や農耕に関わる技術などは後続して各地に登場した諸文化にも受け継がれた(同:四〇頁)。バローチスターン高原からパンジャーブ平原東部、ガンジス・ヤムナー両河地域にかけて成立した様々な地域文化は、互いにゆるやかに関係しつつ発展していたが、前二〇〇〇年紀には地域間交流がより活発となり、彩文灰色土器と黒縁赤色土器に代表されるより広域にわたる文化が登場した(上杉 二〇〇七:四一―四四頁)。このような変化をもたらした一つの要因が、西北部からの最初の遊牧集団、いわゆるインド・アーリヤ人の進入である。

歴史のはじまり――インド・アーリヤ人の到来

ポントス・カスピ海草原に居住していた原印欧語話者と考えられる遊牧集団は、馬の家畜化と馬車の導入により機動力を得ると、まず内陸ユーラシアの西、続いて東へと拡がっていった。ウラル山脈を越えて東へ移動した集団の一部は、前二一〇〇年頃にバクトリア・マルギアナ地域を抜けてイラン・南アジアへと南下した。彼らは途中で二手に分かれ、一方がイランに進入したのに対し、もう一方は部族単位の小集団ごとに漸次ヒンドゥークシュ山脈を越えて南アジアへと進入し、前一五〇〇年頃には互いに衝突を繰り返しつつパンジャーブに定着した(Anthony 2007; 藤井 二〇〇七:六〇—六五頁)。これが、インド・アーリヤ人である。馬が引く二輪馬車を駆る遊牧民である彼らは、インダス文明衰退後の各地で成立した諸文化の担い手である定住農耕民と接触・衝突を繰り返しつつ交流し、その結果新しい社会と文化が生じた。その様相を伝えるのが、南アジア現存最古の言語資料、ヴェーダ文献である。これらは祭官達が保持した祭式を中心とする宗教的知識の集成であるが、伝承や当時の社会の記述を含んでおり、その出現をもって南アジアの歴史が始まったと言えよう。

ヴェーダ文献のうち、最古のものが前一五〇〇年から前一〇〇〇年の間に成立した『リグ・ヴェーダ』である。神々への讃歌を集成したこの文献から読み取れる、初期ヴェーダ時代のインド・アーリヤ人社会は部族社会であり、首長ラージャンの下、部族構成員のうち、生産者ヴィシュが農耕・牧畜を担い、戦士であるラージャニヤがヴィシュの防衛と他部族の家畜の略奪に当たった。ラージャンにはプローヒタと呼ばれる司祭が仕え、戦勝祈願などを行った。ラージャンはヴィシュから生産物を貢納として取り立てる一方で、ラージャニヤらを率いて他部族を略奪し、祭火への献供と興奮作用のあるソーマの共飲を中心とする祭式を催して、その戦利品を部族内で再分配した(ターパル 一九八六:二九—四七頁)。これらに加え、『リグ・ヴェーダ』は、アーリヤ人の敵としてダーサ/ダスユと呼ばれる集団に言及する。彼らはアーリヤ人の宗教・文化を持たず、プルと呼ばれる柵塁に拠って戦ったという(藤井 二〇〇七:七二頁)。これは前述の定住農耕民を指し、その多くが従属的生産者として社会に取り込まれたと考えられるが、中にはヴェーダ祭式を受け入れて首長となる者、あるいはアーリヤの首長に仕える司祭として受け入れられる者もあった。

王権の誕生とブラフマニズムの成立・拡大

前一〇〇〇年頃になると、インド・アーリヤ人は部族間の統合を進めつつガンジス・ヤムナー両河地域(ドーアーブ)へと進出した。『リグ・ヴェーダ』の最新層や、続いて成立した詠歌集『サーマ・ヴェーダ』、祭詞集『ヤジュル・ヴェーダ』、呪文集『アタルヴァ・ヴェーダ』と関連文献からは、後期ヴェーダ時代に起こった社会の変化が読み取れる。まず、祭式が体系化され、多くの祭官を組織して執り行うより複雑で大規模なものとなった。中でも発達したのが即位式ラージャスーヤを始めとする王権儀礼である(藤井 二〇〇七:七五―八一頁)。その背景にあるのは首長の王権への成長と、それに伴う富の集中であった。また、祭式の精緻化により専門性を増すとともに、王権との関係により地位を上昇させた祭官達は、ブラーフマナ(バラモン)と呼ばれる司祭階層を形成して権威を揮うようになり、祭式を中心とする宗教・価値体系であるブラフマニズム(バラモン教)を確立させた。王権の成長に伴って地位を上昇させたラージャニヤもクシャトリヤという戦士・支配者階層を形成し、ヴィシュから隔絶した存在となった。両者の相補的な権力の確立と支配の強化により、ヴィシュは生産者階層であるヴァイシャとなり、また、部族外部から取り込まれた者たちは隷属階層であるシュードラとされた。この四階層をヴァルナと呼び、ヴェーダ学習への入門という二度目の誕生を許された再生族(ドヴィジャ)である上位三ヴァルナと、それを許されない一生族(エーカジャ)であるシュードラに二分される。これら四ヴァルナで構成される社会はブラフマニズムにおいて理想とされた(同:八一―八三頁)。

ヴェーダ祭式を中心とするブラフマニズムの文化と社会は、前一〇〇〇年紀前半にはヒマラヤ山麓を通ってさらに東へと拡大し、ガンジス中流域北部のコーサラやヴィデーハに至った。これらの地域では在地文化との交流を通して独自の文化が発展し、前一〇〇〇年紀半ばからのガンジス中流域の森林地帯の開発も相まって新たな歴史変化が起こった。

二、ガンジス流域の国家形成からマウリヤ帝国へ

ガンジス中流域の開発と国家形成

紀元前六世紀に鉄器の生産活動への本格的な使用が始まると、ガンジス中流域の深い森林を切り開き、粘土質の固い土壌を耕作することが可能となった。肥沃な土壌と豊富な水資源はすでに耕作されていたイネを中心とする農業生産の増大をもたらし、その結果生じた剰余はその集積と分配をコントロールする政治権力を強化するとともに、手工業など食料生産と直接関わらない生業への従事を可能にした。様々な生業とそれらの間のより広範な交換関係に基づく複雑な社会の発展は、社会関係を調整・統御する政治権力、国家の形成を促した。また、政治権力と集積された様々な形の富の交換の中心としての都市も発達し、いわゆる第二次都市化が進行したことが、考古資料からも裏付けられる(上杉 二〇〇七：四六―四八頁)。広範な交換関係を媒介する貨幣も、一定の重量の銅・銀に印を打つ打刻印貨幣として、この時代に初めて登場した(山崎 二〇〇七：一〇一―一〇二頁)。

この時代に登場した国家のうち、特に強力だったのが、仏典に言及される十六大国であり、王国とガナ＝サンガの双方を含んでいた。王国としては、ドーアーブでの王権強化の結果ガンジス上流域に成立した古い王国であるクルとパンチャーラがまず挙げられるが、ブラーフマナによる抑制もあり両国では権力の集中が進まなかった。それに対し、ガンジス中流域の新興王国であるコーサラやマガダは王の下に官僚制と常備軍が整備され、豊富な資源も相まって強大化し、周辺国の征服を進めた。ガナ＝サンガは、クシャトリヤを称する有力氏族メンバーの合議により共同統治される寡頭制国家であり、北西・西インドや、ガンジス北岸からヒマラヤ山麓に至る地域に存在した。強力だったのは十六大国に含まれるマッラとヴリジであるが、それらに加えて仏教の開祖ブッダの出身部族であるシャーキヤや、ヴ

リジを構成する部族の一つでありジャイナ教の開祖マハーヴィーラが出たリッチャヴィも、後者の地域に栄えたガナ＝サンガであった。これらのガナ＝サンガを、またアンガやコーサラなどの王国を征服して台頭し、ガンジス中流域を統一したのが、鉱産・林産資源が豊富であった現在のビハール南部に起こり、ラージャグリハ、ついでパータリプトラを都としたマガダである。マガダは王位を簒奪して成立したナンダ朝の下でさらに強大化し、ドーアーブの王国を滅ぼしてガンジス全流域を支配して現在のオリッサ沿岸部にまで勢力を広げた(同：九一―九八、一〇四―一〇五頁)。

ガンジス中流域の社会と文化――「大マガダ」

この時代、ガンジス中流域では、ガハパティ(家長)が支配する家を単位として、農村では定住農耕・手工業が営まれ、都市では手工業者に加えてセッティ(長者)と呼ばれる大商人やサッタヴァーハ(交易商)が活躍していた。ヴァルナ制は受容されていたものの、仏典に見られるようにクシャトリヤや商人の地位がブラーフマナと遜色ないなど、前時代・同時代のドーアーブとは異なる社会が形成されていた(山崎 二〇〇七：一〇〇―一〇三頁)。また、円墳への埋葬や輪廻・業の思想など、ブラフマニズムとは異なる文化が発達しており、近年ではガンジス・ヤムナー合流点であるプラヤーガ以東のガンジス中流域を「大マガダ」という独自の文化圏として捉えることも提言されている(Bronkhorst 2007)。「大マガダ」の文化や思想との交流は、ブラフマニズムの内部に新たな思潮を生んだが、その一端がアーラニヤカとウパニシャッドと呼ばれる文献群として残されている。そこでは、輪廻に関わる諸説、宇宙と個の原理などが論じられているが、中でも重要なのが宇宙の最高原理ブラフマンと個であるアートマンを同一とする梵我一如《ぼんがいちにょ》説であり、後代の思想的発展に大きな影響を及ぼした(宮元 二〇〇七：二三五―二四一頁)。

上記の社会と文化を土壌に、仏典で六十二見と総称される数多くの新たな思想が生まれ、ガンジス中流域の諸都市を舞台に議論を戦わせた。中でも新興王国の支配者や都市商工業者の支持を集め、後代まで大きな影響を及ぼしたのが、アージーヴィカ教、ジャイナ教、そして仏教である。これらはいずれも、通常の社会生活を離れた出家修行者(シュラマナ)の共同体(サンガ)が、在家信者の援助の下、輪廻からの解脱を目指して修行を実践する点で共通しており、サンガの組織と運営は、ブッダやマハーヴィーラも属していたガナ＝サンガに範をとっていた。厳しい苦行を行うアージーヴィカ教とジャイナ教に対し、仏教は節度ある行いと瞑想を主要な実践とする。また、アージーヴィカ教がすべての行いの結果は既に定まっているとするのに対し、ジャイナ教は苦行による業の消滅とそれによる解脱を、仏教は因果の自覚による業の停止と解脱を説いた。ジャイナ教が輪廻する魂の存在を想定するのに対し、仏教は輪廻するのは業のみであるとした。いずれの教派も個人の行いを重視し、ブラフマニズムが掲げる祭式至上主義とヴァルナ制、ブラーフマナの至上性に対して異議を唱えており、そのこともガンジス中流域の新興勢力・階層の支持を集める要因であった(宮元 二〇〇七：二四一—二四七、二六〇—二六一頁、Basham 2002)。

マウリヤ帝国とその影響——ダルマをめぐって

前六世紀後半から末にかけて、亜大陸西北部のガンダーラとインダス流域はイランのアケメネス朝の支配下に入って属州となり、大量の砂金を献ずる一方、公用のアラム文字をもとにしてカローシュティー文字が発明されるなど、様々な影響を受けた。その後前三二六年には、アケメネス朝を滅ぼしたマケドニアのアレクサンドロス三世(前三五六—前三二三年)の軍勢がインダス川を渡って侵入し、パンジャーブの諸勢力を征服した。アレクサンドロスは将兵の反対に遭ってさらなる進軍を断念して去り、その死後には太守たちの抗争や現地人の反抗のためギリシア人将兵は前三一六年頃までにインドを去ったが、これにより南アジアとギリシア世界の直接交渉が始まり(山崎 二〇〇七：一〇三—一〇四頁)、西北部にはイラン系およびギリシア系の住民が定着した。

アレクサンドロスの侵入の直後、マガダではチャンドラグプタ(在位前三一七–前二九三年頃)がナンダ朝を倒してマウリヤ朝を創始した。彼はアレクサンドロスの死後混乱状態にあったインダス流域を征服し、西南インド・デカンにも勢力を広げて南アジア最初の帝国を築くと、さらにセレウコス朝の軍を破り、講和によりアフガニスタン南半を含むインダス以西の地も手に入れた。マウリヤ朝の勢力は拡大し続け、第三代王アショーカ(在位前二六八–前二三二年)がカリンガ(現オリッサ州沿岸部)を征服すると、半島部南端を除くインド亜大陸全域に支配を及ぼすに至った(同:一〇五–一〇七頁)。マウリヤ帝国は直接支配を行う中心国家マガダの他、太守を派遣する属州や半独立のガナ=サンガ、林住部族民、北西部のイラン人やギリシア人など、多様な体制や社会集団を内包していた(本巻三田論文)。これらを統合するためアショーカが行ったのが、ダルマの政治である。彼は自分が正しいと考える社会の在り方をダルマ(法・規範)として宣布し、臣下・臣民に遵守を求めるとともに、自身にも為政者としての義務を課し、それらの内容を領内各地の岩石・石柱に碑文として銘刻させた。また、スリランカやヘレニズム諸国家へもダルマを伝える使者を送った。不殺生や正しい人間関係を説き、すべての宗派に対する保護を約束するアショーカのダルマは、自身が信仰した仏教に限らない、教派横断的な普遍的倫理をその内容としていた(山崎 二〇〇七:一〇七–一〇九頁)。その一方で、アショーカが仏教を熱心に保護したことも事実であり、その下で仏教は南アジア各地に広がった。

アショーカの子孫がダルマの政治を継続した形跡はなく、マウリヤ朝もアショーカ死後五〇年ほどで滅びたが、彼や仏教などの新教派が掲げたダルマはブラフマニズムに対する挑戦となり、ブラーフマナらは自身のダルマを確立する必要に迫られた。その現れが、前三世紀の『アーパスタンバ・ダルマスートラ』に始まる諸ダルマ文献の編纂である(Olivelle 2018a)。その中では、ブラーフマナを主とする社会構成員の生き方や守るべき規範・慣習としてのダルマが論じられるが、その核心がヴァルナーシュラマダルマである。ヴァルナ制度はすでに各地に広がっていたが、ダルマ文献ではブラーフマナを最上とする四ヴァルナ(四姓)の階梯と各ヴァルナの就くべき生業、ヴァルナ間混血の禁忌が改めて主張され、社会の周縁に取り込まれた人々をヴァルナ外の不可触民として差別する規定も作られた(Aktor 2018)。アーシュラマ(住期)は、元来、ヴェーダを学習する学生、結婚して家庭を営む家住者、森に隠棲する林住者、放浪して修行する遊行者という四つの生き方を指していたが、ヴェーダには無い出家修行の実践をブラフマニズムに取り込むため、初期には学生を経た後の三つの生き方の選択肢として提示され、後には段階を追って生きられるべき人生の四住期と定義された(Olivelle 2018b)。理想の社会の要件とされた四姓四住期のダルマは、新たな職業集団や外来民族の登場に対するヴァルナ間混血(ヴァルナサンカラ)や後述のヴラーティヤの理論の創造に見られるように、変化する現実に適応して、その後の時代にもブラフマニカルな社会の基本枠組として機能し続けた。(2)

ガンジス中流域に始まった国家形成の諸要因は、マウリヤ帝国の成立により、様々な文化レベルにあった南アジア各地へと広がり、次の時代に起きる新たな国家形成を準備した。「大マガダ」の文化との交流とアショーカからのダルマへの対抗から進化したブラフマニズムは、その新たな動きを活性化する一つの要素となった。このような内なるフロンティアの動きに加え、活発となる外なるフロンティアとの交流が、次の時代を規定することとなる。

三、相次ぐ外来勢力の到来とインド洋交易

西北部からの進入――インド・ギリシア人から遊牧勢力へ

前二四六年、セレウコス朝の東方領では、パルティア、バクトリアの二州が独立した。バクトリア王国を建てたギリシア人勢力は、前二世紀に、中央アジアからの遊牧勢力サカの圧迫を受けてヒンドゥークシュ山脈を越えて南下し、カーブル地域、アラコシア、さらにはガンダーラへと支配を広げ、タクシャシラー(タクシラ)に都を築いた。サカも前一六〇年頃に別の遊牧勢力である大月氏に押されてアフガニスタンに入り、一部はガンダーラを征服し、別の一部

はパルティア王国に従属して南西部のシースターンに定着した後、パルティア人の一派とともに勢力を形成してアラコシアを征服し、インダス流域に進出した。サカの勢力は前一世紀には北インドのマトゥラーに及んだ。サカの一部は後一世紀にカーティヤーワール(サウラーシュトラ)半島からウッジャインにいたる地域に勢力を築いた。彼らが帯びたクシャトラパ(太守)の称号から西クシャトラパと呼ばれるこの王朝は、デカンに興ったサータヴァーハナ朝と争った(定方 二〇〇七：一二六―一三五、一四八―一五〇頁)。

サカを追いやった大月氏では、五人の翕侯《きゅうこう》(ヤブグ)に分かれてバクトリアを支配していたが、その一人、クジューラ・カドフィセースが他の翕侯を滅ぼしてクシャーナ朝を創始し、後一世紀半ばにはパルティアに侵入するとともに、カーブルやガンダーラを征服した。その子ウィマ・タクトゥと孫ウィマ・カドフィセースはインダス流域を征服してマトゥラーにまで勢力を伸ばし、第四代カニシュカ一世の時代にはガンジス流域の都市にまで影響を及ぼすにいたった。ここに、中央アジアから北インドの大半に勢力を及ぼす帝国が成立した(同：一三八―一四一頁)。

南アジア社会・文化の新たな変化と外来勢力の土着化

インド・ギリシア人に始まる諸勢力の進入は、南アジアの社会・文化に新たな変化を引き起こした。まず、神像としてギリシア系・イラン系の神々を崇拝する彼らの宗教体系の影響を受け、ガンダーラとマトゥラーで仏像の製作が始まり、またブラフマニズムにおいても、ヴィシュヌやシヴァなど、新たに主流となった神格を神像として神殿で崇拝する信仰形態が発達した。また仏教においても、西方の宗教・思想の影響の下、菩薩による衆生の救済を特徴とする大乗仏教が起こった(定方 二〇〇七：一四六―一四八頁)。シャカ暦(七八年―)やカニシュカ暦(一二七年―)など、重要な出来事や天体配置に基づく特定の時点から連続する紀年を数える暦法が、それまで王の在位年を用いていた南アジアにも伝わり、その影響により、グプタ暦(三一八／三一九年―)など新たな紀年も創始された(Falk 2012)。貨幣についても、インド・ギリシア人に始まる王の肖像や神像、銘文を配した円形貨幣の形式が西部・北西部のガナ＝サンガなど北インド諸勢力によっても採用され、続くグプタ朝の下で標準化した(グプタ 二〇〇一：三九―四七、五九―六〇頁)。クシャトラパなどの半独立の支配者の上に「諸王の王」が君臨する政治体制、騎馬軍の重要性の増大と戦車軍の廃止、グプタ朝金貨の王の肖像に見られる外套・袴・長靴の軍装と複合弓や、そこから類推される騎射の導入など(Roy 2015: 57-61)、政治・軍事面にも外来勢力の影響が認められる。

一方、外来勢力の側でも南アジアの文化を受容し、土着化する傾向が生じた。カニシュカ一世はイラン系を中心とする諸神や先祖を祀る神殿を建立しつつ、ブッダの像を貨幣の意匠とし、仏典では仏教の保護者と描写されている(定方 二〇〇七：一四一―一四三頁)。西クシャトラパの支配者たちは、ブラフマニズムを奉じ、名前をインド化したのに加え、一五〇年には南アジア最初のサンスクリット頌徳文《しょうとくぶん》を残している(本巻馬場論文)。ブラフマニズムの側も、これら外来支配者は義務を怠ったため地位を失った堕落クシャトリヤ(ヴラーティヤ)であり、「再び」ブラーフマナに従うことで復帰し、正統な王と認められるとする理論を構築し、外来勢力による支配という現実に適応した。

外来勢力の進入、特にクシャーナ朝支配の確立は、南アジアを中央アジア、さらにはその先にあるユーラシアの東西交易ネットワークと緊密に結びつけた。これにより作られた交易路は、双方の物産のみならず、南アジアの文化を外に伝える経路ともなった。その最たるものが大乗仏教を中心とするサンスクリット化した仏教であり、それは中央アジアを通って東アジアにも伝播した(本巻馬場論文)。

インド洋交易の隆盛とデカン・南インド

亜大陸西北部で陸のフロンティアが活発化していた頃、海のフロンティアもかつてない規模で開かれ始めていた。季節風を利用した航法の導入により、一世紀にギリシア人商人を主な担い手とする地中海世界とのインド洋交易が隆盛となったのである。『エリュトラー海案内記』などの記述やパッタナム、アリカメードゥでの発掘の成果が示すように、亜大陸西岸から半島の東西両岸の諸港にはギリシア人をはじめとする外国商人が来航して居留地を築いていた(本巻和田論文)。彼らは現地物産の獲得を主な目的として、現地の社会と交流したが、これによって形成された海域世界との関係は、内陸社会の在り方に応じて異なる形態を取りえた。そのことを示すのが、同時期に国家形成を経験したデカンと、国家以前の段階にとどまった南インドとの差異である。

マウリヤ朝滅亡後、続くシュンガ朝・カーンヴァ朝の下でマガダの支配が後退すると、従属していた諸勢力が独立する一方で、マウリヤ朝支配下で国家社会を経験した周縁地域では新たな国家形成が見られた。その中で最大の勢力へと成長したのが、前一世紀にデカン西部ゴーダーヴァリー上流域に起こり、東部のアーンドラ地方や南のカルナータカ、北は中部インドのマールワーにまで支配を及ぼしたサータヴァーハナ朝である。彼らはブラーフマナ出自を主張して、ヴェーダ祭式の催行とヴァルナーシュラマダルマの維持を誇り、仏教も保護するなど、北インド文化の影響を強く受けていたが、その一方で、母系制をうかがわせる王母の家系名を王名とともに明示するなど、土着文化の要素も保持していた。一世紀後半からはインド洋交易を巡ってグジャラートの西クシャトラパ勢力と争い、一進一退を繰り返したが、三世紀には衰退した(石川 二〇〇七a:四〇―四四頁)。サータヴァーハナ朝の支配はデカン各地に国家社会を広げ、さらなる国家形成を促すこととなった。その結果、ヴィダルバ地方にヴァーカータカ朝、アーンドラ地方にイクシュヴァーク朝、カルナータカにカダンバ朝が興り、北インドの影響を受けつつ支配を確立していった(同:四四―四八頁)。

サータヴァーハナ朝支配下のデカンでは仏教が拡大・繁栄し、ナーシクやカールレーなど、各地に石窟僧院が開削された。これらの多くがデカンから西ガーツ山脈を越えて西海岸に至る通商路上に位置しており、碑文を残した寄進者にギリシア人を含む商人が多く含まれることからも、インド洋交易の隆盛を背景とした、交易商と仏教サンガとの相補的な関係が推測される(Ray 1986)。仏教サンガは、施与された金銭を商人・職人に預託し、その運用から得られた利息で僧院を維持し、修行者に衣食などを提供していた。加えて、王や王族から土地の施与も受けるなど、仏教サンガは恒常的組織として発達していた。サータヴァーハナ朝の後継諸国家の下でも仏教の繁栄は続き、デカン西部の石窟僧院がさらなる発展を見る一方で、アーンドラ地方ではアマラーヴァティーやナーガールジュナコンダに仏塔を中心とする僧院が建造された。

南インド社会は、同時代のデカンとは異なり、未だ首長制の前国家社会であった。紀元前後数世紀の間に編纂された、サンガム文学と総称されるタミル語古典文学作品から読み取れる社会は、丘陵や荒地、牧草地、平地、海岸などで様々な生業が営まれる中、血縁に基づく氏族構成員を束ねた首長が隣接する集落を掠奪して、または貢納を取り立ててその富を再分配するというものであった。ジャイナ教・仏教の修行者やブラーフマナらも移住し、首長の中にはアショーカの碑文に言及されるチョーラ、パーンディヤ、チェーラのように、他の首長を従える大首長も存在したが、マウリヤ朝からサータヴァーハナ朝に至る北の勢力の影響にもかかわらず、前国家的政治体制に変わりはなかった。インド洋交易との繫がりも、北インドから来た商人がギリシア人らの貨幣経済と首長制社会の互酬的交換経済を媒介するものであり、大量の輸入ローマ金貨も貨幣ではなく、装飾品などの威信財として用いられていた(Gurukkal 2010: 136-154, 224-241)。

海陸における外なるフロンティアの活発化は南アジアをより広い世界と繫げ、それを通して到来した人と文化は、南アジアにおける社会と文化の発展に大きな刺激を与えた。三世紀にクシャーナ朝は衰退し、インド洋交易も一世紀終わりの最盛期を過ぎると一時停滞したが、この時代に与えられた刺激は、次の時代における、南アジアの内なるフロンティアのさらなる拡大につながっていく。

四、グプタ朝による北インドの統一と地域勢力の成長

グプタ朝の台頭とパラダイムの確立・拡大

三世紀にクシャーナ朝の勢力が後退すると、様々な勢力が北インド各地で独立し、割拠した。その中から台頭したのが、マガダの小領主であったグプタ朝である。チャンドラグプタ一世(在位三一八/三一九―三五〇年頃)はリッチャヴィ族との婚姻同盟により北ビハールの支配権を得ると、近隣勢力を征服して四世紀半ばまでにガンジス中流域の支配を確立し「偉大なる諸王の王」を称した。その子サムドラグプタ(在位三五〇―三七五年頃)は、北インド中央部の諸勢力を滅ぼして直轄領を拡大する一方で、デカン、南インドに遠征して武威を示し、東インド・ヒマラヤ山麓の辺境の諸王や西部・北西部のガナ＝サンガ、中央インドの森林の首長を従属させ、後期クシャーナ朝や西クシャトラパ、スリランカなどの領域外諸勢力とも外交関係を結んだ。その息子チャンドラグプタ二世(在位三七五/三八〇―四一四年頃)は、西クシャトラパ勢力を滅ぼすとともにベンガルにも支配を及ぼし、アラビア海からベンガル湾に至る北インドを統一した。ここに、グプタ朝が多様な勢力を統合する帝国が成立した(古井 二〇〇七：一六四―一七〇頁)。

グプタ朝は、政治体制や軍事・貨幣制度、グプタ暦の創始などについて前述のようにクシャーナ朝の影響を受ける一方で、その頃までに成立していた『マヌ法典』をはじめとするダルマシャーストラや『マハーバーラタ』と『ラーマーヤナ』の二大叙事詩に描かれた理想の王権として、サンスクリットの頌徳文などで自己を表象する、最初のサンスクリット王権でもあった(本巻三田論文)。グプタ朝が確立した王権と政治体制のモデルは模範としてその勢力圏内に広がり、中央インド森林地帯やオリッサなどでの新たな国家形成を促した(古井 二〇〇七：一七六―一七七頁)。また、政治的言明へのサンスクリットの適用はグプタ朝の下で本格化したが、それはその支配領域を超えて南アジア全体、

さらには東南アジアにまで広がり、サンスクリットを媒体として王権や政治体制に関わる概念やレトリックが共有・表象されるサンスクリット・コスモポリスの登場へと帰結した(Pollock 2006: 75-258)。一方、同時期のスリランカでは上座部仏教大寺派がパーリ経典の正典化を図り、サンスクリット経典とともに拡大する大乗仏教に対抗していた(本巻馬場論文)。

前時代に登場した新たなブラフマニズムの形態、つまりヴィシュヌとシヴァを中心とする諸教派による、寺院での神像への様々な奉仕を内容とする宗教実践は、グプタ朝を始めとする諸王権の支持もあってこの時代に確立し、各教派の立場で世界の創造や神話、信者が守るべき慣習などを説くプラーナ文献の編纂も始まった。この時代にはブラーフマナの周縁への移住とそれに伴う農業の拡大、非定住社会の定住農耕社会化も進み、その過程で神格などさまざまな土着要素がブラフマニズムに吸収された(本巻横地論文)。

南アジアと東南アジアを結ぶ環ベンガル湾モンスーン交易は五世紀までには確立していた(本巻和田論文)。このルートによりサンスクリット王権のモデルや新たなブラフマニズムが伝わり、東南アジア各地における国家形成にも影響を及ぼすこととなった(本巻田畑論文)。

グプタ朝の衰退と地域勢力の成長

グプタ朝が台頭して北インドの統一を進めていた四世紀後半、中央アジアではキダーラを王とするフン系遊牧集団の一派がクシャーナ朝に代わってバクトリアを支配し、ヒンドゥークシュ山脈の南のガンダーラにまで勢力を広げていた(Bakker 2020: 10-12)。このキダーラ・フンと別のフン系集団アルカンの連合は、五世紀半ばに西北部から北インドに侵入したが、グプタ朝の王スカンダグプタ(在位四五五–四七〇年頃)により撃退された(古井 二〇〇七：一七三頁、Bakker 2020: 14)。五世紀後半にヒンドゥークシュの北側の支配勢力が別のフン系集団エフタルに代わる中、ガンダーラとパンジャーブを中心とする西北インドではアルカンの四王が連合して支配していた。五世紀末に台頭して単独の支配者となったトーラマーナは、グプタ朝が弱体化しつつあった北インドに侵入し、インド西部から中部へと支配を広げたが、中部インドのダシャプラを拠点としていたアウリカラ朝の王プラカーシャダルマンに敗れた。トーラマーナの子ミヒラクラは再び北インドに侵攻したが、アウリカラ朝のヤショーダルマンとその同盟者でカナウジを拠点としたマウカリ朝の王イーシュヴァラヴァルマンに敗れ、西北インドに後退した(Bakker 2020: 71-80, 86-98)。

アウリカラ朝とマウカリ朝はともにグプタ朝に従属する地方王権であったが、グプタ朝支配の後退に伴い、独立化していた。彼らによるトーラマーナ、ミヒラクラの撃退は、グプタ朝の衰退と、その支配下にあった従属王権の成長を象徴するものであった(古井 二〇〇七：一七四―一七五頁)。アルカンの侵攻はまた、サンスクリットでフーナと総称されるフン系遊牧集団や、グルジャラなど、彼らに付随して進入した遊牧集団が西インドに定着し、新たな政治権力として登場する契機となった。彼らは協力者であるブラーフマナらの作成した系譜をもとに正統クシャトリヤの出自を主張して、後代にラージプートへと成長する戦士集団の一角を占めることとなった(三田 二〇〇七：一九五、二二〇―二二一頁)。

六世紀半ばにグプタ朝が滅亡すると、前述のマウカリ朝やビハールとマールワーを支配した後期グプタ朝、グジャラートのマイトラカ朝など、グプタ朝の従属王権から成長した諸勢力が相争った。その中から台頭したのが、ターネーサルに興ったプシュパブーティ朝の王ハルシャヴァルダナ(在位六〇六／六〇七―六四六／六四七年)である。姻戚関係にあったマウカリ朝がベンガル王シャシャーンカにより滅ぼされ、その征討に向かった兄王ラージュヤヴァルダナ二世も謀殺されると、ハルシャは軍勢を率いてシャシャーンカを追いやり、マウカリ朝の領域を継承してカナウジの王となった。カーマルーパ(アッサム西部)の王バースカラヴァルマンと同盟してシャシャーンカ死後のベンガルとオリッサを征服し、またマイトラカ朝を破った上で婚姻同盟を結んだハルシャは、グプタ朝以来の北インド統一を果たした(同：一九六―一九八頁)。ハルシャの帝国の大部分はサーマンタと呼ばれる従属支配者の領地で構成されていたが、彼らの多くは、貢納と軍事奉仕と引き換えに自領を安堵された元独立支配者であった(同：二〇〇―二〇一頁)。これは、グプタ朝以降の各地域、特に周縁地域における王権成長の結果であり、以来、サーマンタの存在と彼らの統合は、南アジアにおける帝国建設の主要な要素となった。

デカンと南インドの発展

グプタ朝の下で確立したサンスクリット王権のモデルと新たなブラフマニズムは、ヴィンディヤ山脈を越えてデカン、さらには南インドへと広がった。デカンでは、かつてのサータヴァーハナ朝支配領域に興ったヴァーカータカ朝とカダンバ朝が、ブラーフマナ出自の主張などでサータヴァーハナ朝を踏襲する一方、グプタ朝と婚姻関係を結んで北インドの文化を積極的に取り入れた(石川 二〇〇七a：四四―四八頁)。南インドでは、四世紀末にタミル地域北部を拠点に、カーンチープラムを都とするパッラヴァ朝が興ったが、六世紀後半のシンハヴァルマン系統の王達の登場以降、カーヴェーリ流域へと支配を拡大し、寄進によるブラーフマナ村落の設定と定住農耕社会の形成による農耕拡大を背景に、本格的な国家を形成するに至った。半島南部でも六世紀末に、同様の農耕拡大と国家形成の結果、カドゥンゴーン系統のパーンディヤ朝が登場した(辛島 二〇〇七：八六―八八頁、Gurukkal 2010: 130-133)。デカンではさらに、カダンバ朝の従属支配者であったチャールキヤ朝が六世紀後半に独立してプラケーシン二世の下でデカン全域に支配を拡大し、パッラヴァ朝とパーンディヤ朝も交えた熾烈な抗争を繰り広げる一方で、ハルシャヴァルダナを撃退し、その南進を阻んだ(石川 二〇〇七b：七〇―七四頁)。ここには、デカン・南インド双方における国家形成の進展が反映されている。

これらの国家によるサンスクリット王権モデルの受容は、何よりもサンスクリット碑文の製作に表れている。これらには、叙事詩やプラーナのエピソードに基づく隠喩で、ダルマに則った理想の君主として王の徳や事績、特に武勇を讃える頌徳文が含まれ、実務的内容をカンナダ語やタミル語で記した二言語碑文においても、サンスクリットによる頌徳文は維持された。また、新たなブラフマニズムの普及は、マーマッラプラムの岩窟に浮彫されたシヴァ、ヴィシュヌを中心とする主題にも明らかであるが、ヴァーカータカ朝のラーマギリ(ラームテーク)、パッラヴァ朝のカーンチープラムとマーマッラプラム、チャールキヤ朝のパッタダカルのように、王権と密接にかかわる宗教センターを創出し、巨大石造寺院を建立することにデカンおよび南インドの王朝の特徴があった(石川 二〇〇七a：四五頁、石川 二〇〇七b：七四―七六頁、辛島 二〇〇七：九一―九二頁)。

グプタ朝の下で確立したサンスクリット王権のモデルと新たなブラフマニズムは、周縁における国家形成を促し、定住農耕の拡大とともに内なるフロンティアを押し広げた。続く中世初期時代には、この過程で形成された諸勢力を統合した地域王権の下、独自の文化を有する地域社会が形成されることとなる。

五、中世初期地域王権の成立と地域社会の形成

三帝国の抗争から地域王権の成立へ

ハルシャの死後その帝国は瓦解し、続く時代、八世紀前半のカナウジの王ヤショーヴァルマンのように大規模な征服事業を行う勢力が時折現れたものの、いずれも短命で終わり、北インドに帝国を樹立するに至らなかった(三田 二〇〇七：二〇一―二〇二頁)。各地に新たな王権が登場する中で、八世紀後半、北インドの東西で各々諸勢力を統合して帝国を建設し、長期にわたって維持したのが、北ベンガルに興ってベンガル西部とビハール東部を支配したパーラ朝と、ラージャスターンなどに定着したグルジャラが興し、後にはカナウジを都として北インドの西半に支配を広げ

たプラティーハーラ朝である。両者は、カナウジの王権をめぐるアーユダ朝の後継者争いに介入し争ったが、宗主であるチャールキヤ朝に成り代わったデカンのラーシュトラクータ朝もこれに加わり、三帝国の抗争へと発展した(同：二〇三―二〇九頁)[3]。いずれの王朝も各地域、特に周縁で農耕拡大を背景に成長した地方王権をサーマンタとして統合することに権力の基盤を置いていたが、集権化の度合いと従属支配者の自律性には差異があった(本巻三田論文)。この差異は続く地域王権の確立にも反映されており、プラティーハーラ朝と、ラーシュトラクータ朝を継いだ後期チャールキヤ朝の衰退に伴い、西インドとデカンの各地でかつての従属支配者達が地域王権として自立していったのに対し(本巻三田論文)、ベンガルでは従属支配者であったセーナ朝がパーラ朝を打倒した上で、後者の支配領域外であった東ベンガルも含めたベンガルのほぼ全域を統合する最初の王権となっている(Furui 2020: 188)。

三帝国の差異は外なるフロンティアとの接続にも現れている。プラティーハーラ朝が西北インドを通した陸上交易により中央アジアから多くの馬を輸入し、また領内の西インドで交易と新たな都市の発達を見たのに対し(本巻三田論文)、パーラ朝は海洋交易により主に東南アジアとつながり、中国江南にも及ぶ仏教ネットワークの一端を形成していた(Singh 2016: 373-375)。ラーシュトラクータ朝は西岸諸港に居住してインド洋交易に従事するアラブ・イラン商人を保護し、また彼らを沿岸部の行政官にも任命していた(Chakravarti 1990: 195-196)。

南インドでは九世紀半ばカーヴェーリ・デルタにヴィジャヤーラヤ系統のチョーラ朝が興り、一〇世紀半ばにかけてパッラヴァ朝・パーンディヤ朝を征服した。九四九年にラーシュトラクータ朝に敗れて一時衰退したが、ラージャラージャ一世(在位九八五―一〇一四年)・ラージェーンドラ一世(在位一〇一二―四四年)父子の代には南インド全域とスリランカ北部を征服・支配し、さらにはベンガルに至るまでの亜大陸東岸とシュリーヴィジャヤ支配下の東南アジア島嶼部に遠征した(Heitzman 1997: 5-7)。チョーラ朝によるシュリーヴィジャヤ遠征には、当時南インドの商人組合や外国人商人らの活動により活発化していた、インド洋交易での覇権確立への意図が認められる(本巻和田論文)。

周縁地域の発展と地域社会の形成

中世初期南アジア各地の地域王権の登場は、周縁地域における、サンスクリット王権モデルの拡大による国家形成と、ブラーフマナや寺院への土地・村落施与による定住農耕拡大の進展を前提としていた。周縁地域の首長層は北インド中央部からブラーフマナらを招き、自身の出自を正統クシャトリヤとする系譜を作らせる一方で、土着の神格や部族の守護神をシヴァあるいはヴィシュヌというブラフマニズムの主神と一体化させて王家の守護神とし、それを祀る寺院を建立することで、サンスクリット王権としての地位を確立した。土地・村落施与によるブラーフマナの移住や寺院を中心とするネットワークの拡大は、環境により様々な形態を取りつつ、非耕作地の耕作地への転換による定住農耕の拡大を促した(本巻三田論文)。国家社会と定住農耕の拡大により、南アジアの内なるフロンティアは乾燥地や森林地帯を蚕食しつつ前進し、そこに居住していた非農業民の生活の場を奪うとともに、彼らを否応なく定住農耕社会の周縁へと取り込んでいった。

内なるフロンティアが前進する中、南アジア各地の社会は二つの変化を経験していた。一つは階層化された土地関係の形成である。ブラーフマナや寺院への土地・村落収入の施与、従属支配者層の存在は、特定の土地に対する複数の、重複する権利を生んだ。これに農民内の土地保有と耕作の分離、非農業民の最下層の農業労働者としての取り込みなども重なり、各地域に階層化された土地関係が形成された(Veluthat 2009: 83-99; Furui 2020: 116-119, 133-141, 209-213)。もう一つはジャーティ(カースト)秩序の形成である。四ヴァルナが社会的枠組として、主にブラーフマナらにより保持される一方で、現実の社会では世襲を原則として商工業に従事する同業者集団や、定住農耕社会に取り込まれた遊牧民や狩猟採集民が、同一集団内での婚姻を原則とする社会集団を形成していた。これらは生まれを意味するジャーティの名で呼ばれ、各地域で様々な集団がジャーティとして形成・認識された。ブラーフマナらは四ヴァルナへのカテゴリー分けやヴァルナ間混血の理論を適用して、自らを頂点とする階層に各ジャーティを位置付け、地域ごとに特徴的なジャーティ秩序に編成することを試みた(Furui 2020: 213-214, 227-236)。

地域ごとに異なる階層的土地関係とジャーティ秩序の形成は、宗教・文化の地域性や社会集団間の権力関係とも相まって、各地域に特徴的な地域社会を生んだ。例えば、後にラージプートと総称される戦士集団と商人の権威が強い西インドにおいて、彼らをクシャトリヤ、ヴァイシャとして扱う疑似四ヴァルナ体制が存在していたのに対し、ブラーフマナの権威が強いベンガルとタミル地域では、ブラーフマナ以外のすべてのジャーティが上下に二分されたシュードラとされ、上位シュードラに属するカーヤスタ(書記)やアンバシュタ(医者)、土地保有農民ヴェッラーラなどが支配層を形成していた(Tambs-Lyche 1997; Furui 2020: 231-234; Veluthat 2009: 93-96)。

ブラフマニズムのさらなる展開と新たな宗教実践の登場

前述のように、中世初期南アジア各地における地域王権成立の基盤の一つに、ブラフマニズムの主神の土着化・王家の守護神化があった。王権との関わりにおいてこの時代に顕著となるのが、シヴァ派の台頭である。聖化と呪術的強化を中心とする精緻な王権儀礼を発達・体系化させたシヴァ派は、公式には仏教徒であるパーラ朝の王達を含む、多くの王権によって受容され、各地に王権と一体化したシヴァ派寺院が建立された(Sanderson 2009: 252-280)。その拡大の過程では、様々な土着の神格・聖地を取り込んでいったが、その際に顕著であったのが、様々な無形・有形の女神の、シヴァ神姫の顕現としての再定義と吸収であった(本巻横地論文)。

台頭するシヴァ派の宗教を構成する大きな要素が、タントラと総称される新たな宗教実践である。これは、呪句(マントラ)や手印(ムドラー)、円陣(マンダラ)を用いた、儀式や修行により、呪術的な力や解脱などの成就(シッディ)を得る実践であり、師に入門して直接秘儀を伝授される必要があるなど、秘教的なものであった。女性の力(シャクティ)を重視し、性交渉や肉食・飲酒を儀式の重要な要素とするタントラの形成は、内なるフロンティアの前進による非定住社会との接触を背景としている。その起源については議論が分かれるが、タントラはヴィシュヌ派、ジャイナ教、仏教にも取り入れられ、特に中世初期東インドの仏教では支配的要素となった(Davidson 2004)。

この時代に登場するもう一つの新たな宗教実践が、バクティである。神への個人としての帰依の思想は、『マハーバーラタ』に含まれる『バガヴァッドギーター』に既に現れていたが、これが南インドに伝播してタミル文学の恋愛詩の伝統と結びついた結果、神を信愛するバクティが成立し、寺院を経《へ》巡《めぐ》るナーヤナール、アールヴァールと総称されるシヴァ派・ヴィシュヌ派の宗教詩人達が神への愛を詠う詩を残した。個人として神と関係を結ぶバクティの詩人達は、下層ジャーティを含む様々な階層の人々を含んでいた(山下 二〇〇七)。

タントラとバクティはともに、寺院神官などのブラーフマナの仲介なく、個人として成就を獲得し、神とつながる宗教実践であり、既存の社会秩序・権力関係と妥協しつつも、それらに対する代案を提供し、ブラフマニカルな宗教の範囲を広げる役割を果たした。

以上に述べた中世初期の歴史変化を通して、南アジアの様々な地域はより明確な輪郭を持って立ち現れた。この時代の末期に起こったムスリム遊牧勢力の侵入は、この変化に新たな方向を与えることになる。

六、イスラームの展開と在地文化との交流

ムスリム遊牧勢力の侵入と定着・拡大

八世紀のアラブ・ムスリム勢力によるスィンド征服に始まり、インド洋交易の隆盛に伴うアラブ・イラン人ムスリム商人の諸港市への定着によって進行した南アジアへのイスラームの拡大は、一〇世紀後半のガズナ朝のヒンドゥー

クシュ山脈南側への進出を嚆矢とするテュルク系ムスリム遊牧勢力の侵入、特に一一世紀初めのマフムードによる度重なる北インド侵攻により本格化した。ガズナ朝を討ったゴール朝のムイッズッディーン(在位一二〇三―〇六年)が一二世紀終わりにかけて北インドの広範を征服すると、死後にはその奴隷軍人であった有力者が割拠して争ったが、その一人でデリーを拠点としたアイベグの奴隷軍人であったイルトゥトゥミシュ(在位一二一〇―三六年)が北インドの覇権を確立し、さらにスルタン位を認められ、ここにデリー・サルタナトが成立した(本巻二宮論文・和田論文)。

奴隷王朝に始まりハルジー朝、トゥグルク朝と続いたデリー・サルタナトはグジャラート、デカンを征服し、南インドにも侵攻して勢力を広げた。それに伴い、当初は貢納と引き換えに存続を許されていた既存の地域王権が征服されて衰亡し、新たな政治状況が生じた。サルタナトは各地の徴税権をイクターとして与えて奴隷軍人を含む有力者を行政官として派遣したが、彼らは土着有力者層との同盟・協力を通して自身の権力基盤を構築した(Kumar 2007: 167-175, 266-286)。それらの行政官はデリーからの支配が弱化すると自立化し、その中からベンガルのイリヤース・シャーヒー朝、ジャウンプルのシャルキー朝、グジャラートのアフマド・シャーヒー朝、マールワーのハルジー朝、デカンのバフマニー朝など、独立の地方サルタナトが登場した。これらの地方サルタナトは、トゥグルク朝の衰退と一三九八年のティムールによる北インド攻撃により、続くデリー政権が弱体化すると、王朝交代や分裂を経ながらもより安定した地域支配を確立し、相互に争った(真下 二〇〇七:一一九―一三二頁)。また、新たな政治状況の中、カルナータカではトゥグルク朝に軍事奉仕をしたサンガマ家が一四世紀前半にヴィジャヤナガラ王国を興し、かつてのホイサラ朝の支配地を併合してバフマニー朝およびその後継国家と争う一方で、南インドのほぼ全域に支配を広げた。ヴィジャヤナガラ王国ではイクター制を模倣したナーヤンカラ制を導入し、徴税権の付与に対して軍事奉仕の義務を負うナーヤカを配して、各地域を支配した(本巻二宮論文、Eaton 2020: 82-88)。

デリー・サルタナトの征服事業に伴い、軍勢の構成員として流入したテュルク、アフガンなどの遊牧集団が南アジア各地に移住・定着したが、遊牧集団の流入はムスリムに限られず、グジャラートのカーティヤーワール半島内陸部にはスィンドやカッチから遊牧集団が流入・定着して後にラージプートとなる諸氏族を形成し、サルタナト支配に抵抗し、あるいは服した(Sheikh 2010: 101-124)。また、遊牧集団以外に、モンゴルの征服を逃れたイラン人知識人や、奴隷として連れてこられたハバシー(東アフリカ人)も主に海洋ルートで南アジアに到来し、政治・軍事に参画した(本巻二宮論文、真下 二〇〇七：一一九頁)。一方、東北部では雲南から南下したタイ族の一派であるアホムがビルマ高地からブラフマプトラ流域に進入してアッサム東部に王国を築き、丘陵の諸部族を服属させつつ西部へと勢力を拡大していった(Phukan 2003: 49-60)。ブラフマニズムを受容しながら徭役《ようえき》に基づく統治制度を発展させたアホム王国の下で、東北部は独自の歴史を辿ることとなる。

ペルシア語文化とヴァナキュラー文化

ムスリム遊牧集団の侵入とデリー・サルタナトの成立、スーフィー聖者やイラン人知識人の移住により、建築や学術、統治制度なども含んだペルシア語文化がもたらされ、南アジアはペルシア語文化圏の一部となった。政治面ではデリー・サルタナトの支配領域の拡大と続く地方サルタナトの成立と定着により、また文化面では在地知識人層による受容とスーフィー聖者・教団の活動により、ペルシア語文化は南アジアのほぼ全域に広がり、南アジア諸語にペルシア語語彙が流入するなど、深く社会に浸透した。ペルシア語文化の拡大・浸透はサルタナトの勢力圏にとどまらず、隣接するヴィジャヤナガラ王国も、王号や服装、建築などにペルシア語文化を取り入れた(本巻二宮論文、Eaton 2020: 13-18)。

ペルシア語文化の拡大と同時期、南アジア各地域ではヴァナキュラー(地方語)が文学語として本格的に用いられ始めていた。(4) シェルドン・ポロックはこの事象をヴァナキュラー・ミレニアムと呼び、宮廷の主導でサンスクリットをモデルに文法が整えられ、叙事詩など広く共有された主題が地域的文脈で語り直されることで、ヴァナキュラーがサンスクリットに代わる政治的発話の言語となったと論じる(Pollock 2006: 283-436)。しかし、各地域の状況はより複雑であり、一五世紀の、グジャラートのスルタンを伝統的王権として描写するサンスクリット詩文やスルタンに抵抗・従属する首長層を讃えるディンガル(ラージャスターンの方言)の武勲詩、ジャウンプル・サルタナト宗主権下のミティラー王権に仕えたヴィディヤーパティによるアパブランシャ、サンスクリット、マイティリーを駆使した多分野にわたる著作、ザイヌル・アビディーン治世下のカシミールでのサンスクリット史書ラージャタランギニー続編の執筆とサンスクリット・ペルシア語文献の相互訳などに見られるように、ペルシア語、広域的なヴァナキュラーと各地域で発達したヴァナキュラー、さらにはサンスクリットといった複数の言語が、多様な政治状況の中で交錯し、多彩な文学文化を作り上げていた(Kapadia 2018; Jha 2019; Eaton 2020: 116-117)。ヴァナキュラー文化の発達も宮廷主導に限られず、一三世紀マハーラーシュトラにおけるヴァナキュラー文化の発達は、民衆の日常性への接近を指向したヴィシュヌ派バクティ聖者が主導している(Novetzke 2016)。

一二世紀にスリランカで上座部仏教が正統とされると、続く時代に大陸部東南アジアに拡大してベンガル湾をまたぐパーリ・コスモポリスが展開した(本巻馬場論文)。正典語としてのパーリ語がスリランカのシンハラ語を始めとする各地のヴァナキュラーと並立するとともにそれらに影響を及ぼしたことも、ヴァナキュラー文化発達の一端を示している。

新たな宗教の発展――イスラームとの対話とヒンドゥイズムの誕生

サルタナトの成立とともにより正式な形で南アジアに導入されたイスラームは、スーフィー聖者とその教団の活動により亜大陸各地に拡大・定着した(本巻二宮論文)。同時期の南アジア在来宗教でも、南インドで発達したバクティのデカン、北インドへの拡大という新たな動きが生じた。聖者(サント)の活動とヴァナキュラー文学を介して発達したバクティは、クリシュナあるいはラーマを、人間の姿をした、サグナ(有属性)の最高神として崇め、帰依するバクティと、宗教詩人カビール(一四四〇―一五一八年頃)らが詠う、姿なきニルグナ(無属性)の神へのバクティに大別される(水野 二〇〇七)。後者に顕著なように、バクティはスーフィズムと相互に影響を及ぼしあったが、イスラームとの遭遇・対話は、ブラフマニズム諸宗派に、イスラームに対する「ヒンドゥー」という自己認識の形成を促すこととなった(本巻二宮論文)。バクティにより一神教的要素を取り入れ、他者を媒介して諸宗派を一体とみる自己認識を獲得したこの段階に、近世・近代に発展していくヒンドゥイズムが誕生したと言える。

ヒンドゥイズムが誕生し、ジャイナ教が西インドに確固とした地盤を築いた一方、一三世紀初頭のバフティヤール・ハルジーの遠征に端を発する東インドの諸大僧院の消滅は、そこで修行をしていたビクシュ(比丘)らのネパール、チベットへの移住を促し、仏教の衰退を決定づけた。しかし、スリランカは言うまでもなく、一五世紀になおオリッサや南インドの仏教ヴィハーラが存続し、またビハールでも写本が作成されるなど(Hori 2015)、仏教は南アジアにおいて今しばらくその命脈を保つこととなった。

おわりに

内外のフロンティアにおけるダイナミズムは、一五世紀に至る前近代南アジアの歴史を動かすとともに、その内部に社会的・文化的多様性をもたらした。内なるフロンティアが未だ拡大を続け、海陸の外なるフロンティアより新たな勢力・集団が到来する中、このダイナミズムは続く近世・近代を通して南アジア世界の歴史を動かし続けることとなる。

注

（1） 三田は西インドを中心に、一〇〇〇年頃の気候変動およびより大きなユーラシア史の文脈と関連させて、中世南アジア内外の定住農耕・遊牧社会の境域における歴史変化を論じている（三田 二〇一三：二八―三五頁）。

（2） 家住者（グリハスタ）は、出家者に対し、家に住む宗教実践者を指す語としてアショーカ碑文に記されており、より広く知られた家長（ガハパティ／グリハパティ）ではなくこの語を用いた点に、アショーカの碑文に表される新たな現実に対する、ブラーフマナらの反応が認められることを、Olivelle が指摘している（Olivelle 2018a: 16–18）。

（3） カナウジをめぐるパーラ朝とプラティーハーラ朝の攻防については、パーラ朝のダルマパーラが支持したチャクラーユダがヤショーヴァルマンの子孫であることや、ベンガル、ビハールの碑文に現れるマヘーンドラパーラがプラティーハーラ朝ではなくパーラ朝の王であることが新たに発見・解読された銅板文書から判明しており（Furui 2008: 67, 70; 古井 二〇一〇）、プラティーハーラ朝による東インドの征服を含め、従来の説を再検討する必要が生じている。

（4） 最初期から文学語として用いられていたタミル語はこの例外となる。

参考文献

石川寛（二〇〇七a）「先史時代と国家の成立2 サータヴァーハナ朝からヴァーカータカ朝へ」辛島昇編『世界歴史大系 南アジア史3 南インド』山川出版社。

石川寛（二〇〇七b）「古代国家の発展1 デカン地方の古代国家の発展」辛島編『世界歴史大系 南アジア史3』山川出版社。

上杉彰紀（二〇〇七）「考古学の成果3 歴史時代」山崎元一・小西正捷編『世界歴史大系 南アジア史1 先史・古代』山川出版社。

辛島昇（二〇〇七）「古代国家の発展2 タミル地方での古代国家の発展」辛島編『世界歴史大系 南アジア史3』山川出版社。

グプタ、P・L（二〇〇一）『インド貨幣史――古代から現代まで』山崎元一他訳、刀水書房。

小磯学（二〇〇七）「考古学の成果1 南アジアの最初の住人たち」山崎・小西編『世界歴史大系 南アジア史1』山川出版社。

近藤英夫（二〇〇七）「考古学の成果2 インダス文明」山崎・小西編『世界歴史大系 南アジア史1』山川出版社。

定方晟（二〇〇七）「外来民族王朝の興亡」山崎・小西編『世界歴史大系　南アジア史1』山川出版社。

蔀勇造（一九九九）「インド諸港と東西交易」『岩波講座　世界歴史6　南アジア世界・東南アジア世界の形成と展開』岩波書店。

ターパル、ロミラ（一九八六）『国家の起源と伝承――古代インド社会史論』山崎元一・成沢光訳、法政大学出版局。

藤井正人（二〇〇七）「ヴェーダ時代の宗教・政治・社会」山崎・小西編『世界歴史大系　南アジア史1』山川出版社。

古井龍介（二〇〇七）「グプタ朝の政治と社会」山崎・小西編『世界歴史大系　南アジア史1』山川出版社。

古井龍介（二〇一〇）「ジャガッジーバンプル銅板文書とナンダディールギー僧院址」『インド考古研究』三一号。

真下裕之（二〇〇七）「デリー・スルターン朝の時代」小谷汪之編『世界歴史大系　南アジア史2　中世・近世』山川出版社。

水野善文（二〇〇七）「補説6　バクティ信仰の潮流」小谷編『世界歴史大系　南アジア史2』山川出版社。

三田昌彦（二〇〇七）「カナウジの帝国」山崎・小西編『世界歴史大系　南アジア史1』山川出版社。

三田昌彦（二〇一三）「中世ユーラシア世界の中の南アジア――地政学的構造から見た帝国と交易ネットワーク」『現代インド研究』三号。

宮元啓一（二〇〇七）「宗教・思想史の展開」山崎・小西編『世界歴史大系　南アジア史1』山川出版社。

山崎元一（二〇〇七）「十六大国からマウリヤ帝国へ」山崎・小西編『世界歴史大系　南アジア史1』山川出版社。

山下博司（二〇〇七）「補説3　バクティ信仰の展開」辛島編『世界歴史大系　南アジア史3』山川出版社。

Aktor, Mikael (2018), "Social Classes: *varṇa*", Patrick Olivelle and Donald R. Davis, Jr. (eds.), *Hindu Law: A New History of Dharmaśāstra*, New Delhi, Oxford University Press.

Anthony, David W. (2007), *The Horse, the Wheel, and Language: How Bronze-Age Riders from the Eurasian Steppes Shaped the Modern World*, Princeton and Oxford, Princeton University Press.

Bakker, Hans T. (2020), *The Alkhan: A Hunnic People in South Asia*, Groningen, Barkhuis.

Basham, A. L. (2002), *History and Doctrines of the Ājīvikas: A Vanished Indian Religion* (reprint), Delhi, Motilal Banarsidass.

Bronkhorst, Johannes (2007), *Greater Magadha: Studies in the Cultures of Early India*, Leiden and Boston, Brill.

Chakravarti, Ranabir (1990), "Monarchs, merchants and a maṭha in Northern Konkan (c. 900-1053 AD)", *The Indian Economic and Social History Review*, 27-2.

Davidson, Ronald M. (2004), *Indian Esoteric Buddhism: A Social History of the Tantric Movement*, Delhi, Motilal Banarsidass.
Eaton, Richard M. (2020), *India in the Persianate Age: 1000–1765* (Paperback Edition), Penguin Books.
Falk, Harry (2012), "Ancient Indian Eras: An Overview", *Bulletin of the Asia Institute, New Series*, 21.
Furui, Ryosuke (2008), "A New Copper Plate Inscription of Gopala II", *South Asian Studies*, 24.
Furui, Ryosuke (2020), *Land and Society in Early South Asia: Eastern India 400–1250 AD*, London and New York, Routledge.
Gommans, Jos J. L. (2018), *The Indian Frontier: Horse and Warband in the Making of Empires*, New Delhi, Manohar.
Gurukkal, Rajan (2010), *Social Formations of Early South India*, New Delhi, Oxford University Press.
Heitzman, James (1997), *Gifts of Power: Lordship in an Early Indian State*, Delhi, Oxford University Press.
Hori, Shin'ichiro (2015), "Evidence of Buddhism in 15th-Century Eastern India: Clues from the Colophon of a *Kālacakratantra* Manuscript in Old Bengali Script", *Journal of Indian and Buddhist Studies*, 63-3.
Jha, Pankaj (2019), *A Political History of Literature: Vidyapati and the Fifteenth Century*, New Delhi, Oxford University Press.
Joseph, Tony (2018), *Early Indians: The Story of Our Ancestors and Where We Came From*, New Delhi, Juggernaut Books.
Kapadia, Aparna (2018), *In Praise of Kings: Rajputs, Sultans and Poets in Fifteenth-century Gujarat*, Cambridge, Cambridge University Press.
Kumar, Sunil (2007), *The Emergence of the Delhi Sultanate 1192–1286*, Ranikhet, Permanent Black.
Novetzke, Christian Lee (2016), *The Quotidian Revolution: Vernacularization, Religion, and the Premodern Public Sphere in India*, Ranikhet, Permanent Black.
Olivelle, Patrick (2018a), "Social and Literary History of Dharmaśāstra: The Foundational Texts", Patrick Olivelle and Donald R. Davis, Jr. (eds.), *Hindu Law: A New History of Dharmaśāstra*, New Delhi, Oxford University Press.
Olivelle, Patrick (2018b), "Orders of Life: *āśrama*", Patrick Olivelle and Donald R. Davis, Jr. (eds.), *Hindu Law: A New History of Dharmaśāstra*, New Delhi, Oxford University Press.
Phukan, J. N. (2003), "The Tai-Ahom Power in Assam", H. K. Barpujari (ed.), *The Comprehensive History of Assam*, Vol. 2, *Medieval Period: Political* (2nd ed.), Guwahati, Publication Board Assam.
Pollock, Sheldon (2006), *The Language of the Gods in the World of Men: Sanskrit, Culture, and Power in Premodern India*, Berkeley, Los Angeles

and London, University of California Press.

Ray, Himanshu Prabha (1986), *Monastery and Guild: Commerce under the Sātavāhanas*, Delhi, Oxford University Press.

Roy, Kaushik (2015), *Warfare in Pre-British India—1500 BCE to 1740 CE*, London and New York, Routledge.

Sanderson, Alexis (2009), "The Śaiva Age: The Rise and Dominance of Śaivism During the Early Medieval Period", Shingo Einoo (ed.), *Genesis and Development of Tantrism*, Tokyo, Institute of Oriental Culture, University of Tokyo.

Sheikh, Samira (2010), *Forging A Region: Sultans, Traders, and Pilgrims in Gujarat, 1200-1500*, New Delhi, Oxford University Press.

Singh, Upinder (2016), *The Idea of India: Essays on Religion, Politics, and Archaeology*, New Delhi, Sage Publications India.

Tambs-Lyche, Harald (1997), *Power, Profit and Poetry: Traditional Society in Kathiawar, Western India*, New Delhi, Manohar.

Veluthat, Kesavan (2009), *The Early Medieval in South India*, New Delhi, Oxford University Press.

展望｜*Perspective*

東南アジア世界の形成と展開

青山　亨

はじめに

東南アジア史の舞台

東南アジア世界は、ユーラシア大陸の南東端に位置する地理的空間であり、先史時代から人の活動が営まれてきた歴史的空間でもある。空間の大部分は、北回帰線以南にあって熱帯ないし亜熱帯に属し、さらに地理的には大きく大陸部と島嶼部に分けられる。

ユーラシア大陸とつながる東南アジアの大陸部はインドシナ半島とも呼ばれる。大陸部の北限は、雲南やチベット高原に連なるヒマラヤ系の山間部にあたる。この山間部から、山地の地表を切り刻むように、長江、珠江、紅河(ホン川)、メコン川、チャオプラヤー川、タンルウィン川、エーヤーワディー川、ブラフマプトラ川が流れ出ている。このうち、長江と珠江は東に向かって中国、ブラフマプトラ川は西に向かってインド、残りの五河川は東南アジアにおいて海に流れ出る。五河川のうち紅河はトンキン湾、メコン川は南シナ海、チャオプラヤー川はタイ湾、タンルウィン川とエーヤーワディー川はアンダマン海に注ぐ。これら東南アジア大陸部の大河川は、中流部に平原を、下流部にデルタ(ただしタンルウィン川を除く)を形成している。これらの中流部平原のうち、メコン川、チャオプラヤー川、タンルウィン川、エーヤーワディー川の中流域はサバンナ気候にあたり、乾期が卓越する平原部が広がっている。

大陸部の先には、太平洋を東限、ベンガル湾を西限、インド洋を南限とする広大な海域に島嶼部が展開する。地理的に島嶼部の島々は、大スンダ列島(スマトラ島、ジャワ島、ボルネオ島)、小スンダ列島(バリ島からティモール島に至る島々)、マルク(モルッカ)諸島、フィリピン諸島に大きく分けられている。大陸部から突き出るマレー半島も島嶼部の一部である。なお、島嶼部には、スマトラ島とボルネオ島の中部、スラウェシ島とマルク諸島の北部を横断するように赤道が通っており、島嶼部を北半球と南半球とに分けている。

島嶼部は、ジャワ島東部から小スンダ列島にかけて乾季が卓越するサバンナ気候がみられることを別にすると、ほとんどが熱帯雨林気候に区分され、一年を通じて高温湿潤である。大陸部と異なって巨大な河川には乏しいが、スマトラ島からフィリピン諸島に連なる弧状の火山列島には、火山活動がもたらす豊かな土壌があり、ジャワ島中・東部の内陸平原部に農業適地を形成した。

島嶼部は、島々と海からなる巨大な多島海でもある。南シナ海、タイ湾、ジャワ海はこの多島海の主要な内海であり、南シナ海につながるトンキン湾、ベンガル湾につながるアンダマン海、南シナ海とジャワ海をつなぐカリマタ海峡、南シナ海とアンダマン海をつなぐマラッカ海峡、ジャワ海とインド洋をつなぐスンダ海峡などとともに、内海の回廊を形成している。多島海の東は太平洋につながり、西はインド洋に属するベンガル湾につながっている。とくに、マラッカ海峡は、東アジアと南アジア以西の西方世界を海路で結びつける重要な通路となった。東南アジアは、しばしば中国とインドの狭間にあると言われるが、より的確には、南シナ海とベンガル湾という二つの海域世界が接続する空間と見ることができる。

高温多湿の東南アジアでは、狩猟採集と焼畑移動農業と並行して、紀元前二千年紀から稲作農業が始まっている。

水稲耕作においては乾季と雨季の水量変動を調整することが必須であり、また、乾季が卓越するサバンナの平原地帯と雨季に増水するデルタ地帯とでは異なった対応が求められた。しかし、農業の集約化が進んだにもかかわらず、近代になるまで東南アジアの大部分は相対的に小人口の世界であった点に留意しなければならない。

雨季と乾季の出現は、モンスーン(季節風)の影響を強く受けている。五月上旬に始まる夏のモンスーンは、南半球では乾季をもたらす南東風だが、インド洋を越えて北半球に入ると雨季をもたらす南西風となる。九月中旬に始まる冬のモンスーンは、北半球では乾季をもたらす北東風となり、南半球では雨季をもたらす北西風となる。モンスーンは、雨季と乾季の周期をもたらすことで農業活動に大きな影響を与えるだけでなく、季節的に安定した卓越風向をもたらすことで紀元後四世紀頃からベンガル湾以東においても長距離航海に利用されることになる。

歴史的に、北方向の中国文明とは陸地と南シナ海を介して、また、北西方向のインド文明とはベンガル湾を介して、二つの文明圏とつながっていることが、東南アジア世界に決定的な影響を及ぼしている。しかし、にもかかわらず、東南アジア世界がけっして中国世界あるいはインド世界に包摂されなかったところに、東南アジア世界のダイナミズムを考える重要な契機がある。

東南アジア古代史のアクター

ユーラシア大陸部の南東端にあって、複数の大河で切り分けられた大陸部と多島海である島嶼部からなる東南アジアには、先史時代から多様な民族が歴史のアクターとして立ち現れてきた。東南アジア古代史に登場する民族構成として、大きく、島嶼部に分布するオーストロネシア語族と、大陸部に分布するオーストロアジア語族に分けられる。それぞれを代表する民族とその主たる分布地域として、前者には、マラッカ海峡域に分布するマレー人、ジャワ島のジャワ人、ベトナム中・南部のチャム人があげられる。後者には、その下位区分であるモン・クメール語族に属するベトナム北部のベト人、メコン流域のクメール人、チャオプラヤー流域のモン人(Mon, 少数民族のHmongとは異なる)があげられる。

時代が下ると、チベット高原からエーヤーワディー流域に沿って南下してきたチベット・ビルマ語族であるピュー人とビルマ人、雲南からメコン、エーヤーワディー、チャオプラヤー流域に沿って南下してきたタイ系(Tai)諸民族がいる。タイ系諸民族は、メコン中流域まで南下したラオ人、エーヤーワディー流域に広がりシャンと通称されるようになった民族、そして、チャオプラヤー下流域に達し、マレー半島南部まで進出したタイ人(Thai, シャム人とも呼ばれる)に分けられる。

簡単に言えば、島嶼部においては、台湾を故地とするオーストロネシア語族がフィリピン諸島を経て現在のインドネシア、マレーシア、ベトナム中部に広がったのに対して、大陸部においては、先住のモン・クメール語族が住む空間に、後から移動してきたチベット・ビルマ語族やタイ系諸民族がくさびを打ち込み割り込むように分布している。

国家が形成途上にある時代の記述においては、民族名を主体とした記述が避けられないが、民族の取扱いには二点留意しておきたい。

第一に、民族を明らかにする現地語の資料が十分に残されていないことである。漢籍の漢字表記からの再構成には困難がともなう。刻文資料は貴重な手がかりを与えるが、最初期の刻文はサンスクリット語であり、発布者自身の名前もサンスクリット語化しているため、発布者の出自が明らかにならない。

第二に、より根本的な問題は民族という区分の流動性である。たとえば、タイ人、マレー人という民族は主として現在の話者を対象とした言語学的知見に基づいた区分であり、それゆえに、近世以降の国家の国民の枠組みによって大きく影響されている。タイ人はタイ語話者で上座部仏教信徒であり、マレー人はマレー語話者でイスラーム信徒である、といった区分は、歴史的に構成されたものである。大越《だいえつ》の南進によって、チャム人が消え去ってベト人に置き換えられたわけではなく、実際には、ベト人の定住にともないチャム人住民の漸進的なベト人化が進行した。同様のことは、一三世紀以降のタイ系諸民族の国家形成においてもあてはまる。

初期国家形成にいたる長い助走期間

東南アジアでは前二千年紀には稲作農業が始まり、前二千年紀末には青銅器の製作と使用が始まって金属器文化の時代に入った(新田 二〇〇一、横倉 二〇〇一)。この時期から初期国家の出現期までの考古学的調査がもっとも進んでいるのはベトナムとタイである。

ベトナム北部では前四世紀頃に雲南や東北タイとの交流を通じてドンソン文化がおこり、多様な青銅器に加えて鉄器が現れた。鉄製農具を利用した水稲耕作の普及は身分の階層化をもたらした。ドンソン文化の青銅器を代表する銅鼓は、支配階層の富と権力の象徴として儀礼に使用された。銅鼓の分布は、ベトナム南部、メコン流域、チャオプラヤー流域、マレー半島、スマトラ島以東の島々に広がり、ニューギニア島の西端にまで至っており、交易ネットワークを通じて威信財として受け入れられていた。ドンソン文化と同じころ、ベトナム中部沿岸ではサーフィン文化があった。特徴的な双獣頭形耳飾りは台湾、ベトナム、タイ湾沿岸やフィリピンでも発見されており、南シナ海をめぐる広範な交流があったことを示している。タイ東北部のメコン川支流では前三世紀頃までに製鉄と製塩が始まった。このように、東南アジアでは前一千年紀後半には、金属器を生産、利用し、水稲耕作に基づく階層化した首長制社会が形成されており、それらが互いに交易ネットワークで結ばれていた。商品が集散するネットワークの結節点においては、人口が集積し、社会の階層化、分業化が進展することで、環濠や城郭を伴う都市が形成された(木巻山形論文)。

紀元前一千年紀末になると東南アジアの周辺地域で大きな変化が生じた。北方の中国においては秦が前二二一年、中国最初の統一王朝を創建し、ベンガル湾の西方ではマウリヤ朝がおこって南インドを除く全インドを支配する統一王朝を建て、前三世紀、アショーカ王のときに全盛期を迎えた。

遅くとも紀元後一世紀頃には、インドと東南アジアの間でも交易ネットワークが形成されており、インド産のガラスや貴石のビーズ玉、南インドの回転紋土器が出土している(Manguin et al. 2011)。東南アジアに到来したインド人の居住もおこり、技術の移転もおきたと推測される。

一方、北方の中国にとって、南シナ海を通じて集まる森林物産である香木、香料、犀角、象牙、あるいは海産物である真珠、玳瑁《たいまい》、珊瑚などは古代から関心事であった。秦が南嶺山脈を越えて侵攻し、現在の広東に交易拠点として南海郡を置いたのも海上交易ネットワークを管理するためである。秦の滅亡後、この地には南越《なんえつ》が独立したが、前一一一年、前漢の武帝がこれを征服し、ベトナム北部には交趾《こうし》、九真《きゅうしん》、日南《にちなん》の三郡を置いて中国による直接統治を実施した。後四〇年のハイバーチュン(徴《ちょう》姉妹)の反乱のように、ドンソン文化の担い手であった雒将・雒侯からなる土着勢力の漢人支配への抵抗もあったが、いずれも鎮圧され、土着勢力の中国化とともにドンソン文化が衰退する一方で、移住した中国人の土着化が並行して進んだ。

一、初期国家形成とインド化

扶南

三国時代、二三〇年頃に呉がベトナム北部を支配下に置き、東南アジア諸国に使いを送ると、それに呼応して扶南《ふなん》王范旃《はんせん》などが朝貢してきた。漢籍における扶南の名の初出である。扶南を海上交易ネットワークの要衝と認識した呉は、三世紀中頃に康泰《こうたい》と朱応《しゅおう》を使節として扶南に派遣し、現地の実情を探らせた。

扶南は東南アジアの初期国家のなかでも漢籍、碑文、考古学資料が揃っており、東南アジアの「インド化」の議論の原点になった事例であるので、少し詳しく検討しておきたい。

康泰の『扶南伝』(『水経注』巻一所引)によると、扶南王范旃は、商人から天竺の繁栄を聞き、使者を天竺に派遣した。使者は珍客として天竺王の歓待を受け、天竺王の使者を伴って帰還したが、往復には四年かかったという。この記録は、三世紀中葉、扶南とインドの間では、商人の移動はあったものの、航海においてモンスーンは利用されておらず、直接的かつ定期的な交通はまだ始まっていなかったことを物語っている(深見 二〇〇九)。東晋の法顕《ほっけん》は、五世紀初めにスリランカからベンガル湾を横断して海路で帰国しており、ベンガル湾におけるモンスーンを利用した航海の定着は四世紀頃と推測できる。さらに、扶南王が天竺の様子を珍しい情報として受け取っていることは、インド化がまだ始まっていないことを示している。以後、扶南からの朝貢は、三五七年に扶南王竺栴檀《じくせんだん》が晋に馴象《じゅんぞう》を献じたのち、しばらく中断するが、五世紀になって再開する。

また、康泰の『呉時外国伝』(『太平御覧』巻三四七所引)には、扶南建国神話が記載されている。摸趺《もふ》国の混塡《こんてん》(混愼、混傎とも)は神によく仕えたところ、夢のお告げがあり、それに従って商船に乗り込み、神の風のおかげで扶南に至った。扶南の女王柳葉《りゅうよう》は船を奪おうとしたが、彼の弓の威力に恐れをなし、降伏したという。この記事には、扶南到着後の混塡および彼の子孫については語られていないが、『南斉書』(六世紀成立)には続きが語られており、混塡の子孫である王槃況《はんきょう》が死ぬと、その大将范師蔓《はんしまん》が王となった。范師蔓が病気に倒れたとき、王位を奪ったのがその甥范旃であった。これが呉に朝貢した范旃である。セデス(Cœdès 1968)は、范旃の時代から逆算して、混塡の時代を紀元一世紀頃としたうえで、混塡をカウンディニャの音訳であり、インドから到来したブラーフマナとみなし、一世紀に扶南の「インド化」が始まったと理解したが、上述のように、范旃の時代においてさえも「インド化」が始まっていない以上、このような理解は成り立たない。

続いて『梁書』(七世紀成立)には、天竺婆羅門到来神話が記載されている。それによると、天竺の婆羅門(ブラーフマナ）であった憍陳如《きょうちんにょ》が神の宣託で扶南に到来して扶南王になり、国の制度を改めて天竺の法を用いるようにした、という。憍陳如の死後、四三四年から持黎陁跋摩《じれいたばつま》が宋に、四八四年から憍陳如闍邪跋摩《じゃやばつま》、五一七年から留陁跋摩《るたばつま》が斉および梁に遣使している。憍陳如闍邪跋摩は五〇三年に珊瑚の仏像を献じ、梁の武帝から「安南将軍扶南王」の称号を得た。

『梁書』に見える王のうち、憍陳如闍邪跋摩と留陁跋摩については、碑文にも照応する名前が見られる。六世紀頃の複数のサンスクリット語碑文（K. 875, K. 5, K. 40）には、カウンディニャ・ジャヤヴァルマン（憍陳如・闍邪跋摩）の妻や、カウンディニャの系譜の王（ジャヤヴァルマンと推測できる）の息子がヴィシュヌ神を信奉する一方、ジャヤヴァルマン王とその息子ルドラヴァルマン（留陁跋摩）が仏陀を称賛することへの言及がある。また、アンコール・ボレイ遺跡（カンボジア南部タケオ州）で出土した、紀年がある古クメール語として最古（六一一年）の碑文（K. 557, K. 600）は、ルドラヴァルマン王の都がこの地にあったことを示している。

考古学の分野では、扶南の王都と推測されるアンコール・ボレイ遺跡と、扶南の外港とみなされるオケオ遺跡（ベトナム南部アンザン省）などメコン・デルタに広がる遺跡の調査が進んでおり、アンコール・ボレイでは前四世紀から、オケオでは紀元後一世紀から居住が始まったことが確認されている（本巻田畑論文）。オケオ遺跡には水運や雨季の排水を目的に縦横に張り巡らされた水路があり、水路沿いに高床式住居が並び、ガラスや貴石のビーズ玉の製作、金属器の鋳造が行われた。メコン流域後背地の物産と海上交易ネットワークを通じて流通する威信財の集散をコントロールした扶南は、交易および手工芸品生産の拠点であった（桜井 二〇〇一b）。後漢鏡のほか装身具に改造されたローマ皇帝の貨幣も見つかっており[1]、ネットワークは究極的には西方世界ともつながっていた。四世紀以降になると、レンガと石による宗教施設の建立が始まり、ヒンドゥー神像や仏像の出土を伴うようになる。

これまで見てきたことを、初期国家形成とインド化の関係から振り返ってみたい。三世紀中葉の扶南は、中国や天竺に使節を派遣し、両者からの使節を受け入れる主体としての初期国家が形成されていた。その基盤には海上交易ネットワークの結節点としての人口集積と階層化された社会の成立があった。(2)しかし、ベンガル湾以東ではモンスーンを利用した航海技術は導入されておらず、インド化の前提となる知識媒介者(ブラーフマナや仏僧)の到来を可能とするような直接的かつ定期的な交通は未発達であった。この段階では「インド化」はまだ始まっていなかったし、逆に言えば、「インド化」がおこる前に東南アジアの国家形成は始まっていた。

混塡の扶南建国神話が扶南の王統と結びつけて語られるのは、康泰の時代から二世紀半後に成立した『南斉書』においてであり、インド化とは無関係な建国神話と考えるべきであろう。また、混塡と王范旃を結びつける系譜の中に現れる范師蔓については、六世紀に成立した『南斉書』が「大将范師蔓」の名を挙げるのみであるのに対して、七世紀に成立した『梁書』では、周辺国を武力で征服した「扶南大王」として称揚されている。これも、タイ湾沿岸からマレー半島、ベンガル湾につながる交易ルートに影響力を及ぼした扶南の威信を反映した後代の伝説とみられる。インド化を明示的に示す憍陳如の天竺婆羅門到来神話も『梁書』に初めて現れる。『南斉書』が憍陳如闍邪跋摩の朝貢に言及しておきながら、この神話にまったく触れていないことからみて、インド化が進展した後代になって、ジャヤヴァルマン王の系譜を称揚するための創作と考えるべきであろう。碑文が示すように扶南の王はヒンドゥー教も信奉していたが、梁に対しては仏教を前面に出した朝貢をおこない、六世紀前半に最盛期を迎えた。七世紀に成立した『晋書』は、扶南には「城邑宮室」があると記すが、これも晋代の扶南ではなく、後代の盛期の扶南の印象であろう。

初期国家の形成

港市国家扶南では、後背地から集められた輸出商品と外部からもたらされる威信財の分配を統制することで、首長は下位首長を従属させ、直接的な家臣群を形成した。威信財の流通を統制するさらなる方法として、威信財の現地生産も行われ、専業職人の集住をもたらした。また、非農業生産人口の集住、すなわち、都市の形成は、食糧生産の増大のための農業集約化を進めることにもなった(Higham 1989)。

かつて扶南について、「扶南大王」范師蔓の記述から、広範な勢力圏をもつ強大な帝国的政体が想定されたが、現在では、交易ネットワーク上の複数の拠点を束ねる連合体的な政体と想定されている。このような前近代東南アジアの政体は、ウォルターズ以来、「マンダラ」的構造として説明されることが多い(Wolters 1999)。ウォルターズのマンダラはインドの古典政治哲学で「王国の影響圏」を意味するサンスクリット語のマンダラから借用されたものであり、仏教の曼荼羅とも同語源である。大きな円が複数の小さな円を同心円状に包み込むような構造でイメージされる。ウォルターズのマンダラは、タンバイアがアユタヤの構造を表わすときに考案した「銀河的政体」の説明に使ったマンダラから借用されているが(Tambiah 1976)、概念としてはアフリカやインドの伝統的国家を説明するために編み出された「分節国家」とも共通するところが多い(辛島 一九九九)。

マンダラにおいては、中心となる上位共同体の首長が周辺となる複数の下位共同体の首長たちと、宗教や儀礼によって表現された自己の威信を通じて結ばれる関係にある。上位首長は下位首長の忠誠、人的動員、物的貢納を期待することができる。マンダラの領域は境界が明確にされておらず、中心からの影響力が及ぶ範囲によって規定されており、その範囲は上位首長の影響力の変化に応じて拡大縮小する。それぞれの共同体は首長に属する家産官僚によって支えられており、共同体それぞれが自立しているため、上位共同体の統治が下位共同体にまで貫徹することはない。下位共同体は上位共同体の宗教、儀礼、慣行を模倣しており、いわば小さな複製となっている。下位首長は、機会さえあれば自らの威信を高めることで、他の下位首長にたいして上位の立場に立つこともありえるし、ときには、隣接する他のマンダラの上位首長に結びつくこともある。上位首長の影響力は個人の資質に依存するところが大きく、首長は常に自分の卓越した資質を誇示し続けなければならない。また、上位首長は、他の政体に対しては、マンダラの代表として交渉する。これは、中国に対する朝貢において顕著である。マンダラはこのように可変的な空間であるが、にもかかわらず、マンダラがある程度の安定性をもつ場合には、その構成員に同一文化圏に属する集団という意識を与えるようになる。

マンダラ政体の考え方は、広範な交易ネットワークの結節点に形成された首長制社会をたばねる形で誕生した初期国家としての扶南を説明するうえで、極めて有用なモデルである。マンダラは、明確な境界によって区切られた領域をもち、中央集権的な官僚組織の統制が中央から地方まで貫徹する中国やヨーロッパ的な国家概念とは異なる。このため漢籍史料を用いて東南アジアの国家を理解するにあたっては、中国的な国家観のバイアスがあることに留意する必要がある。

インド化の再検討

これまで述べてきたインド化が五世紀を境におきた背景には、マンダラ政体のあり方が深く関わっている。東南アジアのインド化を概念として一般化したセデス(Cœdès 1968)は、インド化を「インド的王権概念に基づいた文化体系の地理的拡張」であり、その要素として、ヒンドゥー教と仏教の信仰、プラーナ諸文献の神話、ダルマシャーストラ(法典)の順守をあげ、さらに、これらの要素がサンスクリット語によって表現されることを特徴とした。プラーナ文献にはラーマーヤナとマハーバーラタの二大叙事詩、ダルマシャーストラの順守には王権概念が含まれる。これらにサンスクリット語を表現する南方ブラーフミー系文字の伝播を加えることで東南アジアのインド化の諸相を総括したと言えるであろう。

インド化のプロセスが五世紀を境に東南アジアで急速に進んだ背景には、インド化を推進した主体としての東南アジアの首長層の条件と、それを可能としたインド側の条件が存在する。

マンダラ政体においては、宗教と儀礼が中心と周辺を結びつける機能を有する。四世紀を境にモンスーンを利用した航海技術が一般化し、それまで以上に交易の総量が増加するにともない、上位首長に求められる威信の大きさも影響力の範囲も拡大した。一方で、定期的かつ直接的な長距離航海が可能となることで、商船に便乗してブラーフマナや仏僧などのインド文化の知識媒介者が相対的に多数、東南アジアを来訪するようになった。このような状況を背景に、首長層は、これまでの土着的精霊信仰に代わる、より普遍的で強力な威信の源泉としてヒンドゥー教や仏教の信仰や儀礼を受け入れた。このプロセスが東南アジアの首長層からの働きかけで行われたことに着目したウォルターズは、「インド化」は「インド文化の現地化」のプロセスと述べている(Wolters 1999)。首長たちは、サンスクリット語が媒介する知識と象徴体系を利用して、土着の伝統的な信仰を描き直すことで、自らの威信の強化と権威の正統化を図り、現地社会を「王国」へと再編するとともに自らを「王」(ラージャ)と名乗るようになったのである。

インドにおいてサンスクリット語を使用する古典文化が完成したのは、北インドにおいて三二〇年から六世紀中ごろまで栄えたグプタ朝においてである。グプタ朝においてサンスクリット語は、ブラーフマナの教義と儀礼のための宗教言語から解放されて、文学や行政の言語に使用領域を広げた。インド中枢の帝国で確立したサンスクリット語による文化規範は、周辺のフロンティアの首長制社会が受け入れることで、初期王国への変容を促した。この現象はベンガル湾を越えてほぼ同時期に東南アジアに拡大した。サンスクリット語を公的な政治言語として使用するこの言語空間はサンスクリット・コスモポリスと呼ばれている(Pollock 2006)。ウォルターズのように、ベネディクト・アンダーソンにならって、これをインド化された「想像の共同体」と呼ぶこともできよう(Wolters 1999)。一方、紀元一千年紀においてベンガル湾のインド側と東南アジア側でほぼ同時期に初期国家の形成がみられることに着目したクルケは、ベンガル湾両岸における「文化の収斂」と呼んでいる(Kulke 1990)。先に述べた扶南における混塡の来訪をインド化とみなしえないもう一つの理由は、インド側においてインド化の条件が整うのが四世紀以降ということにある。

インド化は扶南だけでも大陸部だけの現象でもない。短命に終わったものの、インド化をともなう最初期の初期国家政体が島嶼部にも出現している。一つは、国名は不明であるが、ボルネオ島東部のマハカム川流域のクタイを支配し、西暦四〇〇年頃にサンスクリット語の碑文を残したムーラヴァルマン王の政体である。祖父クンドゥンガ、父アシュヴァヴァルマンの三代の名が記されており、現地語名をもつ祖父から三代を経て、土着の首長がインド的王名をもつ「王たちの中の王」へと変化する過程が示されている。もう一つは、ジャワ島西部を支配し、西暦四五〇年頃にサンスクリット語の碑文を残したプールナヴァルマン王のタールマー国である。チサダネ上流域を中心に碑文を残すほか、ジャワ海に近い下流域では水路掘削による水利工事を記録している。タールマー国については先史時代のブニ文化とのつながりが指摘されている(Manguin et al. 2011)。

島嶼部の政体は、後代の政体との直接的な継続性が見られないものの、ヒンドゥー教の叙事詩やプラーナ文献への参照、「鎧」を意味するヴァルマンで終わるサンスクリット語の王名の使用、ヴィシュヌ神などのヒンドゥー神格の威光を借りた王権の誇示、ブラーフマナの儀礼による王権の正統化、サンスクリット語による碑文の発布など、五世紀以降、東南アジア大陸部で展開するインド化と同じ要素が現れており、扶南のインド化が例外的な事象ではなかったことを示している。

二、七世紀以降の初期国家の形成

フラスコの中の化学反応とも言うべきさまざまな試行錯誤が見られた時期を経て、七世紀以降、東南アジアは初期国家形成のより安定した段階に入った。大陸部のメコン流域では、扶南に代わって真臘《しんろう》が台頭し、南シナ海沿岸部ではチャム人がチャンパーを名乗り始める。島嶼部では、マラッカ海峡域でシュリーヴィジャヤが海上交易ネットワークの覇権を握り、ジャワ島中部内陸にもインド的王国が出現する。これらの政体は、直接的間接的に、後代の政体につながっていく。その意味で、東南アジア世界の中にサブ・リージョンの輪郭が姿を現してくるのがこの時期である。

このような変化の背景にあるのは、四世紀以降、モンスーンを利用した航海技術の発達にともない、それまで主力であったタイ湾を渡りマレー半島を越えるルートから、南シナ海からマラッカ海峡を抜けるルートが広く使われるようになったことである。航海ルートの変化は扶南にとっては衰退要因である一方、マラッカ海峡に拠点を置く港市国家シュリーヴィジャヤや、マラッカ海峡とジャワ海を通じて接続するジャワにとっては興隆要因となった(本巻鈴木論文)[3]。

サブ・リージョンを特徴づけるものとして、交易の拠点としての港市を中心とした海域型政体と農業生産の拠点としての平原を中心とした陸域型政体という二つの政体のあり方が明確になってくる。二つの政体の類型は、生態環境的あるいは歴史的な条件に応じて、柔軟に結合する。その形態は、たとえば、強大な港市政体が後背地の平原や山間部の勢力を支配する場合もあれば、平原の陸域型政体が交易の利益を求めて港市を支配する場合もある。

七世紀以降の初期国家形成期においては、サブ・リージョンにおいて今までにない新しい動きが現れる。具体的には、マラッカ海峡域における海域型政体である港市国家(シュリーヴィジャヤ)の出現、マラッカ海峡域と連動した形のジャワ島中部の内陸平原における陸域型政体(ジャワ)の出現、中継港市としての扶南の衰退とそれに伴うメコン流域内陸平原における陸域型政体(真臘)の発展、東西交易の拠点としてのベトナム北部をめぐる中国と海域型政体(チャンパー)の長期的な対立である。これらの政体は、ベトナム北部を除くと、いずれもインド的文化要素を取り込んだ政体であり、インド化という運動はこの時代に確かに根付き始めたことを示してもいる。

島嶼部 シュリーヴィジャヤ

七世紀後半に、スマトラ島南部のムシ川流域のパレンバンを拠点に港市国家シュリーヴィジャヤが出現する。シュリーヴィジャヤはマレー半島のクダーなどの拠点も影響下に置くことで、マラッカ海峡域の通商を管理下に置いた(深見 二〇〇一a)。漢籍には室利仏逝《しつりぶっせい》(誓とも)の名で七世紀後半から八世紀前半まで朝貢している。義浄《ぎじょう》はこの地に滞在し、仏教教学の中心と述べているが、最古のマレー語碑文(六八二年)を含む複数の碑文によると、王権が周辺の土着権力を伝統的な精霊信仰に基づく忠誠儀礼によって支配していることがうかがわれる。シュリーヴィジャヤの勢力圏についても、碑文のサンスクリット語の用語から再構成された理念的な国家像に対して(Kulke 1990)、マレー語の用語の分析に基づく生態環境に即した川筋政体モデルが提案されている(Christie 1995)。インド系文字による書写が可能となったマレー語は、海域世界におけるリンガ・フランカ(商用共通語)として広く普及し[4]、その優位性は後代のムラカにも受け継がれた。

八世紀後半になると、ジャワ島中部のシャイレーンドラ王家がシュリーヴィジャヤを支配するようになる。九世紀後半、北インドのナーランダー出土の碑文によると、パーラ朝の王が、シャイレーンドラ王家の末裔であるスヴァルナドヴィーパ(黄金の島、スマトラ島)の王に代わって僧院維持のために寄進をしており、ベンガル湾の海上交易ネットワークへのシュリーヴィジャヤの関与が続いていたことを示す。

島嶼部 ジャワ

スマトラ島の東方のジャワ島中部の内陸平原では、七一七年にヒンドゥー教を信奉するサンジャヤ王が即位して以降、一〇世紀前半まで、二〇名近くのヒンドゥー教徒の王の名前が碑文で確認されており、マタラムと呼ばれている(イスラーム期の新マタラムと区別して古マタラムとも呼ぶ)。ただし、その王統は明確ではなく、複数の政体が競合しつつ並立していたが、一〇世紀初頭になって統一王権が現れ、勢力をジャワ島東部にも広げている(深見 二〇〇一b)。

加えて、ジャワ島中部では、八世紀中頃には大乗仏教を奉じるシャイレーンドラ王家が勢力をもった。九世紀にかけて、ボロブドゥールなどの仏教寺院を多数建立したと推測されている。シャイレーンドラ王家は一時、ヒンドゥー教徒の王を服属させたが、ジャワ島中部における最終的な覇権はヒンドゥー教系のマタラムが握ることになり、九世紀後半以降、シャイレーンドラはジャワ島から撤退し、シュリーヴィジャヤの王としてマラッカ海峡域に勢力を置くことになった。マタラムは、ヒンドゥー教の三大神を祀るプランバナン寺院を建立したほか、宮廷では、叙事詩ラーマーヤナの古ジャワ語による翻訳が作られた。これは、インドも含めて最古の現地語によるサンスクリット語ラーマーヤナの翻訳であり、サンスクリット・コスモポリスの後に続く現地語化の早い動きが東南アジアで始まっていることは注目される。

ジャワ島中部内陸部は島嶼部にあって例外的に農業生産に適した地域であり、マラッカ海峡域の交易に結びつく形での食糧供給が行われていた可能性がある。最終的にシャイレーンドラはマラッカ海峡域に軸足を移すが、一方のマタラムは一〇世紀以降、ジャワ海に面したジャワ島東部へ移動することになる。この二つの政体の動きは、後代の海上交易ネットワークにおけるマラッカ海峡域とジャワ海域という二つのサブ・リージョンの形成につながっている。

大陸部　真臘

扶南が衰退するなか、メコン中流域およびトンレサップ湖周辺の平原に展開したのが真臘である。真臘は港市国家扶南の後背地であった内陸平原が自立した国家である。農業生産を基盤とした陸域型政体でありつつも、南シナ海やタイ湾とつながることで海上交易ネットワークへの参画も志向した。

真臘の名は『隋書』に初めて見える。七世紀以降、サンスクリット語とクメール語が併記された碑文が出現しており、クメール人の政体であることが分かるが、現地名は不明である。なお、中国では明代に柬埔寨(カンボジア)に改めるまで真臘の呼称を使い続けているが、一般に、八〇二年のジャヤヴァルマン二世の即位から一四三一年のアユタヤによる陥落まで、アンコール地方に拠点があった時代をアンコール時代、それ以前をプレ・アンコール時代、以後をポスト・アンコール時代と呼んでいる。本節ではプレ・アンコール時代の政体を真臘と呼ぶ。

碑文と漢籍の情報を総合すると、真臘の初代の王バヴァヴァルマンが六世紀中頃に即位した後、チトラセーナ王のときに勃興し、その子イーシャーナヴァルマンがイーシャーナプラを建設し、六一六年に初めて隋に朝貢している。従来、『隋書』によって七世紀初めチトラセーナのときに真臘が扶南を併合したとされていたが、実際には真臘の扶南併合は六世紀から七世紀末にかけての段階的な過程であった(深見 二〇一六)。

イーシャーナプラはコンポントム州のサンボー・プレイ・クック遺跡とされている。『隋書』によれば、二万以上の戸数の住民を有し、城中には王が謁見する大堂があり、さらにそれぞれ数千戸の住民を有する国内三〇の大城を支配したという。たしかに、最盛期の真臘は、碑文の分布からほぼ現在のカンボジアに相当する領域を支配していたが、漢籍でいう三〇の大城とは王権の消長に応じて独立の傾向を示す、プラと呼ばれる半ば自律的な地方単位であった(石澤 二〇〇一 a)。

八世紀初頭に真臘は陸真臘と水真臘に分裂した。前者は、ダンレック山脈以北にあたるメコン川の支流ムン川流域の平原、後者は、メコン中流域、トンレサップ湖周辺の平原とメコン・デルタからなる地域にあたる。いずれの真臘も中国に朝貢しており、それぞれが交易ネットワークに参画していた。こうした分裂状態は、九世紀にアンコールに拠点を置いたジャヤヴァルマン二世による統一まで続いた。

真臘の西方では、チャオプラヤー流域を中心にモン人、エーヤーワディー流域を中心にピュー人による初期国家の形成が見られた。いずれもインド系の文字をもち、ヒンドゥー教や仏教を信奉し、環濠や城郭をもつ都市を建設しており、その先進的な文化は周辺民族に大きな影響を与えた。この時期の政体としては、タイ湾沿岸部に六―一一世紀に栄えたモン人のドゥヴァーラヴァティー、エーヤーワディー中流域に三—一〇世紀に栄えたピュー人のシュリークシェートラなどがある。ピューが生産する綿布を中心とする交易ネットワークはドゥヴァーラヴァティーを介して扶南まで広がっていた(伊東 二〇〇一a)。

大陸部 チャンパー

ベトナム北部では、七世紀に唐が現在のハノイに安南《あんなん》都護府を置き、唐が衰退する一〇世紀になるまで、中国による支配が続いた。一方、日南郡の南方では、二世紀になると、林邑《りんゆう》が台頭し、海域交易をめぐってベトナム北部を拠点とする中国側と衝突を繰り返した。林邑はサーフィン文化の担い手であったチャム人の政体であり、自らはインド的文化を受容し、七世紀以降、チャンパーを称するようになった。初期の中心は、現在のクアンナム省を流れるトゥーボン川流域において、河口部の港市ホイアン、中流域の政治中心チャーキュウ、山地に創建された宗教拠点ミーソンからなるアマラーヴァティーであった(山形・桃木 二〇〇一)。

ベトナム中部はチュオンソン山脈に沿って支脈が何本も南シナ海沿岸部に突き出すような地形になっており、支脈の間の川筋に沿って河口のチャム人の港市と上流部の後背地とを結びつけた港市政体が川筋ごとに散在していた。チャンパーとはこのような川筋政体の連合体であり、北方の紅河流域の政治勢力(当初は中国、ベトナムが独立してからは大越)との関係にも応じつつ、中心となる政体が交替した。諸政体の主たる拠点としては、アマラーヴァティーのほかに、北から南に、ヴィジャヤ、カウターラ、パーンドゥランガがあった。中国からの呼称が、当初の林邑から八世紀半ばから九世紀半ばにかけて環王、九世紀後半以降には占城と変遷したのはこのような事情を反映している。

三、九世紀―一〇世紀の転換期以降の国家群

九世紀から一〇世紀を境にして、東南アジアのサブ・リージョンにおいて、国家の再編がおこる。メコン流域ではヒンドゥー教・大乗仏教を信奉するアンコール、エーヤーワディー流域では上座部仏教を信奉するバガン(パガン)、紅河流域では中国型の国家へと次第に発展していく大越、そして、ジャワ海域ではジャワ島東部のブランタス流域平原にジャワの王国がいずれも陸域型政体として発展した。その一方で、ベトナム中・南部の沿岸部では大越に対抗するチャンパー、マラッカ海峡域では三仏斉《さんぶっせい》の港市国家群がそれぞれ海域型政体として発展した。

この時代の発展の背景には、唐代後半から始まり、宋代になって急激に加速した中国の海上交易ネットワークへの本格的な参入をあげなければならない。広州や泉州などの港市には、西方からのムスリム商人も来航し、滞在するようになった。唐ではすでに七一四年に広州に市舶司を置いて海上交易ネットワークの拠点とし、南宋になってさらにネットワークへの関与は拡大した。中国人は東南アジア以西の海でつながる世界を「南海」と呼んだが、一二世紀以降、「南海」の貿易案内書ともいうべき『嶺外代答《れいがいだいとう》』(宋代)、『諸蕃志《しょばんし》』(宋代)、『島夷誌略《とういしりゃく》』(元代)が民間で続々と刊行されるのはこの時代の潮流をよく現している。

一三世紀後半のモンゴル帝国による東南アジアへの元寇は、海上交易ネットワークに対して陸域的支配原理の適用を意図したものであった。しかし、バガンの滅亡やマジャパヒト成立の契機とはなったものの、最終的には現地勢力の抵抗にあって撤退せざるをえず、宋代の海上交易ネットワークの秩序に回帰した。

島嶼部　三仏斉とジャワ

一〇世紀初頭から一四世紀後半にかけて、マラッカ海峡域の三仏斉と称する国から中国に朝貢が行われた。この現地名は不明であるが、アラビア商人がザーバジュ、タミル商人がジャーヴァカと呼んだマラッカ海峡を中心とした海域の小港市国家の総称を中国で三仏斉と呼んだものである(深見 二〇〇一c)。この時期、シュリーヴィジャヤは三仏斉の中の一国として存続していたと考えられる。

ベンガル湾海域の海上交易ネットワークの覇権をねらった南インドのチョーラは、一〇二五年にマラッカ海峡に遠征し、自らもクダーに拠点をおいて活動した。このチョーラの出先拠点は中国に対しては三仏斉注輦《ちゅうれん》を名乗っている。逆に、マレー半島中部にあったターンブラリンガ(単馬令)は一三世紀中頃にスリランカに侵攻し、島の北部を一時占領している。このように、ベンガル湾海域とマラッカ海峡域は一体化した海域世界であり、その海上交易の覇権をめぐって流動的な状態が続いた。

島嶼部の中でも陸域的性格の強いジャワでは、シンドック王治世期の九二九年以降、ジャワ島中部から東部へと政治拠点が移動した。火山噴火が移動の一因とされるが、より中長期的には、増大する交易量の増加に対応した、ジャワ海へのアクセスの確保が目的とみるべきであろう。

ジャワの王国は一〇〇六年(一〇一六年説もあるが近年一〇〇六年説が有力)の内乱で一時崩壊するが、アイルランガ王によって再統一される。王の晩年、王国はブランタス下流域のジャンガラと中流域のクディリ(カディリとも)に分割されるが、その後、一二世紀にはクディリのもとで再統合された。クディリはブランタス流域の農業生産とジャワ海を通じた海上交易ネットワークを結びつけることで、とくに香料の集散地として栄えた(青山 二〇〇一a)。

一二二二年にクディリを倒したシンガサリはクルタナガラ王のときに最盛期を迎え、ジャワ島およびその周辺のみならずスマトラ島南東部に至る海域に勢力を及ぼした。元軍の侵攻の直前、一二九二年にシンガサリは内乱で倒れるが、翌年、元軍と一時的に同盟を結んだ残存勢力がマジャパヒトを建国した(青山 二〇〇一b)。

マジャパヒトはシンガサリの後継政体といってよく、ブランタス中流域に拠点を置いて、ジャワの農業生産とジャワ海を通じた海上交易を結びつけて繁栄し、一五世紀まで勢力を保った。一四世紀後半の最盛期の様子は、東南アジア最初の年代記と言うべき古ジャワ語の『デーシャワルナナ』に記録されている。王国ではヒンドゥー教と大乗仏教が信奉され、東南アジア最後のインド化された王国とみなされるが、陸域型政体による海上交易ネットワークとの結合という点では、一五世紀以降の近世的な政体の先駆とみなすことができる。

大陸部 クメール

メコン流域平原では、八〇二年にアンコール北東のクーレン山頂でジャヤヴァルマン二世がブラーフマナによる即位式を実施し、「ジャワ」による支配からのカンボジアの解放を宣言した。「ジャワ」が意味するところは不明だが、この頃シャイレーンドラ王家統治下にあったシュリーヴィジャヤが覇権を握るネットワークからの自立を意味するのかもしれない。

ジャヤヴァルマン二世の即位式は、二世紀半を経た一〇五三年のスドック・カック・トム碑文に記録されている。碑文はサンスクリット語の文書とクメール語の文書から構成されており、即位式を実施した祭官の子孫が、自身が仕える王に至る歴代諸王の起源をジャヤヴァルマン二世とその即位式に求めている。即位式で行われた「デーヴァラージャ」儀礼はサンスクリット語で「神・王」を意味し、東南アジアのヒンドゥー的神王思想として理解されてきたが、これは、「王の世界の主」を意味するクメール語の「カムラテーン・ジャガット・タ・ラージャ」をサンスクリット語に翻訳したものであり、クメール人の土着的王権観念に基づくものであった。このように、碑文ではインド的修辞で表現されたサンスクリット語の世界観と土着的な概念を反映した現地語の世界観が並行して存在する。いずれも、中心にある王の王統と権威の正統化を意図しているが、帝国的な中央集権政治がただちに確立したわけではなく、各地域を拠点とした首長がときには王統との関係を主張し、権力を巡って挑戦することができた(石澤 二〇〇一c、松浦 二〇一九)。

ジャヤヴァルマン二世は、水真臘と陸真臘に分裂していたメコン流域平原を統一したのち、トンレサップ湖北岸地域のハリハラーラヤ(現在のロリュオス遺跡)に都城を建設する。中国は真臘の呼称を使い続けるが、一般に、同王即位をもってアンコール朝の始まりとする。

八七七年に即位したインドラヴァルマンはハリハラーラヤに祖先寺院、国家の中心寺院、貯水池を建造し、後代に続く王都の範型を築いた。次のヤショーダラヴァルマンは、王都の中心を北西のアンコール地域に移し、バケン山の北東に巨大な貯水池、山頂に中心寺院プノン・バケンを建立し、新しい王都ヤショーダラプラを造営した。インド的世界観の中心たるメール山にバケンを見立て、その周囲を海が取り巻く様子を地上に再現したものと考えられる。この後、ジャヤヴァルマン四世のときに王都がおよそ二〇年間コー・ケーに遷都したことを除くと、カンボジアの王都はアンコール地域に置かれることになる。

五世紀にわたって、アンコールの王たちは、前代の王を凌ぐ複雑で大規模な寺院を建立しつづけてきた。その背景には、代を重ねるごとに王統の構成員が拡散していくなかで、王位継承のルールが明確ではなく、王権を主張する者は、自らの権威を示す象徴としての寺院建立に資源を動員する必要があった。碑文に書き記される王への礼賛もまた王の権威を示す知的資源であった。仮構を交えた血統、王個人の英雄的資質(カリスマ)、そして兵力や賦役としての住民動員力は、アンコールの王にとっての最大の関心事であり、これらの可視化された形が寺院建立であった(本巻松浦論文)。

その頂点は、一二世紀前半に在位したスーリヤヴァルマン二世のアンコール・ワット寺院、一二世紀後半から一三世紀初めに在位したジャヤヴァルマン七世の王都アンコール・トムに代表される。この時期、真臘は長らく中断していた朝貢を再開し、扶南以来の海上交易ネットワークへの復帰を進めた。一一七八年の『嶺外代答』には、ジャワ(闍婆)、チャンパー(占城)と並んでカンボジア(真臘)が東南アジアの物流の拠点としてあげられている。アンコールは交易の権益を巡ってチャンパーと争い、スーリヤヴァルマン二世によるチャンパー遠征、チャンパーによるアンコール攻略、そして、ジャヤヴァルマン七世によるチャンパーからのアンコールの回復と復興という長い抗争が続いた。

ジャヤヴァルマン七世はタイ東北部までつながる王道を国土に巡らせ、道路沿いに宿を設置し、各地に施薬院を設置している。このような国力の充実を支えたのが、トンレサップ湖北岸での雨季の冠水を乾期に利用する減水期水稲耕作と、湖での漁業を基礎とした豊富な食糧生産であった。巨大貯水池の具体的な利用法については議論が分かれるが、水利施設にも宗教的役割が与えられたところにアンコールの特徴が現れている。ジャヤヴァルマン七世の死後、アンコールの巨大建造物建設は見られなくなるが、一三世紀末にアンコールを訪問した元の使者周達観《しゅうたっかん》が著した『真臘風土記』にはアンコールの賑わいが記録されている。

アンコールは、一四三一年、チャオプラヤー流域に勃興したアユタヤの攻撃を受けて陥落し、都はトンレサップ下流域に移動することになった。この時期以降をポスト・アンコールと呼ぶ。従来、フランス植民地支配につながる衰退の時代とみなされていたが、近年、ロンヴェークやウドンの遺跡調査が進んでおり、実態解明が期待される。

大陸部　バガン

アンコールとバガンはヒンドゥー教もしくは大乗仏教と上座部仏教という違いはあるが、いずれもインドに起源をもつ宗教を基礎として、巨大寺院建造を推進した点に共通点がある。寺院建造は王の威信を示すと同時に、民衆の信仰に支えられていた。

チベット・ビルマ語族に属するビルマ人はチベット高原の故地から南下し、九世紀中頃にエーヤーワディー中流域平原において先住のピュー人を吸収して定住した。一一世紀にアノーヤター王がビルマ人最初の統一国家バガンを建国した。バガンはエーヤーワディー中流域にあって、平原部の灌漑農業の食糧生産を基盤としつつ、流域の河川交通の拠点であった。アノーヤター王はベンガル湾沿岸のモン人の政体タトンを征服して、チャオプラヤー流域への経路を確保した。伝承によると、タトンから上座部仏教が導入されたとされるが、実際には精霊信仰や大乗仏教・ヒンドゥー教などの要素が残り、上座部仏教はいまだ徹底しなかった(大野 二〇〇二)。しかし、モン文化の影響は大きく、モン文字がビルマ文字の基礎となっており、一一一二年のミャゼーディー碑文は、パーリ語、モン語、ビルマ語、ピュー語の四言語で記されている。

バガンでは一一世紀から一三世紀にかけて膨大な寺院建造がおこなわれ、現存するものだけでも大小三千を超える建造物がこの地域に残されている。バガン地域は乾燥地帯であるが、稲作地帯のチャウセーとミンブーを押さえたことが、寺院建設の経済的基盤となった。しかし、寺院への寄進は国家財政を疲弊させ、元からの侵攻を受けた一三世紀末に瓦解した。

バガンの直接的な没落は一二八七年に雲南から侵入した元軍に攻撃によるものであるが、バガンが効果的に対抗できなかった要因としては、上座部仏教を国家宗教としたことで、数世紀におよぶ寺院への寄進活動と寺院建立の継続が、王国の経済的疲弊を招いたことがあげられる(本巻伊東コラム)。

ビルマ人のバガンが倒れたあと、エーヤーワディー川の中流域のいわゆる上ビルマにはアヴァに拠点を置いたビルマ人主体のインワ、下流域のいわゆる下ビルマにはバゴー(ペグー)に拠点を置いたモン人のハムサワディーが立ち、流域は二分されることになった(伊東 二〇〇一b)。

大陸部　タイ系諸民族

タイ系(Tai)諸民族は、八世紀頃からエーヤーワディー、タンルウィン、チャオプラヤー、メコンなどの河川に沿って南下し、先住のモン、クメール、ラワなどの諸民族などと接触、混交し、一〇―一三世紀頃には大陸部の山間盆地にムアンと呼ばれる国家群を形成した。いずれも水稲耕作を生業とし、精霊信仰を基礎にして上座部仏教を受容した(飯島 二〇〇一)。

タイ系諸民族の国家としては、エーヤーワディー上流域に建国されたムンマーオ、チャオプラヤー川支流のピン川流域にあったモン人のハリプンチャイを倒してチェンマイに建国されたラーンナー(一二九六年)、メコン上流域のルアンパバーンに建国されたラーンサーンがある(一三五三年)。さらに、チャオプラヤー川支流のヨム川水系では、一三世紀前半にアンコールの支配を脱して、タイ人(Thai)による最古の王国であるスコータイが建国された。スコータイのラーマカムヘーン王が一二九二年に発布したラーマカムヘーン王碑文は最古のタイ語碑文として有名である(偽作とする説がある)。また、チャオプラヤー川と支流のロッブリー川とパーサック川とが合流するアユタヤには一四世紀半ばにアユタヤが建国された(石井 二〇〇一)。碑文資料によると建国時の国名は「アヨードヤ」であり、一六世紀の一時的なビルマによる陥落の後、「アユタヤ」の名称になったと考えられる。アヨードヤの時期を区別して「前期アユタヤ」とも呼ぶ。チャオプラヤー流域の森林産物およびデルタ産のコメの集散地として機能したアユタヤは、生産力の高い後背地をもつ港市国家として交易ネットワークにおいて優位な地位を持つようになる。

大陸部　大越とチャンパー

ベトナム北部は、一〇世紀、唐滅亡後の中国の混乱に乗じて、中国から独立を果たしたが、土着の諸勢力が争って短命政権が続いた。一〇〇九年に、リー・コン・ウアン(李公蘊)が建国したリー(李)朝がベトナム人による初めての長期安定政権となった（桃木 二〇〇一a）。

リー朝はタンロン（昇竜、現在のハノイ）を首都とし、国号を「大越」と定めた。タンロンは一九世紀初頭にグエン（阮）朝がフエに遷都するまで大越の首都となる。また、国号「大越」はチャン（陳）朝、レー（黎）朝まで用いられた。その一方、南宋以降の歴代中国王朝からは「安南国王」に冊封され、中国からの独立を確保した。中国的な父系継承の原理を用いたことも政権の安定に貢献した。このようなリー朝の政治体制は、後続するベトナム諸王朝の範型となった。しかし、実態としてのリー朝の政治体制は、集権化が進んでおらず、地方勢力の連合体としての性格が強かった。また、紅河デルタの開発も小規模であり、科挙制度も導入されたがその運用はいまだ不安定であった。リー朝は一一世紀の宋の侵攻を撃退し、一二世紀にはカンボジアの侵攻を退けているが、一二世紀後半には衰退し、一二二五年に外戚のチャン（陳）氏によって帝位を奪われた。

チャン朝になると、科挙制度が進展し、地方行政制度も整備された。紅河デルタにおける大規模な輪中堤防の建設が進んだのもチャン朝の時期である（桜井 一九九二、桃木 二〇〇一b）。チャン朝は元の侵攻を三度にわたって受け、首都タンロン陥落の憂き目をみるが、最終的に勝利を得た。元寇の体験は民族意識の高揚を生み、ベトナム最初の正史『大越史記全書』の編纂や、漢字を改造したチューノム（字喃）によるベトナム語文学の興隆がみられた。窯業も発達し陶磁器（安南焼）が主力交易品になった。チャン朝は一四世紀になると弱体化し、チャンパーの侵攻を受けるようになった。政権は外戚のホー（胡）氏に奪われ、一四〇〇年に滅んだ。しかしこの簒奪はチャン朝の回復を名目にした明の軍事介入を引き起こし、ベトナムは一四〇七年から二八年まで明に占領された。

チャンパーは一〇世紀末にその中心を南のビンディン省のヴィジャヤに移した。占城の名前で海上交易に参画しており、後背地の森林産物である沈香を特産品として輸出していた。南シナ海の交易拠点として広州が台頭したことで、ベトナム北部の中継港としての役割は低下し、代わって、山間後背地の沈香などの森林産物を輸出品とするチャンパーが積極的に海上交易ネットワークに参画するようになった。一二世紀に勃発するチャンパーとカンボジア(真臘)の抗争の背景には、陸域資源と結合した海域型政体チャンパーと、海上交易にも進出しようとする陸域型政体カンボジアとの間の海域交易をめぐる覇権争いを要因の一つと想定することができよう。

チャンパーは、一三世紀末には元軍の来襲を撃退し、一四世紀後半には大越のチャン朝を侵攻するなど、勢力を誇っていた。明の鄭和の南海遠征時には艦隊の寄港地を提供している。しかし、一四二八年に明朝から独立したレー朝が国力を付けると、一四七一年の戦争でヴィジャヤを陥落させ、ヴィジャヤ以北を大越の領域とした。その後も続く大越の南進によって、チャンパーの王家は一九世紀まで存続するものの、チャム人の多くはベトナム人に同化され、残りは少数民族として残ることになる。

四、一五世紀以降の東南アジア

一三六八年に成立した明朝は、民間の中国人の海外渡航と外国との通交を禁じる海禁令を出し、海外交易の主体を国家による朝貢貿易に一本化した。このため、宋・元代から活発化していた民間商船による交易は縮小した。朝貢貿易の主たる対象となったのは、占城(チャンパー)、真臘(カンボジア)、暹羅《せんら》(アユタヤ)、爪哇《じゃわ》(マジャパヒト)などであった。

明朝第三代の永楽帝は、朝貢貿易のさらなる拡大をはかって鄭和の指揮による七回の南海遠征を実施した。一四〇五年に始まり一四三三年に終わる七回の遠征は、最大時には艦船六〇隻以上、乗員二万数千人の艦隊からなる空前絶後の事業であった。この間も海禁は続いて中国との直接的民間交易は制限されたままであったが、東南アジア域内の海上交易ネットワークに大きな刺激を与え、東南アジアの「交易(商業)の時代」の開幕となる。すでに一五世紀以降の東南アジアを舞台にするアクターは大方出そろっているが、ここでマラッカ海峡域とエーヤーワディー流域での新しい動向に触れておかなければならない。

島嶼部 ムラカ

マジャパヒトは農業生産を基盤とした陸域型政体であったが、商品としての食糧、東南アジアとしては相対的に高い人口に支えられた軍事力を背景に、ジャワ海を中心に東のマルク諸島から西の南シナ海、マラッカ海峡に及ぶ東南アジア海域の交易を管理下に置いていた。しかし、マラッカ海峡にムラカが出現すると、海洋交易の主導権は、しだいにムラカに奪われていった。

三仏斉の名称で包括されたマラッカ海峡域の諸港市と同様に、ムラカは、内陸の後背地が発達しておらず、典型的な港市国家であった。ムラカは、マラッカ海峡の要所にあって、モンスーン航海を利用した海上交易にとって理想的な中継基地になった。外来商人に様々な便宜供与をするため、シャーバンダル(港湾庁官)を長とする制度を構築した。鄭和の遠征隊に停留基地を提供して、明から満剌加王に封じられたことで、ムラカは北方のタイ(アユタヤ)や東方のジャワ(マジャパヒト)の影響力を跳ね返した。さらに、ムラカの王は、インド化された王国であったシュリーヴィジャヤとの系譜的なつながりを維持しながらも、イスラームを受容しスルタンを称することで、到来するイスラーム商人へのアピールを増大させた。

大陸部 ビルマ

ハムサワディーは、当初はマルタバンに拠点を持っていたが、アユタヤに攻撃されたため、バゴーに王都を移し、北方から南下をはかるインワとも対抗した。現在のヤンゴンに外港をおき、余剰農産物を主たる商品としてムラカを中心とする海域交易ネットワークに参画した。

特筆すべきは、一五世紀後半のダンマゼーディー王が、一四七六年、スリランカに派遣して新たに戒律を受け直させた僧たちを利用して、大乗仏教や密教の要素が残っていた国内の仏教教団を改革し、上座部仏教を基盤として王権を強化したことである。スリランカでは一二世紀後半にパーリ語仏典を奉じる上座部仏教教団に対して王権が教団の浄化を名目に介入し、教団は王権の正統化の基盤になっていた(本巻馬場論文)。このようなスリランカ型の上座部仏教的政治体制がこの後のエーヤーワディー流域の上座部仏教王国の範型となり、さらに大陸部の上座部仏教王国に受容されていったのである。

一六世紀中頃になると、ハムサワディーとインワはシッタン中流域を拠点としたタウングーに併合された。こうして、エーヤーワディー中流域平原の農業生産と河口部の港市を結合した陸域・海域結合型の国家が形成される。

おわりに

本稿では、東南アジア世界の形成と展開を展望するうえで、初期国家の形成とその後の発展にわけて概観した。初期国家の形成においては、交易の発展とインド化の運動を二つの重要な契機として捉えている。紀元前一千年紀後半には金属器の使用と水稲耕作が始まり、階層化した首長制社会が形成されていた。域内外を結ぶ広範囲な交易ネットワークを通じて威信財や日常品が交換され、ネットワークの主要な結節点には人口と富が集積する都市が現れ、初期国家が出現した。四世紀になってモンスーンを利用した航海が一般化すると、増大する交易品の管理と膨張する市場を統括するために、首長層はより普遍的な権威の源泉を必要とした。首長層にとって、ベンガル湾の西側で始まっていたサンスクリット語文化を取り込む運動に参加することは、自らの権威の正統化に資するものであった。これが、ヒンドゥー教や仏教を信奉する「王」の出現である。しかし、政体のあり方は、中央集権的な権力と明確な境界をもたない、ネットワークの結節点をゆるく結びつけた「マンダラ」政体であった。

初期国家の展開においては、港市を拠点とした交易を経済基盤とする海域型政体と、平原を拠点とした農業生産を経済基盤とする陸域型政体を想定し、両者のダイナミックな相互関係を重要な契機として捉えている。初期国家の代表である扶南は海域型政体であり、扶南に代わってマラッカ海峡域で発展したシュリーヴィジャヤも海域型政体であった。このことは初期国家の形成において海上交易ネットワークが重要であったことを示している。その後、メコン中流域の内陸平原には、扶南を併合した真臘が、また、ジャワ島中部の農業適地である内陸平原にはシャイレーンドラとマタラムが、いずれも陸域型政体として出現した。陸域型政体の特徴の一つは寺院建造による政体の正統化であった。やがてシャイレーンドラ王朝はマラッカ海峡域に移動して海域型政体としての性格を強くする一方で、マタラムはジャワ海につながるジャワ島東部に移動し、港市を支配する形での陸域型政体の道を歩み始める。ベトナム北部の中国と交易権を争ったチャンパーもまた海域型政体であった。

九世紀から一〇世紀にかけての転換期を境に、中国の南海交易への関与の増大を背景に、初期国家の形成が一段落し、政体の再編が始まる。島嶼部では、海域型政体の連合体である三仏斉の諸国がベンガル湾とマラッカ海峡を舞台に活動する一方で、ジャワでは港市と結びついた陸域型政体の王国が維持された。一方、大陸部ではヒンドゥー教と大乗仏教を信奉するアンコールと、上座部仏教を信奉するバガンという二つの陸域型政体が発展し、寺院建造を推進した。寺院建造は王権の威信の源泉であるとともに、王国の資源的限界をもたらすことにもなった。この間隙をぬって、河川流域に沿って南下してきたタイ系諸民族が一三世紀頃から自身の政体を樹立し始めた。一〇〇九年にリー朝が成立した大越は、陸域型政体として、時代が下るにつれて中国型の体制を整えていき、南方のチャンパーと対抗するようになった。

一五世紀以降、島嶼部では、典型的な海域型政体であるムラカが、イスラームを媒介として西方世界の海上交易ネットワークと結びつき、ジャワ海を制した陸域型政体として栄えたマジャパヒトの交易権を浸食していった。大陸部のエーヤーワディー流域では上座部仏教を信奉するタウングーが統一王国を樹立し、ベンガル湾に臨む港市をもつ陸域型政体として頭角を現わす。チャオプラヤー流域では同じく上座部仏教を信奉するアユタヤが港市と平原を結合させた海域型国家として飛躍し始める一方で、陸域型政体の大越はレー朝になって中国的な国家体制を確立していた。東南アジアのサブ・リージョンを代表するアクターが揃うなか、一五世紀になって、交易がさらなる重要性をもって東南アジア史を突き動かし始めるのである。

注

（1）扶南出土のローマ皇帝の金貨は二世紀の鋳造であるが、いったんインドに運ばれて装身具に改造され、七世紀頃になって扶南に持ち込まれたと推測されている（新田 二〇一三）。

（2）海上交易ネットワークの結節点には長距離交易に関わる商人が出現し、経済的原理に基づく交換の場としての市場が出現する。初期国家形成における交易の重要性を指摘する近年の理論によると、このような市場の管理にはより強い強制力の発動が必要となり、権力の集中と、権力の運用を実現するための官僚制と兵力の整備が初期国家の出現をもたらしたとされる（Kipp and Schortman 1989）。扶南はこのような初期国家形成の先駆であったと言えよう。

（3）近年、水中考古学が新しい知見を提供している。漢籍で崑崙船と呼ばれる東南アジア固有の船の水中遺跡がベトナム中部クアンガイ省沖で発見されている。船材の分析では七世紀末から八世紀中葉という結果が出ており、ベトナム発見の沈没船としては最古である（Nishino et al. 2017）。また、インドネシアのブリトゥン島沖では九世紀中葉と推定されるアラブのダウ船の沈没船が発見されている（Krahl et al. 2010）。両者からは中国製陶磁器も発見されており、唐代の海上交易ルートの実情を示唆する。

（4）本稿ではフィリピンに言及する余裕がなかったが、フィリピンのルソン島ラグナ州では九〇〇年の紀年をもつラグナ銅板刻文が発見されている（Postma 1992）。これはインド系文字によって古マレー語で書かれた債務免除の証文である。宋代の『諸蕃志』や元代の『島夷誌略』にはフィリピン北部に比定される摩逸等の地名が見えるが、それ以前の九世紀末にフィリピンにおいてマレー語を公用語として書記に使用する社会が成立していたことを示す。

参考文献

青山亨(二〇〇一a)「東ジャワの統一王権――アイルランガ政権からクディリ王国へ」石澤良昭編『岩波講座 東南アジア史2 東南アジア古代国家の成立と展開』岩波書店。

青山亨(二〇〇一b)「シンガサリ＝マジャパヒト王国」石澤良昭編『岩波講座 東南アジア史2 東南アジア古代国家の成立と展開』岩波書店。

飯島明子・石井米雄・伊東利勝(一九九九)「上座仏教世界」石井米雄・桜井由躬雄編『世界各国史5 東南アジア史Ⅰ 大陸部』山川出版社。

飯島明子(二〇〇二)「「タイ人の世紀」再考――初期ラーンナー史上の諸問題」石澤良昭編『岩波講座 東南アジア史2 東南アジア古代国家の成立と展開』岩波書店。

飯島明子(二〇二〇)「北方の「タイ人」諸国家」飯島明子・小泉順子編『世界歴史大系 タイ史』山川出版社。

池端雪浦・深見純生(一九九九)「東南アジアの島嶼部世界」池端雪浦編『世界各国史6 東南アジア史Ⅱ 島嶼部』山川出版社。

石井米雄(一九九二)「「港市国家」としてのアユタヤー――中世東南アジア交易国家論」石井米雄・辛島昇・和田久徳編『東南アジア世界の歴史的位相』東京大学出版会。

石井米雄(二〇〇二)「前期アユタヤとアヨードヤ」石澤良昭編『岩波講座 東南アジア史2 東南アジア古代国家の成立と展開』岩波書店。

石井米雄(二〇二〇)「港市国家アユタヤー」飯島明子・小泉順子編『世界歴史大系 タイ史』山川出版社。

石澤良昭(一九九九)「東南アジア世界」山崎元一・石澤良昭編『岩波講座 世界歴史6 南アジア世界・東南アジア世界の形成と展開』岩波書店。

石澤良昭(二〇〇一a)「カンボジア平原・メコンデルタ」山本達郎編『岩波講座 東南アジア史1 原史東南アジア世界』岩波書店。

石澤良昭(二〇〇一b)「総説」石澤良昭編『岩波講座 東南アジア史2 東南アジア古代国家の成立と展開』岩波書店。

石澤良昭（二〇〇一c）「アンコール＝クメール時代（九―一三世紀）」石澤良昭編『岩波講座　東南アジア史2　東南アジア古代国家の成立と展開』岩波書店。

伊東利勝（一九九九）「イラワジ川の世界」石井米雄・桜井由躬雄編『世界各国史5　東南アジア史Ⅰ　大陸部』山川出版社。

伊東利勝（二〇〇一a）「綿布と旭日銀貨――ピュー、ドゥヴァーラヴァティー、扶南」山本達郎編『岩波講座　東南アジア史1　原史東南アジア世界』岩波書店。

伊東利勝（二〇〇一b）「エーヤーワディー流域における南伝上座仏教政治体制の確立」石澤良昭編『岩波講座　東南アジア史2　東南アジア古代国家の成立と展開』岩波書店。

今村啓爾（二〇〇一）「狩猟採集生活の時代」山本達郎編『岩波講座　東南アジア史1　原史東南アジア世界』岩波書店。

大野徹（二〇〇一）「パガンの歴史」石澤良昭編『岩波講座　東南アジア史2　東南アジア古代国家の成立と展開』岩波書店。

辛島昇（一九九二）「シュリーヴィジャヤ王国とチョーラ朝――一一世紀インド・東南アジア関係の一面」石井米雄・辛島昇・和田久徳編『東南アジア世界の歴史的位相』東京大学出版会。

辛島昇（一九九九）「古代・中世タミル地方における王権と国家」山崎元一・石澤良昭編『岩波講座　世界歴史6　南アジア世界・東南アジア世界の形成と展開』岩波書店。

辛島昇（二〇〇一）「古代・中世東南アジアにおける文化発展とインド洋ネットワーク」山本達郎編『岩波講座　東南アジア史1　原史東南アジア世界』岩波書店。

斎藤照子（一九九九）「経済システムと技術――アンコールとパガンの水利事業」山崎元一・石澤良昭編『岩波講座　世界歴史6　南アジア世界・東南アジア世界の形成と展開』岩波書店。

桜井由躬雄・石井米雄（一九九九）「メコン・サルウィン川の世界」石井米雄・桜井由躬雄編『世界各国史5　東南アジア史Ⅰ　大陸部』山川出版社。

桜井由躬雄（一九九二）「陳朝期ベトナムにおける紅河デルタの開拓――新デルタ感潮帯の開拓」石井米雄・辛島昇・和田久徳編『東南アジア世界の歴史的位相』東京大学出版会。

桜井由躬雄（一九九九a）「紅河の世界」石井米雄・桜井由躬雄編『世界各国史5　東南アジア史Ⅰ　大陸部』山川出版社。

桜井由躬雄（一九九九b）「南シナ海の世界」石井米雄・桜井由躬雄編『世界各国史5　東南アジア史Ⅰ　大陸部』山川出版社。

桜井由躬雄（一九九九c）「亜熱帯のなかの中国文明」石井米雄・桜井由躬雄編『世界各国史5 東南アジア史Ⅰ 大陸部』山川出版社。

桜井由躬雄（二〇〇一a）「総説 東南アジアの原史——歴史圏の誕生」山本達郎編『岩波講座 東南アジア史1 原史東南アジア世界』岩波書店。

桜井由躬雄（二〇〇一b）「南海交易ネットワークの成立」山本達郎編『岩波講座 東南アジア史1 原史東南アジア世界』岩波書店。

田村克己（一九九九）「東南アジア基層文化論」山崎元一・石澤良昭編『岩波講座 世界歴史6 南アジア世界・東南アジア世界の形成と展開』岩波書店。

新田栄治（一九九九）「先史時代」石井米雄・桜井由躬雄編『世界各国史5 東南アジア史Ⅰ 大陸部』山川出版社。

新田栄治（二〇〇一）「金属器の出現と首長制社会の成立へ」山本達郎編『岩波講座 東南アジア史1 原史東南アジア世界』岩波書店。

新田栄治（二〇一三）「東南アジアの都市形成とその前提：ドヴァーラヴァティーを中心として」『人文学科論集』七八号。

新田栄治（二〇二〇）「先史・古代のタイ」飯島明子・小泉順子編『世界歴史大系 タイ史』山川出版社。

林謙一郎（二〇〇一）「「中国」と「東南アジア」のはざまで——雲南における初期国家形成」山本達郎編『岩波講座 東南アジア史1 原史東南アジア世界』岩波書店。

弘末雅士（一九九九）「交易の時代と近世国家の成立」池端雪浦編『世界各国史6 東南アジア史Ⅱ 島嶼部』山川出版社。

深見純生（一九九九a）「ジャワ古代史の再構築——シーマ定立の政治経済学」山崎元一・石澤良昭編『岩波講座 世界歴史6 南アジア世界・東南アジア世界の形成と展開』岩波書店。

深見純生（一九九九b）「古代の栄光」池端雪浦編『世界各国史6 東南アジア史Ⅱ 島嶼部』山川出版社。

深見純生（二〇〇一a）「マラッカ海峡交易世界の変遷」山本達郎編『岩波講座 東南アジア史1 原史東南アジア世界』岩波書店。

深見純生（二〇〇一b）「ジャワの初期王権」山本達郎編『岩波講座 東南アジア史1 原史東南アジア世界』岩波書店。

深見純生（二〇〇一c）「海峡の覇者」石澤良昭編『岩波講座 東南アジア史2 東南アジア古代国家の成立と展開』岩波書店。

深見純生（二〇〇九）「混塡と蘇物：扶南国家形成の再検討」『国際文化論集』三九。

深見純生（二〇一六）「三転四起する扶南」『南方文化』第四二輯。

松浦史明（二〇一九）「仏教王ジャヤヴァルマン七世治下のアンコール朝」千葉敏之編『一一八七年　巨大信仰圏の出現』〈歴史の転換期4〉、山川出版社。
桃木至朗（一九九六）『歴史世界としての東南アジア』山川出版社。
桃木至朗（二〇〇一a）「唐宋変革とベトナム」石澤良昭編『岩波講座　東南アジア史2　東南アジア古代国家の成立と展開』岩波書店。
桃木至朗（二〇〇一b）「「ベトナム史」の確立」石澤良昭編『岩波講座　東南アジア史2　東南アジア古代国家の成立と展開』岩波書店。
山形眞利子・桃木至朗（二〇〇一）「林邑と環王」山本達郎編『岩波講座　東南アジア史1　原史東南アジア世界』岩波書店。
横倉雅幸（二〇〇一）「東南アジアにおける稲作の始まり」山本達郎編『岩波講座　東南アジア史1　原史東南アジア世界』岩波書店。
Bronson, Benneth (1977), "Exchange at the upstream and downstream ends: Notes toward a functional model of the coastal state in Southeast Asia", Karl L. Huttere (ed.), *Economic exchange and social interaction in Southeast Asia: Perspectives from prehistory, history, and ethnography*, Michigan papers on Southeast Asian studies, The University of Michigan, no. 13.
Christie, J. W. (1995), "State Formation in Early Maritime Southeast Asia: A Consideration of the Theories and the Data", *Bijdragen Tot de Taal-, Land- en Volkenkunde*, 151 (2).
Cœdès, G. (1968), *The Indianized States of Southeast Asia*, Honolulu: East-West Center Press, The University of Hawaii.
Geertz, C. (1980), *Negara: The Theatre State in Nineteenth-century Bali*, Princeton: Princeton University Press.
Hall, Kenneth R. (2011), *A History of Early Southeast Asia: Maritime Trade and Social Development, 100–1500*, Lanham: Rowman & Littlefield Publisher.
Higham, Charles (1989), *The Archaeology of Mainland Southeast Asia: From 10,000 B. C. to the Fall of Angkor*, Cambridge, New York and Melbourne: Cambridge University Press.
Kipp, R. S. and E. M. Schortman (1989), "The Political Impact of Trade in Chiefdoms", *American Anthropologist*, 91 (2).
Krahl, Regina, John Guy, and Julian Raby (eds.) (2010), *Shipwrecked: Tang Treasures and Monsoon Winds*, Washington D. C.: Arthur M. Sackler Gallery, Smithsonian Institution; Singapore: National Heritage Board.

Kulke, Hermann（1990）, "Indian Colonies, Indianisation or Cultural Convergence? Reflections on the Changing Image of India's Role in South-East Asia", *Semaian*, 3.

Kulke, Hermann（1993）, *Kings and Cults: State Formation and Legitimation in India and Southeast Asia*, New Delhi: Manohar.

Manguin, Pierre-Yves, A. Mani, Geoff Wade（eds.）（2011）, *Early Interactions between South and Southeast Asia: Reflections on Cross-Cultural Exchange*, Singapore: Institute of Southeast Asian Studies; New Delhi: Manohar.

Marr, D. G. and A. C. Milner（eds.）（1986）, *Southeast Asia in the 9th to 14th Centuries*, Canberra: Research School of Pacific Studies, Australian National University; Singapore: Institute of Southeast Asian Studies.

Miksic, John N. and Geok Yian Goh（2017）, *Ancient Southeast Asia,* London and New York: Routledge.

Nishino, Noriko et al.（2017）, "Nishimura Masanari's Study of the Earliest Known Shipwreck Found in Vietnam", *Asian Review of World Histories*, 5.

Pollock, Sheldon（2006）, *The Language of the Gods in the World of Men: Sanskrit, Culture, and Power in Premodern India*, Berkeley, Los Angeles and London: University of California Press.

Postma, A.（1992）, "The Laguna Copper-Plate Inscription: Text and Commentary", *Philippine Studies*, 40（2）.

Reid, Anthony（2015）, *A History of Southeast Asia: Critical Crossroads*, Chichester: Wiley Blackwell.（アンソニー・リード『世界史のなかの東南アジア 上・下』太田淳・長田紀之監訳、名古屋大学出版会、二〇二一年）

Smith, R. B. and W. Watson（eds.）（1979）, *Early South East Asia*, Oxford: Oxford University Press.

Tambiah, S. J.（1976）, *World Conqueror and World Renouncer*, Cambridge and New York: Cambridge University Press.

Wheatley, P.（1961）, *The Golden Khersonese: Studies in the historical geography of the Malay peninsula before A. D. 1500*, Kuala Lumpur: University of Malaya.

Wolters, O. W.（1999）, *History, Culture, and Region in Southeast Asian Perspectives*, revised ed., 1st ed. 1982, Ithaca: Southeast Asia Program Publications, Cornell University.

コラム｜*Column*

ガンダーラ美術と大乗仏教

宮治　昭

釈迦入滅後四、五百年頃に、大乗という仏教の改革運動が興った。それまでの部派(小乗)仏教とは内容が大きく異なる経典が続々と創作された。衆生を救う菩薩の実践を重視し、われわれの住む娑婆世界以外にも無数の仏国土があると説き、永遠存在としての仏陀や釈迦以外の多くの仏陀、菩薩たちが経典に記されるようになる。このような大変化がどのようにして興ったのか、多くの謎に包まれている。

インドでは一三世紀には北のセーナ朝、南のチョーラ朝でも仏教は滅びてしまい、サンスクリット語写本経典も六世紀以降の、限られたものしか知られていなかった。しかし、一九九六年以降、広義のガンダーラ地方(インド亜大陸西北部)で大量の仏教写本が発見され、その中には一、二世紀に遡るガンダーラ語の大乗経典も含まれていることが明らかになり、世界の仏教学者を驚嘆させた。興味深いのは、それらの出土写本には部派と大乗の経典が混在していることだ。

近年の研究でも大乗は独自の僧団を持っていたのではなく、部派僧団内に共住していたと考えられている。いずれにせよ、ガンダーラ地方で一―五世紀頃に仏教が断続的に隆盛したことは、ストゥーパ(仏塔)と僧院から成る多くの寺院址、出土する夥しい彫刻類がそれを物語る。一九七九年の旧ソ連軍のアフガニスタン侵攻以来、政情不安が続くなか、人々の生活は困窮し、非正規の発掘が横行し、考古学的な発掘を上回る彫刻類がマーケットに出回った。じつは仏教写本の発見、出現も同じ背景がある。

ガンダーラ彫刻の造形はギリシャ・ローマの影響が顕著で、特に写実的な仏像の顔立ちは魅力的でインド美術のなかで異彩を放つ。一方、主題は釈迦の生涯を表した仏伝図(浮彫)が圧倒的に多い。

二〇世紀の初め、A・フーシェは多くの仏伝浮彫を経典と照合して場面を同定し、ガンダーラ美術研究の基礎を築いた。氏には「舎衛城の神変」という興味深い論文がある。釈迦が舎衛城の郊外で異教徒と神変(奇蹟)対決をし、瞑想に入って体から火と水を発出させ(双神変)、また天にまで達する化仏(分身)を次々と出現させた(千仏化現)という話で、この主題はインドでは重要な仏伝図として大層好まれた。フーシェは具体例を示してそれを明らかにした。

しかし、氏が挙げたガンダーラの「舎衛城の神変」浮彫に関しては、現在では仏伝場面ではなく、大乗のテーマを表したものとみる見解が有力である。とはいえ、それがどのような主題かは多くの議論がある。フーシェ以後、類例も数多く知られるようになり、図像のヴァリエーションもあるが、筆

大乗仏教のテーマを表すガンダーラ彫刻(部分). 州立チャンディーガル美術博物館所蔵. 筆者撮影

者はそれら一群の彫刻は初期大乗経典（大品般若経、法華経、華厳経、無量寿経など）に説かれる、仏陀の「大光明（放光）の神変」と関わるものと考えている。「舎衛城の神変」では釈迦が異教徒を打ち負かし、仏教に帰依させるために神変を行なったが、大乗ではすべての衆生を救うために仏陀は深い瞑想に入って大光明を放ち、十方世界の多くの仏国土を照らす。釈迦は入滅して久しいが、その教え（仏法）は法身として永遠であり、その法身が衆生を救うために色身（応身）として現れ説法する、その前兆として大光明を発するのである。そこでは自利・利他の実践に励む菩薩の働きが強調される。

大乗仏教と関わるガンダーラ彫刻は、このような初期大乗仏教の仏身観・菩薩観・世界観を表したものと考えられる。それらは図像形式から三尊・発出・楼閣・蓮池の四つのタイプに分けられるが、特に楼閣タイプは初期華厳経、蓮池タイプは初期無量寿経によって図像の細像を読み解くことができる（拙稿「ガンダーラにおける大乗仏教美術の様相」『密教図像』四〇号、二〇二一年、同「美術から見たガンダーラの阿弥陀信仰」『東方』三七号、二〇二二年、参照）。五世紀以前に漢訳された初期大乗経典は現存のサンスクリット経典より古い伝承を保存しており、それらと照合することによってガンダーラの大乗仏教美術の解釈が可能となる。将来、ガンダーラ語写本が解読されれば、その様相はより明確化されよう。

ガンダーラ仏教は中央アジア・中国に与えた影響が大きく、初期北伝仏教の母胎といえるが、インド内部では大乗仏教美術のその後の展開は、観音菩薩を除いてはほとんど跡づけることができない。美術から見る限り、五世紀以降もアジャンター壁画に見られるように、伝統的な本生図・仏伝図を中心とした釈迦信仰が根強く残る。

北インドのパーラ朝や東インドのオリッサ地方で、八世紀以降密教美術が栄え、その流れは北伝のみならず、南伝のスリランカ、インドネシア、カンボジアにも伝わり、ボロブドゥールに代表されるように、大規模な遺跡や芸術的にも優れた密教（大乗を含む）彫刻を生み出している。スリランカと東南アジア大陸部に伝わった南伝仏教では、上座仏教が一一世紀以降、現在も生き続けるが、滅び去った大乗仏教・密教にも光が当てられればグローバルな歴史の流れが理解されよう。

問題群 | *Inquiry*

南アジアにおける国家形成の諸段階

三田昌彦

はじめに

南アジアではテュルク系イスラーム勢力による帝国支配が始まるまで、古来諸王朝による国家の形成・崩壊を繰り返してきた。それは概ね以下のようなフェーズを経たと言えよう。①前五〇〇－前二〇〇（最初の帝国形成）、②前二〇〇－後三〇〇（北西遊牧勢力とサータヴァーハナ朝）、③三〇〇－五五〇（グプタ帝国）、④五五〇－七五〇（北インド短命帝国とデカン帝国）、⑤七五〇－九五〇（三帝国並立）、⑥九五〇－一二〇〇（地域国家並立）、⑦一二〇〇－一三五〇（デリー・サルタナトの拡大と地域国家の崩壊）。

このうち④⑤⑥は「中世初期」（early medieval）という呼称が定着し、それ以前を「古代」（ancient）ないし「初期」（early）と呼ぶが（③を「中世初期」に入れるかは研究者により異なる）、この古代から中世初期への展開をめぐり、ここ四〇年でその捉え方が大きく変わってきた。従来は古代帝国の典型とされるマウリヤ朝が官僚制的な中央集権国家とされ、それが③ないし④以降分権化が進み国家が解体・分裂していき、それが⑥の割拠状態であると理解されてきた。一九世紀以来のヨーロッパの研究者の典型的な見方であり、またシャルマーらのインド封建制論もこの過程を封建的な分権・分裂過程と見た(Sharma 1965)。

しかし、一九八〇年頃からチャットーパーディャーヤやクルケらが統合的政体論を展開する。マウリヤ帝国は内部に様々な段階の社会を抱えた分節的・複合的な国家であり、先進地域以外での「国家社会」(state society)への転換はその後の開発によってゆっくりと進行し、ヴァルナ秩序もそれにともなって諸地域に波及・確立する。その結果が⑥の地域国家の形成であり、南アジアのこの時代の歴史は地域国家統合へと向かう長いプロセスであると考えた(Chattopadhyaya 2012; Kulke 1993)。この見方の最大の利点は古代社会とその後の展開に大きな断絶を認めず、①から⑥まで一貫した論理で長期的な展開として説明することができる点にある。またその後に中世初期の地域史研究を急速に進展させることになり、地域レベルの多様な南アジア社会の歴史的知見が飛躍的に蓄積されることになった。

本稿は近年の研究動向をこのようにおさえつつ、古代帝国形成から地域国家が形成・崩壊する一三世紀までの展開を、地域差に注意しつつ可能な限り一貫した論理で説明するものである。なお紙幅の関係上、上記諸段階全てではなく重要と考えた対象に限定し、中世初期については史料的に豊かな一〇世紀以降を重点的に取り上げている。

本論に入る前にその前提となる南アジアの地理的特質を概観しておこう。南アジアは気候的にはガンジス川流域から東方ほど湿潤になり、そのまま東南アジアに連続する。紀元前から人口稠密な稲作の定着農耕地帯であり、とりわけガンジス川中流域は南アジア最大の穀倉地帯を構成していた。他方、乾燥ないし半乾燥地帯(以下「乾燥地帯」とする)はインダス川流域からラージャスターンを通ってデカンにいたる地域であり、東南に行くほど降水量を増大させ、北西辺境からは中央アジア・西アジアへと連続する。この地域では小麦地帯のインダス川流域を除くほとんどが雑穀地帯で、牧畜の比重が高い上に農業を専業にできず、長い乾季は行商、傭兵として出稼ぎすることが多かった。

政治的・商業的中心である都市は、古代の段階では農業開発が早くから展開している大河川沿いに概ね集中している。交易ルートも河川沿いに展開し、舟運の重要性も極めて高かった。このような都市・農村の偏在性は開発の進行とともに徐々に解消されていき、とくに気候的に湿潤になる一〇・一一世紀以降、急速に進展する。こうした南アジア史の底流として長期にわたって進行した開発の進捗状況が、ここで述べる一見諸王朝盛衰の繰り返しに見える南アジアの国家形成の諸段階を、基本的に規定していたと考えられる。

一、マウリヤ帝国――早熟な巨大帝国とその構造

前六世紀ごろにガンジス川中流域に都市が現れ、幾つもの諸国家が覇を競う中からマガダ国が他の諸国家を併合していき、前三世紀にはマウリヤ朝のもとで南アジアで初めて、そのほぼ全域を統合する大帝国を打ち立てる。古代の帝国は一般に乾燥地帯で形成されるが、マウリヤ帝国は湿潤な稲作地帯から発しており、世界的に特異であった。首都パータリプトラは当時世界最大級の都市であり、その周囲に広がるガンジス川中流域は稲作の穀倉地帯で莫大な人口を抱え、しかも航行可能なガンジス川の水路ネットワークによって相互の諸都市が緊密に結ばれていた。帝国はこの中流域を基盤とし、さらに上流域まで含めた地域が王の直接統治領域となっていた。ガンジス川流域以外の広大な領域は属州に編成され、アショーカ刻文からは少なくとも西北インド(タクシラ)、西インド(ウッジャイン)、南インド(スヴァルナギリ)、カリンガ(トーサリー)の四州が確認される(カッコ内は州都)。それぞれ州都に王子が州総督として派遣され、同じく中央から派遣された大官(*mahāmātra*)群を配下に置いて統治していた。それらの地は重要な交易拠点や金などの資源地で、水・陸の幹線路でガンジス川中流域と結ばれていた。

属州は一見中央の完全なコントロール下に入っているように見えるが、帝国は極めて広大で首都と属州との連絡は一カ月以上を要したために州総督に大幅な裁量権を与えざるを得なかったことは、マウリヤ朝の分権的性格を示している(Fussman 1988)。実際マウリヤ朝は度量衡の統一など、中央集権国家に見られる画一化を目指す施策をほとんど

行っていない。

かつてマウリヤ朝の集権性を強調したターパルも非画一的複合的な帝国像を新たに提示しており、帝国統治を地域ごとに次の三つのカテゴリに分けている。①metropolitan state：すでに成熟国家へと発展していた地域で、直接統治下に置かれたガンジス川流域。②core areas：征服される前は初期国家であったが征服されて属州に編成された地域。州都は①と類似の統治システムだが、地方は旧来の支配者が残存する。③peripheral regions：まだ初期国家段階にさえない地域で、鉄鉱、金、宝石、木材、象などの資源地として管理される。様々な前国家段階の部族が住むが、彼らへの干渉はほとんどない(Thapar 1997: 315-318)。

ここで注意したいのは、国家的な統治が行われているのは①と②だけということはもちろん、②も内部に前国家段階の部族制領域を多く抱えていた点である。結局、この時代の南アジアで階層化された国家段階の社会は、ガンジス川流域やいくつかの中核域を除くとほとんど存在しなかったということになる。その意味では、マウリヤ帝国はガンジス川流域と様々な重要地点とを幹線路で結ぶ点と線の統治であると同時に、その帝国形成はかなり早熟で、領域内の経済的格差が極めて大きかったと考えてよい。実際、帝国崩壊後、辺境のパンジャーブやラージャスターンでは部族的なガナ＝サンガ制国家(王を立てず支配氏族が共同で統治する部族的政体)が再興している(*Ibid*.: 320-321)。

このような早熟な帝国形成のプロセスの出発点は、ガンジス川中流域が先進地域として現れる前六世紀頃に求められよう。突然一五〇―二〇〇ヘクタール規模の巨大都市が現れ(上杉 二〇〇七：四六頁)、専制的な王制国家が出現し、その後前四世紀後半以降にガンジス川流域を超えた帝国の形成へと展開する。この時代の急激な変化について、一つの可能性として西アジアとの関連が考えられるかもしれない。前六世紀以降、アケメネス朝がインダス流域を支配下に入れ、前四世紀後半にはアレクサンドロスがこれを滅ぼしてインダス流域に拠点を設け、さらにその帝国の分裂後は後継王朝であるセレウコス朝がインダス流域にまで迫り、マウリヤ朝と和議を結ぶに至る。アショーカ王刻文が南アジア外の勢力としてはもっぱらヘレニズムの諸王に言及していることからも(磨崖法勅第一三章)、これら一連の西アジアからの圧力と帝国形成との関係が今後もっと探られるべきである。[1]

いずれにせよ急激な帝国形成は、内部に後進的諸社会・政体をそのまま配下に抱える複合的な帝国構成に結果し、河川流域に点在する要衝以外の地域はガンジス川中流域との格差が大きいまま維持された。多くの自律的な勢力を内部に抱えていながら、それらの諸勢力に対して事実上放置に近い状態で帝国が維持できたのも、そうした格差の中でしか理解できないであろう。そうした中、ガンジス川流域では克服されたガナ＝サンガ政体も、その他の周辺地域ではなお残ることになる。この経済的・文化的格差が、この後長い時間をかけて開発が進む中でゆっくりと解消されていき、その中で周辺・辺境地域でも部族制社会から階層社会へ、王制国家へと転換していく。概ね一二世紀まで続くその長期的な歴史の視点から見れば、マウリヤ帝国こそが長期の南アジア的帝国・国家形成の出発点であろう。

二、グプタ帝国——サンスクリット王権の形成

マウリヤ帝国崩壊後、デカンではサータヴァーハナ朝、中央アジアから北インドにかけてはクシャーナ朝が帝国を築く。東西交易の繁栄の中での帝国形成が、東西交易拠点から遠いガンジス川流域ではなく、北西インドやデカンで進行したことは、紙幅の関係上割愛するが、辺境の開発を進展させたであろう点で、本稿の論点においては注目される。

その後、四世紀初頭に成立したグプタ朝がパータリプトラを都に北インドを統合する。この頃までにヴァルナ制の規定をまとめた『マヌ法典』が編纂され、グプタ朝は法典や叙事詩に記されるような理想的な王権(本稿ではサンスクリット王権と称する)を体現する最初の王朝として現れる。『マヌ法典』(VII. 201-203)や『実利論』(XII. 1. 10-11)などに

描かれる理念的な王は、ヴァルナ秩序など宗教的・社会的正義であるダルマ(*dharma*)の守護者であり、対外的には「四周の征服」(*digvijaya*)を遂行し、インド(Bhāratavarṣa)全域の「帝王」(*samrāj*)(あるいは転輪王 *cakravartin*)となることを目指す。その際、征服地の伝統と秩序を重んじて人民を保護するために、敵王を帰順させるだけで満足することが「正しい征服」(*dharma-vijaya*)だとされ、その結果、諸王を臣下として従えた「帝王」を頂点とする「世界帝国」(*sāmrājya*)を打ち立てることが最終目標だとされている。

このいわばサンスクリット的な帝王を最初に具体的に明示したと考えられるのが、第二代サムドラグプタのアラーハーバード刻文である(CII, 3(1981), pp. 203-220)。そこではサムドラグプタをマハーラージャーディラージャ(偉大なる諸王の王)と称して彼が征服事業を行ったことが記されており、「アーリヤーヴァルタ」[2]であるガンジス川流域の諸王を滅ぼして直轄領としたが、その他の地域の諸王や諸部族とは貢納関係を結んで領地の存続を認め、南インドの諸王は討伐後に王を解放し(*grahaṇa-mokṣa*)、さらにスリランカや西北インドの最遠方の諸勢力とも婚姻関係を結んだとされている。これらのうち北インド以外の諸勢力の帰順については史実とする根拠がない。しかもこの刻文は南アジアを統合したアショーカ王の石柱に刻まれており、その意図は「帝王」の主張にあると考えられる。とすれば、ガンジス川流域以外は「正しい征服」をとったとするこの記述は事実を示したものというよりも、サンスクリット文献に記される理想の帝王を具体化したインドの帝国のあり方を示したものであり、それによって自己を正統化したものと見るべきであろう。

グプタ朝ではサンスクリット語が公用語となり、銅板勅書など文書様式も定められた。ヴィシュヌ神を信奉してその乗物ガルダを王家の紋章とし、バラモン司祭による各種宮廷儀礼を挙行し、法典文献や叙事詩などに記される王権の理念が実践された。また宮廷ではサンスクリット文化が花開き、宮廷がパトロンとなって文学や音楽、演劇、学術の活動が活発になった。従属する各地の諸王もこれらの影響を受ける中で、サンスクリット文化を共有する政治的・

文化的エリートの空間が形成されていった(所謂サンスクリット・コスモポリス)。これが以降、南アジアの(さらには東南アジアの)支配エリートの共通のアイデンティティとなり、その中ですでに述べた理念的な王権・帝国像も継承されていく。その意味でグプタ帝国は南アジア型国家システムを整えたと言うことができる。

グプタ朝の最大版図は五世紀前半であり、領域はベンガルからグジャラートまでのほぼ北インド全域と見られる。ガンジス川流域の直轄地はブクティ(州)に分けられ、ブクティには王に任命されたウパリカ(太守)や王子が総督として派遣された。その下の行政区ヴィシャヤの長官は総督が任命していた。直轄地以外はグプタ朝と主従関係や婚姻同盟を結んだ諸王が配されていた。多くはマハーラージャ(偉大なる王)などの称号を名乗ったが、忠誠を誓いグプタ暦を受容する王もいれば、暦を受容することなくほぼ独立に近い王もいた(古井 二〇〇七:一七一―一七二頁)。

マウリヤ朝と比較する際に注目されるのは、グプタ朝の後半期に従属王朝が独自にサンスクリット刻文を刻んでその存在を主張している点である。マウリヤ帝国の地方支配のトップが中央派遣の王子や官僚であったのに対して、グプタ帝国ではそれが従属王朝になっており、多くの従属王朝はサンスクリット文化を受容していることになる(マウリヤ帝国は様々な社会を丸ごと統合していただけ)。それはガンジス川流域以外に存在した部族制を色濃く残すガナ＝サンガ制勢力の多くが王制国家に変わっていった結果でもあった。

しかしそのサンスクリット化はグプタ朝支配領域全域で完遂したわけではなく、地域的にはかなり限定されていた。このようなサンスクリット化と深く関わるのは従属王朝によるバラモンへの土地施与(寄進)であり、それによってバラモンを地方に住まわせて周辺地域へヴァルナ秩序やヒンドゥー教を波及させていく。後代との比較で推測すればグプタ朝の土地施与は辺境開発の初期段階であり、農耕上条件のよい未墾地が施与されていたはずである。したがって南アジアの大半を占める乾燥・半乾燥地帯の大部分は、グプタ朝時代にはバラモンの居住しない地域だったと推察される。サンスクリット化した従属王権領の大部分はなおヒンドゥー教もヴァルナ秩序も及んでいたわけではなかったと言うべきであろう。こうした地域へのバラモン文化の波及はグプタ朝崩壊後、パトロンを失った多くのバラモンが辺境に移住し、辺境の開発が徐々に進行する中で本格的に展開していく。

三、中世初期の地域国家統合プロセス

六—一三世紀の諸勢力の展開

グプタ朝崩壊後七世紀前半にハルシャが北インドを統合するが、デカンのチャールキヤ朝に敗れ、彼の死後帝国は従属王権の独立により崩壊する。その後北インドでは時に短命な帝国が出現するも小勢力が割拠し、デカンでは引き続きチャールキヤ朝の時代が続き、そして八世紀後半から一〇世紀にかけてプラティーハーラ朝、パーラ朝、ラーシュトラクータ朝の三帝国の並立期を迎える。ここで注目すべきはプラティーハーラ朝の帝国形成である。前代までとは異なり辺境勢力が北インドの覇権を握る一方で、後代の地域国家とは異なり辺境に都を置かずに北インドの政治的中心カナウジに遷都している。乾燥地帯の開発が本格化する以前の辺境勢力のあり方と言えよう(三田 二〇〇七：二一四頁)。もう一つはデカン勢力の軍事的強大化で、ラーシュトラクータ朝は当時南アジア最大の勢力であり、北インドの勢力との戦闘ではことごとく勝利している(家島 二〇〇七：四六—四八頁)。古代以来のガンジス川流域の優位はここに至って軍事的には逆転するまでになっていた。

このように周辺地域が強大化していく七—一〇世紀の南アジアは概ね四つの地域、すなわち①ガンジス川中上流域(カナウジが中心)を中核とする北インド、②ベンガル、③中央部を中核とするデカン、④東部を中核とするインド南端に分かれていく(Kulke and Rothermund 1991: 111-112)。(3) 三帝国は河川沿いの中核地域をおさえながら周辺諸勢力を従属下に置いた。

そして一〇世紀後半になるとこれら三帝国に従属していた地方王権が独立し、それまで例外的であった乾燥地帯ないし定着農耕地帯と乾燥地帯の境域に首都を置く王朝が多数現れる。チャーハマーナ朝(サーンバル、アジュメール)、パラマーラ朝(ダール)、カラチュリ朝(トリプリー)、チャンデーッラ朝(カジュラーホー、マホーバー)、チャールキヤ朝(カリヤーニ)、ヤーダヴァ朝(デーヴァギリ)、カーカティーヤ朝(ワランガル)、ホイサラ朝(ベールール)である。その結果、概ね現在の州レベルに近い地域国家が並立した。

以上のようにグプタ朝以降はガンジス川流域の先進性が喪失されつつ、段階的に国家領域が縮小して政治的経済的中心が多極化していくが、それは同時に地域国家統合へと向かっていくプロセスでもあった。以下、中世初期、特に大きく変化した一〇ー一三世紀を中心に、各地で進行した地域国家統合に関わる様々なプロセスを見ていく。

辺境諸王のサンスクリット王権化と寺院建立

グプタ朝後半ないし崩壊後の辺境の開発は部族首長のサンスクリット王権化とともに進行したため、彼らはバラモンをガンジス川流域から呼び寄せて土地・村落を施与(寄進)し、自らをサンスクリット文化に基づいた王に転化してヴァルナ秩序に基づいた王権支配を進めていく。そのために行われたのが彼らの部族的守護神を汎インド・レベルの神であるヴィシュヌ・シヴァに転化させることであった。典型例として挙げられるのが、オリッサのジャガンナータ神であろう。もともと樹木崇拝であった部族的守護神が、ヴィシュヌの化身クリシュナと結び付けられてジャガンナータ神とされ、東ガンガ朝が一二世紀にその寺院を建立し、部族を超えた人々・領域を統治する正当性を確立していく(Kulke 1993)。

こうした国家寺院建立はまた、それまで辺境でしかなかった自己の地をシヴァやヴィシュヌの宿る世界の中心と位置づけることで、辺境地域王権を正統なサンスクリット的帝王とみなすことになるため、地域国家が形成される一〇世紀以降、巨大な国家寺院が盛んに建立された(Mita 2017: 187-188)[4]。一一世紀のチョーラ朝ではこうした国家寺院の維持のために王国各地に土地・村落施与が行われ、僧院建設、司祭・会計・職人などの配置、家畜の管理などが領域内諸村やバラモン村との連携で行われた。また寺院への莫大な金銭施与は近隣地域の灌漑施設建設に貸付けられ、その利子で儀礼が運営された(Heitzman 1997: 123-127)。このような国家寺院の経済的ネットワークが各地の地域国家の宗教的ネットワークの中核を構成し、地方にヒンドゥー教・バラモン文化を波及させることにもなった。

王権のサンスクリット化のもう一つは王族のクシャトリヤ化と系譜の作成である。典型は後世「ラージプート」と称される軍事集団であり、八世紀以降見られる(Chattopadhyaya 2012: 59-92)。彼らの故地北西インドは外来遊牧勢力や非ヒンドゥー諸部族が多く、彼らがサンスクリット王権になる上で必要な措置であった。中央アジアから入ってきたとされる牧畜民のグルジャラ族は、定着農民化の過程で階層化し、八世紀には一部のエリート層がプラティーハーラ族として分岐、帝国を形成する九世紀には正統クシャトリヤであるスーリヤ・ヴァンシャ(日種族)を主張して系譜を作成している(歴史学研究会 二〇〇九：四八―四九頁)。ただし、これは東インドの諸王朝では見られず、また「ラージプート」でさえも一般的とは言い難かった[5]。

土地・村落施与と開発

中世初期の大きな特徴の一つにバラモンや寺院への土地・村落施与があり、時代を下るにしたがって増加していく。土地施与は無主の土地か買い取った土地が免税地として与えられ、他方村落施与はその村の徴税権が裁判権など諸特権とともに与えられた。いずれも王固有の権利と関わるために、その実施を保証する銅板勅書の発給権は王の特権とされた。この土地・村落施与は封建制論では国家権力の分権化と捉えられたが、土地施与は未墾地が大部分で徴税対象にもなっていない土地であり、その場合王権の保護下のバラモンが土地を管理することは、開発が進行することはもちろん、その地に王権が強力に波及することをも意味した。また、南アジアの宗教勢力は独自の軍事力を保持せず、基本的に世俗権力に軍事的政治的に依存する存在であったので、村落施与の場合でも直ちに分権化を意味するわけではない。むしろ開発・ヒンドゥー化の途上の当時にあっては、そこにバラモン集団や寺院・僧院の影響が及ぶことでヴァルナ秩序とサンスクリット王権イデオロギーの浸透に繋がったのであり、土地・村落施与は王権にとって国家統合の重要な一手段であった。

開発としての土地施与は施主が灌漑施設を建設した上で行われることが多く、そうした施与が後世になるほど増大していく。水稲作地帯では特に河川ネットワークからの水路灌漑が重要で、タミル地方の稲作地帯ではすでに九世紀から水路灌漑建設の記録が増え、チョーラ朝時代の一〇・一一世紀から飛躍的に伸びる。大河川沿いの場合は王が直接建設するケースもあったが、未墾地が広がる地域では従属王権や土豪など在地側の支配者が建設し施与地として王朝政府に申請して認められたものが多く、決して国家主導の開発ではなかった(Heitzman 1997: 218-219, 222)。

乾燥・半乾燥の雑穀地帯でも、寺院やバラモンへの土地施与や灌漑施設建造が中世初期、特に一一―一三世紀に急速に増える。デカンでは以前は牧畜や焼畑耕作が一般的であったのが、カーカティーヤ朝の時代にテランガーナ地方の戦士層によって現存する貯水池の大部分が建造され、定着農耕化が進んだ(Eaton 2005: 14)。カルナータカ地方でも一一世紀後半から一三世紀前半にかけて、貯水池建設から新都市が形成されていく過程が各地で認められる(石川二〇二二)。ラージャスターンやグジャラートではそれまで王権による土地施与が中心であったのが、土豪や大商人による井戸・貯水池付きの耕地の施与が増えている。とくに畜力で大量の水を汲み上げるペルシア式揚水機付きの井戸灌漑地が多い(Chattopadhyaya 2012: 38-58)。この時代はいわゆる中世温暖期にあたり、モンスーンの活発化によって降水量も増大している。南アジアの乾燥地帯も同様で、一〇〇〇―一二〇〇年のラージャスターンでは現在の約二倍の降水量があったと推計されており、この時代の灌漑の拡大を説明する(三田二〇一三)。このように土地施与=開発はいずれの地域でもとくに一〇・一一世紀以降増大しており、在地エリートが実施して王朝政府が保証するという形で進行した。それは未開地への王朝支配の進展であった。

なかでも河川流域以外の開発は、それまでほとんど没交渉であった狩猟・採集生活の人々の山岳・林住部族領域を侵すことになり、王朝の直接統治下に入る場合は、彼らをヴァルナ秩序に組み込むか追い出すことになった[6]。一般にバラモン文化を受容して定着化し農民や牧畜民となった場合はシュードラに編成された。他方で、王朝は彼らの弓術を高く評価しており、チョーラ朝のように王国軍に編成し、彼らの定着・地主化を進める場合があり(Karashima 2009: 130)、また彼らの首領を従属王権とし、その領域を認めて地域国家に組み込む場合もあった(チャウルキヤ朝支配下のMehara-rāja の事例 : IA, XI, pp. 337-340)。

一一世紀以降は後述するように南アジア全域で商業都市の増大と交易の繁栄が見られ、分業の進展とともに様々な職能ジャーティ集団が刻文史料に現れてくるが、それらも同様にヴァルナ秩序に整理された。典型とは言い難いが比較的よくわかるのがベンガルで、一二世紀のセーナ朝ではバラモンがそれらを「異ヴァルナ混交」の結果生じたものと解釈して、シュードラとして三つの階層に分類・整理している(Furui 2020: 227-236)。

地方都市の増殖と地域交易ネットワーク

中世初期は大河流域以外の地域でも都市が増大していく。それを最初に具体的に示したのがシャルマーであり、ガンジス諸都市の荒廃ないし規模縮小とともに、辺境諸地域での小規模都市の増大を指摘した(Sharma 1987)。その後、統合的政体論者らの地域史研究によって、そうした地方都市が交易拠点となっていくことが明らかにされていった。ラージャスターンでは一〇世紀には地方支配者の保護のもとローカルな農産物を交換するセンターとして地方都市が出現し、一一世紀以降は乾燥地帯での飛躍的な開発と地域国家の保護のもと、ヴァナジャーラカ(のちのヴァンジャーラ)と称する隊商が河川に頼らないキャラバン交易を飛躍的に発達させている。マールワール商人が刻文に現れるのもこのころからである。彼らは各地の都市行政を掌握しつつ、デーシーと称する商人ギルドの活動を地域を超えて展開させ、都市間ネットワークを築いていく(Chattopadhyaya 2012: 93-123)。南デカンでも開発とともに地方小都市が増えるのは一一世紀以降で、それに伴いナーナーデーシーと称する商人集団が陸路の広域のネットワークを形成していく(石川 二〇二二)。

南インドでも九世紀には東南アジアにまで拠点を広げていたタミル商人は、一一世紀チョーラ朝の東南アジア遠征をきっかけにベンガル湾沿岸港市での交易をさらに拡大させ、マニグラーマムや「五百人組」などの連合ギルドの活動を通して南インドから環ベンガル湾地域に商業ネットワークを展開させていく(辛島 二〇〇七:一三六—一四一頁)。これらに呼応するように一二世紀グジャラートではチャウルキヤ朝が、インド洋交易の窓口であったサウラーシュトラ沿岸部諸都市と王都とを結ぶ道路を整備している(Jain 1990: 43)。辺境の諸地域で都市が増大し、それらを地域国家と商人が連結させ、外部世界と結びつく地域交通ネットワークを整備していったのが地域国家の時代であった。

サーマンタの統合

このように開発の進行と地方都市の増殖は在地側の努力や商人の活動に大幅に依拠するものであり、中央政府はこれらを後追い的に認可していく場合が多かった。しかも中世初期はなお中央権力の及ばない権力の空白地帯が多く存在したため、そうした地域の開発や都市の増加は、開発の担い手による新たな在地権力の生成に結びつく。こうしてサーマンタと総称される在地勢力が開発の進行とともに増殖してくることになる。この時代の国家統合とは何よりもこれらサーマンタをいかに統合するかにまずは大きな課題があった。

地域国家の時代に至っても王朝の支配圏の大部分はサーマンタ領であり、「諸王の王」(*mahārājādhirāja*)を称する

「宗主」の徴税領域にして直轄領域は基本的に中心部の限られた地域に過ぎず、その他の領域の統治は主従関係を結んだサーマンタに任されていた。サーマンタには王国の数分の一を構成するほど大きな領域を持つものから数十村の支配者まで存在し、また宗主に対する従属度の度合いや統治権の実態も様々であった。(7) その成立にも大きく分けて二パターンがあり、一つは元来独立王権で征服後に宗主の従属下に入ったケース、もう一つは独自の領土を持たない宗主の家臣が、功績を認められて特定の領域の統治権を与えられたケースである。前者に見るように有力サーマンタは本来自立的な王権であり、領内では王の固有の権利である土地施与勅書の発給を自由に行っていた。

サーマンタには宗主から二種類の称号が与えられていた。一つは王としてのグレードを示す称号であり、宗主が使用するマハーラージャーディラージャを頂点に、マハーラージャ、マハーラージャクラ、マハーサーマンタ、ラーナカ、タックラなどがある。もう一つは官職を表す称号で、領域(最大行政区マンダラ、その下位ヴィシャヤなど)の統治者を示すマンダレーシュヴァラ、ヴィシャヤパティなど、サーマンタを宗主国の行政区長官として位置づける官職と、領域とは無関係な官職を示すプラティーハーラ(親衛長官)、ダンダナーヤカ(軍司令官)、タントラパーラ(軍司令官)、コーッタパーラ(城主)などがあり、遅くとも九世紀にはこれら二種類の称号を組み合わせるのが一般的になった。称号・官職は個人の政治的地位・功績に応じて変化し、サーマンタは「官僚」として宗主国家に位置づけられていた。しかし多くは彼らの領域をそのまま行政区としたため、彼らの権力が公認されたに等しかった。

このような自立的なサーマンタを掣肘《せいちゅう》する必要が常にあり、遅くとも九世紀には辺境の軍事拠点に宗主直属の軍事長官(タントラパーラなどの官職を持つ)を配置し、サーマンタの施与勅書発給を承認したり討伐に乗り出すなど、サーマンタの監督・統制を担わせた(三田 一九九九:二七五頁)。これらはサーマンタが担当することもあり、当時の一部のサーマンタは宗主国家の官僚として各地に派遣されて積極的に統合の一翼を担っていた。

こうしたサーマンタの統合化の動きはイデオロギー上も展開していく。一〇世紀以降巨大寺院建立の時代、北インドの諸王朝では「世界の主」と見なされた宗主の守護神から、宗主が大地の統治権(*rājya*)をプラサーダ(恩寵)として与えられたとする言説が盛んに強調された。(8) その際サーマンタの統治権もまた宗主からのプラサーダとして与えられたとされ、元来独立王権である有力サーマンタまでもこれを受け入れた(Mita 2017: 190-192)。このように宗主の守護神から宗主を経由し、サーマンタへと連なる統治権のプラサーダの連鎖が、宗主王国の一体性と宗主権による全土保有をイデオロギー的に示すようになる。

そうした中で、チャウルキヤ朝が有力サーマンタを別の地に配置転換したり、カーカティーヤ朝が特定のサーマンタを排して領地を宗主直臣の軍人(ナーヤカ)に給与地として与えるなど、各地で宗主権の強化が見られた(三田 一九九九:二五九頁、Talbot 1994)。

国家統合の地域差――湿潤稲作地帯と乾燥雑穀地帯

以上の動きは湿潤稲作地帯ではより強力な宗主権力を構成する形で進行した。ビハール・ベンガルを統合したパーラ朝ではすでに八世紀後半の段階で施与勅書発給は宗主の独占であり、サーマンタらは自領地での施与でさえ宗主に勅書を発給してもらう必要があった。さらに一二世紀のセーナ朝では統一的な検地の実施のもとサーマンタらは宗主から小作農・農業労働者にまで至る階層秩序に組み込まれ、すでに統治権力を奪われていた(Furui 2020: 131, 254-256)。これは中央権力が強力な時でさえも有力サーマンタが勅書発給権を持つのが当然だったラージャスターンやグジャラート、デカンなどとは大きく異なっている。

チョーラ朝では在地リーダーであった地方支配者は一一世紀には王朝の臣下としても刻文に現れるようになり、一二世紀以降は在地のアイデンティティは消滅して官職称号が彼らのアイデンティティを構成するようになる。それと同時に一〇〇〇年ごろから彼らの領域を村落に至るまで地税行政区として画一的に編成して検地まで行い、彼らによる中間搾取を経ず中央に税がもたらされるに至る(Heitzman 1997: 202-203, 226-227)。

一面田畑が広がるガンジス流域やカーヴェーリ・デルタとは異なり、乾燥雑穀地帯では条件のよい農地は季節河川流域や貯水池・井戸など水供給可能なところに限られ、スポット的に散在していた。そのため権力拠点も散在せざるを得ず、それぞれの権力の独立性が高くなり、これが典型的なサーマンタ体制を形づくったと考えられる。また前者では農民の階層化が顕著になっていくが、後者ではそうした展開がはっきりしない傾向がある。ガンジス流域をはじめ湿潤稲作地帯は人口も耕地も面として連続・集中しているうえ、土地生産性も高いので比較的高度な階層化・集権化が早い段階から展開しやすかったのであろう。

同様に、ガンジス川中下流域では早くもパーラ朝が土地測量を実施し、セーナ朝では貨幣単位での生産高評価の確定にまで至り、在地社会の土地所有関係を直接管理していた(Furui 2020: 193-202, 254)。チョーラ朝でもほぼ全土において大規模な検地が行われており、度量衡の統一も目指していた(辛島 二〇〇七:一〇三頁)。これらは雑穀地帯では見られず、デカンでは精確な土地測量が技術的に可能な一七世紀でさえ非常に大雑把な測量であった(小谷 一九八九:一〇一―一七頁)。精確な土地測量が不要な、経営面積が極端に広大で粗放な雑穀地帯農業のあり方も、国家編成のあり方を規定しているのかもしれない。

地域国家統合の非領域性――人的ネットワークの中の国家

地域国家統合とはいえ、古代帝国からあった飛び地的・分節的といった性格は払拭されていない。基本的に自律的統治能力のあるサーマンタを統合したものなので、国家の権力構成が地方ごとに自立的分節的であるのはもちろん、遠方のサーマンタとも関係を結ぶため飛び地的な領域が存在するのも当然であった。当時の理解も同様で、『実利論』(六章以降)、『ニーティサーラ』(四、八―一一章)など古代・中世初期の政治論は、「王国」(*rājya*)の欠かせない構成要素として「友邦国」(*mitra, suhṛd*)を必ず加えて「友邦国」「敵国」との諸関係を論じた(マンダラ論)。王国はまとまった領域を成さないという認識があり、当時の「国家論」は従属王権を含む近隣諸王権との外交論と渾然一体であった。

またグプタ朝前半まではほとんど存在しなかった寺院やバラモンの施与村・施与地があらゆる地域に虫食い的に広がっていた。寺院やバラモンは施与地の保護・防衛を王朝に依存しており、王権から自立した存在ではなかったが、独自に施与地内の労働編成や裁判を行い、役人の干渉を受けない特権を有す極めて自律的な空間を形成していた。しかも有力な寺院の施与村・施与地は王国域外にまで及んでいた。同様にバラモンも様々な王国に招かれて南アジア中に移住していった結果、極めて広域のネットワークを形成していた。

王朝自身もその人的関係は王国領域を超えていた。一〇世紀には地域独自の地方語が文字化され文学作品も現れてきたとはいえ、公的場面でのサンスクリット語の重要性は、地方語の行政上の重要性が高かった南インドでさえも衰えてはいない。北インドに至っては公用語は完全にサンスクリットであり、使用文字も一一－一三世紀はナーガリー文字で共通していた。系譜作成で見たように外来の王権でさえサンスクリット文化に同化していった。そうした支配層の文化的共通性の中で、婚姻関係も広域にわたっており、諸王朝の婚姻ネットワークは北インド全域に広がっていた(9)。各王朝の重臣の登用もしばしばこの婚姻関係を利用している(10)。司祭・学者として重用するバラモンもしばしば王国領域外から招聘されていた。この時代の諸王朝の「官僚」のリクルートは、王の息子・兄弟など近親血族や母方の一族、さらには他氏族の軍人やバラモン、カーヤスタ(書記ジャーティ)らとのパトロン・クライアント関係といった王国内外の様々なコネクションに依存しており、王国を超えた人的ネットワークが地域国家の人的基盤を支えていたのである。地域国家とはいえ、国家領域を超えたこうした人的諸関係の中に浮かび上がった国家であり、決して地域的な領域を完結させた国家でも、させようとした国家でもなかった。

四、国家形成から見た一〇―一三世紀の歴史的特質

このように国家として領域的に完結していたわけでも諸王権の連合体の性格を克服したわけでもなかったが、にもかかわらずこの時代の多くの王朝は安定的で約三〇〇年も継続した。しかも、古代以来一〇世紀までの帝国はいずれも従属勢力の独立をもって崩壊したが[11]、この時代のほとんどの地域国家では崩壊時にサーマンタの独立→小王国の分立という結果にもなっていない。これらの諸王朝は一二世紀末から一四世紀前半にかけてのテュルク系ムスリム帝国の拡大の中で崩壊していくのである。その意味ではこれらの諸国家は従前よりも高い統合力をもち、従来とは異なる歴史的文脈の中で消えていったと言えよう。

前述のように一〇―一三世紀は気候の好転のもと南アジアの乾燥地帯の開発が急速に進んだ時代であり、それに伴って交易ネットワークも緻密化し、経済的には時代が下るにつれて活況を呈する傾向にあった[12]。地域国家統合はこうした経済的繁栄に支えられて、すでに見たように政治・経済・社会・宗教とあらゆる側面で進行したものだった。

そしてそれはユーラシア・レベルの動きとも通じていた。一〇―一三世紀は同時にテュルク系遊牧民の侵入の時代であり、ガズナ朝のパンジャーブ支配、ゴール朝のヒンドゥスタン平原の統合からデリー・サルタナトの形成は、華北やイラクなど、同時代に中央ユーラシア周辺に位置する定着農耕地帯各地で起こっていた遊牧勢力による帝国形成と同質の動きであった。すなわち乾燥移動民勢力が乾燥地帯の軍事力・隊商ネットワークを定着農耕地帯の生産力・市場と結びつけて、広大な帝国権力と広域交易圏を作り出していく動きであり、そしてそれは本稿で述べた南アジア内部での乾燥地帯発の地域国家形成と同期する動きであった(Gommans 1998; Wink 1997: 3-4, 381-383; 三田 二〇一三)。またこの時代は西アジアではアッバース帝国が分裂しファーティマ朝が台頭する中で海上ルートがペルシア湾軸から

南の紅海軸に移動する時代であり（家島 二〇〇六：一〇二頁）、インド南端部の重要性が増すとともにチョーラ朝が台頭し[13]、宋代に南シナ海・ベンガル湾交易が繁栄する中で海洋進出を試み、インド商人の交易ネットワークを一気に広げた時代でもあった（Wink 1990: 309-334）。

つまり一〇─一三世紀の地域国家形成（そこでの辺境の開発、都市形成、宗教・商業ネットワークの拡大など）は、モンゴル帝国時代まで続くユーラシア規模の辺境の開発と辺境にまで至る交易ネットワークの拡大の動きと連動・連結する中で展開したものであり、そこから新たな富・資源を創出・確保する中で達成したものであった。そのためそれは同じ背景の中で外部から拡大してきたテュルク系の帝国勢力とその富・資源をめぐり競合することになり、ユーラシア・レベルで進行する遊牧型帝国形成の波に飲み込まれる中で消滅するしかなかったのである。

これまで述べてきたように、マウリヤ帝国から始まる長期的な国家形成の展開は、圧倒的な先進性のガンジス川流域と南アジアの多様な生態的環境に起因するものであった。ある意味早すぎる帝国形成は地域間格差を前提に進められたため、その後の歴史は辺境の開発の進行とともに地域間格差の解消と地域社会の発展の中で展開することになった。それは一二・一三世紀まで続く長いプロセスであり、定着農耕化とヒンドゥー教、ヴァルナ秩序の拡大を伴って進行し、帝国形成と従属勢力の独立を繰り返す中でその領域を縮小させつつ、最終的には地域国家形成に結びついていった。その際この地域国家の時代はグプタ朝より始まるサンスクリット王権による国家形成の最終段階であると同時に、ここでは言及できなかったが、これ以降の国家形成パターン──テュルク・イスラームによる帝国形成、在来王権の排除（直轄領化）を伴う徴税権再分配（イクター制など）、地域言語文化の醸成、ペルシア語と地方語を公用語とする国家形成──への最初を画する時代でもあるという意味で、移行期をなす一つの画期と見ることができる（三田 二〇二二）。南アジアの国家形成の一つの到達点であり、次の異なる国家形成への始まりでもあった。

注

(1) アケメネス朝の東方拡大の影響による前六・五世紀の急激な巨大都市建設という視角は、小茄子川歩氏が提示している(小茄子川 二〇二二：三八頁)。

(2) 「アーリヤの及ぶ地」の意味で、サンスクリット文化ないしバラモン文化の十分及んでいる地。『マヌ法典』(II. 21-22)ではヒマラヤとヴィンディヤの間である北インド全体とされるが、グプタ朝はガンジス川流域の直轄領に限定している。

(3) グプタ朝までとは異なり、ハルシャ以降帝国の首都がパータリプトラからカナウジに移動したことでベンガルが自立しやすくなり、すでにハルシャの時代でもベンガルの統合は容易ではなかった。デカンの帝国も南端部は一時的にしか統合できない。

(4) 南アジアの帝権は古くからガンジス川と結び付けられていたため、帝王(*samrāj*)を主張する辺境の王はガンジスの水やその象徴であるガンガー女神像を奪うためにガンジス流域に遠征した(Davis 1997: 71-76)。しかしこの時代の地域国家は国家寺院を建立しその地を世界の中心とすることで正統な帝王を主張しようとしていたと考えられる。

(5) 当時の「ラージプート」の大部分はサンスクリット文化を受容しつつも、バラモン出自やブラフマ・クシャトラ(バラモン男とクシャトリヤ女との混血の子孫)を主張し、異なるヴァルナにもかかわらず互いに婚姻関係を結んでおり、極めてオープンな王族・軍事集団であった(Chattopadhyaya 2012: 59-92; 三田 一九九九)。彼らがジャーティとして閉鎖的な集団を形成するのはムガル時代と考えられている(Ziegler 1998; Kolff 1990)。

(6) 九世紀半ばラージャスターンのプラティーハーラ族は先住のアービーラ族を追い出して市場(*haṭṭa*)を設置し、王都マーンドールを建設している(三田 一九九九：二四八頁)。

(7) これら様々なサーマンタの統治権の内容は一つにはその領域内での寺院・バラモンへの施与勅書発給に現れる。王には銅板施与勅書を発給する固有の権限があったが、その領域がサーマンタ領である場合、そこでの勅書発給には様々なパターンがあった。①サーマンタが宗主の存在に触れずに自ら発給、②領地が宗主から承認されていることを明記してサーマンタが自ら発給、③宗主から勅書発給の認可を受けてサーマンタが自ら発給、④サーマンタからの要請を受けて宗主が発給、⑤宗主がサーマンタに触れずに発給(直轄領と変わらない)などがあり、前者ほどサーマンタの王権としての権限は確固たるものとなる(三田 二〇〇〇)。

(8) このプラサーダの儀礼については『ヴィシュヌダルモーッタラプラーナ』に記述があり、「諸王の王」は従属諸王を従えて「諸神の神」に儀礼的に自己とその全領域を献上し、その上で「諸神の神」からプラサーダとして大地の王権を受け取るとある

(Inden 1981: 124)。

(9) 一二世紀ラージャスターンのチャーハマーナ朝の婚姻相手は確認できるものだけでもチャウルキヤ朝、ガーハダヴァーラ朝、カラチュリ朝と広大であり(Mita 2003: 22)、またすでに九世紀にはベンガルのパーラ朝とも婚姻関係を持っている。

(10) チャーハマーナ朝プリトヴィーラージャ三世の最も信頼の篤い大臣は彼の母方の大叔父であり、同じく同二世の重臣キルハナも彼の母方のおじである(Mita 2003: 21-22)。

(11) 一〇世紀以前は、一般に中央権力が強大な時にはサーマンタへの統制力が強まり、弱体化するとサーマンタの統制は弛緩し崩壊する。基本的に古代以来、地域国家が形成されるまでは、サーマンタの統制は中央権力の政治的経済的な強大さ・安定性次第であった。

(12) 筆者の調査ではラージャスターン、グジャラートでは施与関係の刻文数は一一世紀から増加し一二世紀には急増に転じる。ここでは施与件数の増大は経済的好況と見ている。

(13) 興味深いことに、ラーシュトラクータ朝はアッバース朝が形成されてバグダードが建設される頃から急速に台頭して同朝と友好関係を築き、アッバース帝国が分裂してバグダードも一時衰退する時期(それは同時にペルシア湾=グジャラートから紅海=南インドに交易軸が移る時期)に崩壊していく(Wink 1990: 308)。

参考文献

石川寛(二〇〇二)「一〇〜一三世紀カルナータカ地方の中間的支配者集団」『東洋学研究』第五九号。

上杉彰紀(二〇〇七)「考古学の成果3 歴史時代」『世界歴史大系 南アジア史1』山川出版社。

辛島昇編(二〇〇七)『世界歴史大系 南アジア史3』山川出版社。

小谷汪之(一九八九)『インドの中世社会』岩波書店。

小茄子川歩(二〇一一)「インダス文明と「亜周辺」における社会進化」北條芳隆・小茄子川歩・有松唯編『社会進化の比較考古学』(季刊考古学・別冊三五)、雄山閣。

古井龍介(二〇〇七)「グプタ朝の政治と社会」『世界歴史大系 南アジア史1』山川出版社。

三田昌彦(一九九九)「初期ラージプート集団とその政治システム」『岩波講座 世界歴史6』岩波書店。

三田昌彦（二〇〇〇）「インド「中世初期」の銅板施与勅書形式に関する一考察」『歴史学研究』七三七。
三田昌彦（二〇〇七）「カナウジの帝国」『世界歴史大系 南アジア1』山川出版社。
三田昌彦（二〇一三）「中世ユーラシア世界の中の南アジア」『現代インド研究』第三号。
三田昌彦（二〇二二）「前近代南アジアの長期的展開（前五世紀～一五世紀）——開発と帝国システムの転換」藤田幸一・大石高志・小茄子川歩編著『南アジアの人口・資源・環境』人間文化研究機構ネットワーク型基幹研究プロジェクト地域研究推進事業「南アジア地域研究」、京都大学中心拠点・研究グループ1。
家島彦一（二〇〇六）『海域から見た歴史』名古屋大学出版会。
家島彦一（二〇〇七）『中国とインドの諸情報1』〈東洋文庫〉、平凡社。
歴史学研究会編（二〇〇九）『世界史史料二』岩波書店。
Chattopadhyaya, B. D. (2012), *The Making of Early Medieval India*, 2nd ed., New Delhi, Oxford University Press.
CII: *Corpus Inscriptionum Indicarum*, New Delhi, The Archaeological Survey of India.
Davis, R. H. (1997), *Lives of Indian Images*, Princeton, Princeton University Press.
Eaton, R. M. (2005), *A Social History of the Deccan, 1300–1761*, New York, Cambridge University Press.
EI: *Epigraphia Indica*, New Delhi, The Archaeological Survey of India.
Furui, R. (2020), *Land and Society in Early South Asia*, Oxon, Routledge.
Fussman, G. (1988), "Central and Provincial Administration in Ancient India: the problem of the Mauryan empire", *Indian Historical Review*, 14.
Gommans, J. J. L. (1998), "The Silent Frontier of South Asia, c. A. D. 1100–1800", *Journal of World History*, 9-1.
Heitzman, J. (1997), *Gifts of Power*, New Delhi, Oxford University Press.
IA: *Indian Antiquary*, Bombay, The British India Press.
Inden, R. (1981), "Hierarchies of Kings in Early Medieval India", *Contributions to Indian Sociology*, N. S., 15.
Jain, V. K. (1990), *Trade and Traders in Western India*, New Delhi, Munshiram Manoharlal.
Karashima, N. (2009), *South Indian Society in Transition*, New Delhi, Oxford University Press.

Kolff, D. H. A. (1990), *Naukar, Rajput and Sepoy*, Cambridge, Cambridge University Press.

Kulke, H. and D. Rothermund (1991), *A History of India*, New Delhi, Manohar.

Kulke, H. (1993), *Kings and Cults*, New Delhi, Manohar.

Mita, M. (2003), "Clan System or Sāmanta System?", *Journal of the Japanese Association for South Asian Studies*, 15.

Mita, M. (2017), "Sanskritized Imperialism and State Integration in Early Medieval North India (c. 950-1200)", N. Karashima and M. Hirosue (eds.), *State Formation and Social Integration in Pre-modern South and Southeast Asia*, Tokyo, The Toyo Bunko.

Sharma, R. S. (1965), *Indian Feudalism: c. AD 300-1200*, Calcutta, University of Calcutta.

Sharma, R. S. (1987), *Urban Decay in India (c. 300-c. 1000)*, New Delhi, Munshiram Manoharlal.

Talbot, C. (1994), "Political Intermediaries in Kakatiya Andhra, 1175-1325", *The Indian Economic and Social History Review*, 31-3.

Thapar, R. (1997), *Aśoka and the Decline of the Mauryas*, 2nd ed., New Delhi, Oxford University Press.

Wink, A. (1990, 1997), *Al-Hind: the making of the Indo-Islamic world*, Vol. I, II, Leiden, Brill.

Ziegler, N. P. (1998), "Rajput Loyalties during the Mughal Period", J. F. Richards (ed.), *Kingship and Authority in South Asia*, Delhi, Oxford University Press.

コラム | *Column*

中世日本の世界観と天竺

応地利明

花嫁をほめる「三国一の花嫁」、また力士の強さを語る「三国無双の力士」は、ともに「三国」という言葉を冠している。しかし現在の日本では、「三国」はほぼ死語と化して、その意味も忘れ去られてしまっている。「三国」とは、本朝・震旦(唐)・天竺つまり日本・中国・インドの三国を指し、さらに天下=世界は、この三国からなっているとする世界認識があった。これを、三国世界観と呼んでいる。「三国一」とは「世界一」、また「三国無双」とは「世界に並ぶものなき」を意味する。それらの表現が盛んに用いられたのは室町時代とされ、そのころには三国世界観が日本社会に定着し、また天竺という国の存在も広く知られていたのであろう。

日本にキリスト教を伝えたザヴィエルは、一五五一(天文二〇)年に堺の豪商・日比屋了珪の紹介状を携えて上洛する。その中で、彼は天竺人として紹介されている。来日ヨーロッパ人への南蛮人・紅毛人という呼称が定着する以前には、彼らを天竺人と呼んでいた時期があった。その背後には、天竺が中国の西方にあり、ザヴィエルたちのイエズス会のアジアでの本拠が天竺のゴアにあったことがあろう。

一一二〇(保安元)年頃に成立したとされる『今昔物語集』も、天竺・震旦・本朝の三部に分けて説話を収載していた。天竺部には、インドの気候やカーストのことなどを窺わせる説話も収録されていて、天竺についての知識の普及にも役立ったようにみえる。しかし『今昔物語集』は、成立以後、一八世紀前半まで読まれた形跡はほとんどなく、中世日本とはほぼ無縁の書であった。

日本での「インドの発見」は、六世紀中期の仏教伝来を契機とする。仏教は、宗教としてだけでなく、仏国土・天竺という未知なる大国の存在を周知させて、世界観の革新をもたらした。それをもとに、八世紀には三国世界観が成立する。仏教にも、『倶舎論』が語るように独自の世界観があった。天竺起源の仏教的世界観と日本生まれの三国世界観との融合が試みられる。それを具体的に示す現存最古の例が、一三六四(貞治三)年作成の「五天竺図」(法隆寺北室院蔵)だ。「五天竺」とは、天竺を構成する東・西・南・北・中の五つの天竺の総称であった。掲載図は同図の極度の縮小図であるが、図のイメージは伝わるであろう。

『倶舎論』は人間の居住世界を贍部洲(ジャンブ・ドヴィーパの漢語訳)とよび、その輪郭を「北広南狭」「三辺量等」「其相如車」とする。その記載の背景には、南にむけて逆三角形状に突出するインド亜大陸の実形がある。同図は、これにしたがって贍部洲の輪郭を逆卵形に描く。『倶舎論』は中国や日本については語っていないが、「五天竺図」は三国世界観をもとに、贍部洲の北東端に震旦国、その東方海上に日本を描いている。その特徴は、天竺を圧倒的に大きく、中国を小さく描く点にある。「五天竺図」とほぼ同時代を生きた北畠親房は、著書『神皇正統記』(一三三九(延元四)年ころ完成)で「震旦広しといえども、五天(竺)に並ぶれば一辺の小国なり」と語る。この言葉からは、いわば頭のあがらない先進文明国家ではあるが、強烈な中華思想をもち、さらに直近の一三世紀後半には二度も侵略を試みた中国への当時の日本人の屈折した反発意識を読みとれる。中国以上の大文明国家・天竺の存在は、中国を相対化する視座を与え、反発しようにも反発し得ない対中国意識を癒してくれるものであった。

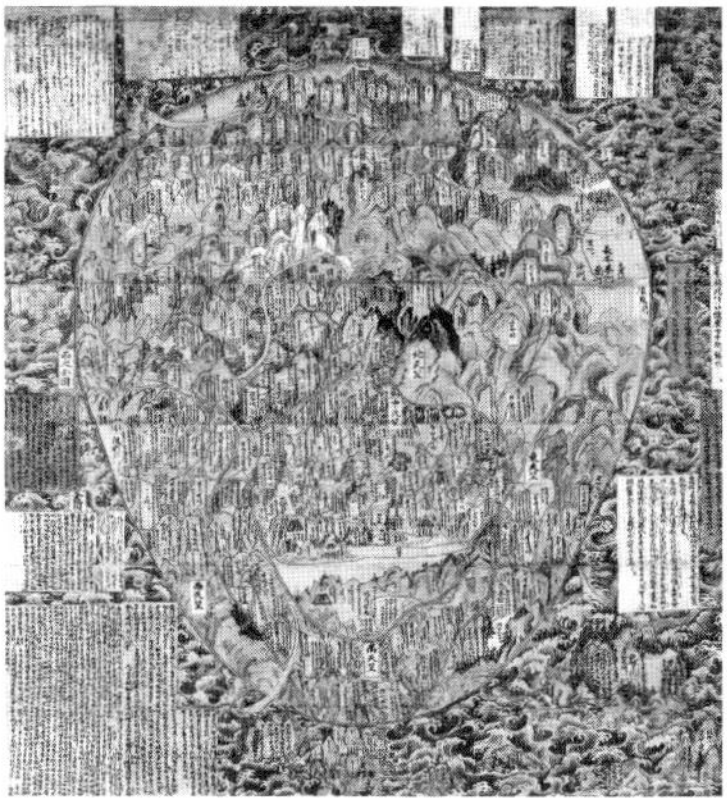

五天竺図．1364(貞治3)年，重懐作成(法隆寺北室院)．原図は，縦177.0×横166.5 cmの大判の彩色絵地図で，贍部洲を取り巻く大海を波濤で埋め尽くし，天竺が「波濤遠国」であることを示す

この時期は、天竺への旅程と所要日数を計算した明恵をはじめ、仏僧たちの間で仏国土・天竺への憧憬が高揚した時期であった。「五天竺図」を作成した重懐も、同図に「老眼を拭い、渡天の想いをなして書写し奉る」と記している。

「五天竺図」は、『倶舎論』にしたがって、大雪山(ヒマラヤ)、その東方に楽園にあたる無熱悩池、そこから四方に流出するガンガー・インダスをはじめとする四大河川などを描いている。広大な天竺内部の描出は玄奘の『大唐西域記』に全面的に依拠していて、経典をもとめて天竺を往還した高僧の訪問地を朱線でむすんで記入する。その克明な記入は、いわば渡天を仮想体験する行為でもあったであろう。

『大唐西域記』で、玄奘は、西域起源の世界観をもとに、世界は、北の馬主国(モンゴル)、西の宝主国(西アジア)、南の象主国(インド)そして東の人主国(中国)の四つの君主国からなっていて、それらのなかで人主国が最尊との中華思想を述べる。この四君子国世界観についても、重懐は「五天竺図」の北方洋上の書き込みで説明している。

このように、天竺は、中世日本で知られていた三つの世界観、つまり三国世界観・仏教的世界観・四君子国世界観のすべてで重要な構成国として認識されていた。つづく近世には、ヨーロッパ製世界図が日本を席巻し、世界観を一新する。それは、天竺が、潤色を取り払われてアジア南部の単なる一地方・インドへと転化していく過程であった。

問題群｜Inquiry

インド洋・南シナ海ネットワークと海域東南アジア

鈴木恒之

はじめに

東南アジアはユーラシア大陸の東南隅に広がり、インド洋と南シナ海に挟まれている。東南アジア海域の諸港市は、その両洋にそれぞれ形成された海域ネットワークを接合する役割を担った。その役割は東南アジア海域の前近代(一四世紀ごろまで)の歴史にいかなる影響を及ぼしたのか。ネットワークの変遷、その上を往来した諸種の要素に目を配りつつ検討することが本稿の目的である。

東南アジアの歴史研究、特に前近代史のそれにおける問題は資料の乏しさである。現地の文字史料は時代的、地域的に偏在する碑文のほかは皆無に等しい。そのため、さほど豊富とは言えない地域外の中国、インド、アラブ・ペルシアの文字史料、特に中国のそれに依存せざるをえなかった。今後も新しい文字史料の出現があまり考えられないなかで、この不足を補うべく期待をかけられるのが考古学資料である。従来、そこまで手が回らなかった各国での組織的考古学調査が、近年の国内の安定から進められるようになり、十分と言うのには程遠いながらも歴史研究の進展を促す資料を提供している。なかでも、中国の輸出陶磁研究と水中考古学の発展による成果は、ネットワークや交易史の分野に新しい資料や検討課題を提供している。

上述のように、従来の研究が中国史料に多くを頼まざるをえなかったことを踏まえて、二〇年前、すでに桜井は中国人がみた同時代の東南アジア像を「考古学調査とどのように接合し、どのように矛盾するのか、またその後の時代にどのように連続するのか」検討の必要があると指摘した。彼は、その作業を「東南アジア自身から東南アジア古代史を見直」すことだと言い、さらに、この再検討は「ネットワークの形成としての地域史の見解から」なされるべきことを強調した（桜井 二〇〇一：一一三―一一四頁）。こうした姿勢は今日では多くの研究者に共有されており、それによる東南アジア史の見直しも大きな成果を上げており、本稿もそれに多くを負っている。

一、海のシルクロード

南シナ海ネットワークの成立には中国に漢王朝が成立したことが大きく係わっている。前二世紀末、漢の武帝はベトナム北・中部を支配下に置き、交趾《こうし》、九真《きゅうしん》、日南《にちなん》の三郡を置いた。その後、日南は中国にとって、象牙、犀角、玳《たい》瑁《まい》、真珠など奢侈品を入手する南シナ海交易の玄関口となった。当時中国船は南海には出向かず、漢の使者や商人も現地の商船を乗り継いでインドへ至っており、中国商人は港で東南アジアからの船で運ばれる商品を絹などと交換した。中国人はその交易船を、乗組員の多数が崑崙《こんろん》人であったことから崑崙舶《はく》と呼んだ。「崑崙」の範囲は曖昧で、時にはビルマ人やクメール人を含むが、ほぼ東南アジア海域住民と見てよいだろう。彼らは種々のエスニシティから成るが、そのほとんどはマレー系が占めるので、本稿ではかなり乱暴ではあるが「マレー人」の名でこれを代表させる。崑崙舶の大きさは、全長二〇〇フィート、六〇〇―七〇〇人を乗せられ、九〇〇トンを積載できた（Hall 2011: 44）。ただし、これは最大級のものであろう。五世紀初め、中国僧法顕《ほっけん》がインド遊学の帰路、セイロンからマラッカ海峡域

(以下、海峡域)、そこから中国までに利用した船はいずれも二〇〇人ほどの乗客だった。

一六六年、大秦王安敦《あんとん》(ローマ皇帝アントニヌス)の使者と称する者が日南を訪れた。これは、彼らの貢納品が南海の産物であったため、中国との交易を望むインド洋の商人の偽装が疑われている。しかし、ローマ帝国とインドとの海上交易は、遅くとも一世紀に始まるモンスーンの利用により、当時すでにかなり活性化していた。この交易の流れはベンガル湾、南シナ海にも及び、二世紀半ばのローマ皇帝の肖像入り金貨が、ベトナム南部のオケオやマレー半島西岸のクローントームから出土している。特にオケオからは多数のインド産の陶器やビーズ、仏像、ヒンドゥーの神像などとともに、中国の銅鏡、さらには荷札とみられる金属片なども発掘されている。それはローマ、西アジア、インド、中国を結ぶ海上交易路、いわゆる「海のシルクロード」が成立していたことを示している。

これ以前からインド産のビーズや陶器などは、ベンガル湾交易を通じてマレー半島に達し、半島を越えて南シナ海に、あるいは海路マラッカ海峡からジャワ海へと運ばれた。この両洋の海上交易とそれを結ぶ東西交易の拡大は、航路沿いの各地に交易のための港市の生成を促した。この交易の展開と共に、その商業圏と重ねて東南アジアにヒンドゥー、仏教が広まり、それに伴い言語や工芸を含むインド文化の影響が及んだ。新生の港市のなかから種々の政体が生まれ、港市国家、あるいはその交易を基盤とする国家が成長した。そのうちのあるものはインドの宗教、制度、文化を取り入れ、いわゆる「インド化」することで権力を強化した。なかでも、それらを統合して「頂点」に立ったのが港市オケオを擁した扶南《ふなん》国であった。

オケオは扶南国の外港であり、少し内陸の王都(今日のバ・プノム)と運河で結ばれていた。当時、インド洋と南シナ海を結ぶ主流交易路はマレー半島を横断する陸路であり、複数の横断路の出入り口となる港市が半島両岸に営まれた。中国史料は、三世紀に扶南が頓遜《とんそん》(テナセリウム)などマレー半島東西岸の港市を軍事力で服属させたと伝えている。これにより扶南は東西交易の幹線を押さえ、それと内陸デルタのネットワーク及び東南アジア海域内(以下、海域)に広がる交易網をオケオで結び、集配基地とした。

服属した頓遜は従来の五人のモン人王による統治体制を維持しており、他の扶南に従った半島の諸港市(国)やデルタ内に分封された小王も自立的地位を維持したであろう。三世紀後半から進んだインド文化の導入は、国王がその制度的・宗教的基盤の上に他に超越する力と威信を獲得することで、その統合を推進・維持するのを助けた。また、三世紀初期以降、中国の歴代王朝に朝貢を続けた。これは朝貢による貿易独占の確保とともに、中国王朝の公認により、対立する交易勢力チャンパーなどに対する外交的威信、地位を高めようとするものであった。

チャンパー(この当時は中国史料では林邑《りんゆう》)は二世紀末、ベトナム中部、日南郡近くでチャム人によって興された。チャム人は狭い中部平野のいくつもの河口ごとに港市を設け、東西交易を中継すると同時に、上流部の山地から国際交易の重要商品の沈香など森林産物を入手し、交易に供した。それを経済基盤に主要河川システムごとに地方政体(王国)が生まれ、その優勢なものを中心に連合が形成された。三、四世紀には中国王朝への朝貢を続けながら、領土拡大や国際交易をめぐって中国支配下の交州(ベトナム北部)と争い、時には中国王朝とも対立したが、五世紀には、その冊封体制を受け入れた。その一方でインド化を強め、ミーソンなどの聖地にはシヴァ神などを祀る祠堂の建築が続けられた(山形・桃木 二〇〇一:二四三―二五一頁)。

チャンパーは交易勢力として、扶南とは特にタイ湾沿岸をめぐって競合関係にあり、相互に襲撃を繰り返した。中国の唐朝とは良好な関係を維持し、林邑に替わり九世紀半ばまで環王、その後は占城と称された。この間、チャンパーは、唐朝が交州に置いた安南《あんなん》都護府の後退により勢力を広げ、その連合の中心勢力はベトナム中部の北から南へ移ったが、特に海峡域から中国へ向かう交易船の最後の寄港地として、中国にとりその重要性は増した。

六世紀後半から七世紀、扶南は衰退し、真臘《しんろう》に替わられる。いくつかあげられる扶南衰退の要因のひとつに、東西交易路の主軸が半島横断路から、海路のみでベンガル湾・南シナ海を往来するマラッカ海峡経由に移ったことがある。

海域世界においてモンスーン航海は遅くとも四世紀には確立していたとされる(深見 二〇〇一a:二六三頁)。モンスーン航海では一〇―三月に北東風に乗り中国から東南アジアへ、あるいは東南アジアから西アジアへ行き、四―九月に南西風で逆方向へ行く。しかし、一回の南西モンスーンで西アジアから中国へは航海できず、海峡域で次のモンスーンを待たねばならなかった。モンスーン航海がマラッカ海峡経由の東西往来を促し、五世紀の中国南朝の成立・安定と共にそこに向かう交易船を増加させた。

同時に、海峡域には次の季節風を待つ商人や船への便宜供与のための港市が求められた。また、中国への陸路を遊牧民に妨げられたペルシア人が海上に転じてセイロンまで進出し、そこで海路運ばれれる絹や工芸品などの中国商品と中国で需要の高かった乳香、没薬などの香薬類を交換した。この交易を仲介したインド・東南アジア船は海峡域に中継基地をおいた。この中継交易に係わったマレー人は、スマトラ、マレー半島の森林でとれる竜脳や安息香など芳香性樹脂類が西アジアの没薬などの代替品となりえることを知り、それらを共に中国へ運び、すぐに海域からの主要商品として大きな市場を獲得した(Wolters 1967)。

このインド洋、南シナ海を直接繫ぐ航路による交易を通して、海峡域には港市(国)が多数形成されたことが中国史料から知られる(桜井 二〇〇一:一二〇―一四六頁、深見 二〇〇一a:二六三―二六六頁)。これらは競って中国の南朝、その後全土を統一した隋、唐へ朝貢した。この公的外交(交易)だけでなく、中国に来航するインドや東南アジアの商人・商船も増加し、それらによる中国商人との民間交易も盛んに行われた(Schottenhammer 2012: 72)。この間、東南アジアと並び中国でも仏教が浸透し、それに伴いベンガル湾・南シナ海における仏教関連の交流・交易の重要性がゆっくりと増大していた。上記の中国における香薬の需要の拡大は、薬品・養生用としてのほかに、仏教儀礼に不可欠な焚香料や香油などの大量使用にも負うところ大であった。この宗教儀礼用の香料の需要は仏教に限らずヒンドゥー教などでも大きく、東南アジア産香料の輸出は西方向へも拡大した。

二、シュリーヴィジャヤ王国

七世紀に入ると、唐王朝の繁栄下に東西交易の大市場が生まれ、マラッカ海峡経由の交易量も増大した。これに伴い、海峡域の政治的・経済的状況に大きな変化が生じた。七世紀前半まで続いた海峡域諸国からの朝貢が途絶え、六七一－六七三年以後は八世紀半ばまで、ほぼ室利《しつり》仏逝《ぶっせい》のみに限られた。他方、スマトラ南東岸のムシ川沿いに在る今日のパレンバン市に、六八二年にシュリーヴィジャヤが拠点を据えていたことは碑文などからほぼ確かである。中国史料の室利仏逝がこのシュリーヴィジャヤであることは、今でもなおチャイヤー中心説などの異論はあるが、ほぼ通説となっている。この室利仏逝に関して、インド遊学への往復の際にこの地に滞在した唐僧の義浄《ぎじょう》が貴重な史料を残している。義浄は六七一年に広州をペルシア船で発ち、半年の室利仏逝滞在、二カ月の末羅瑜(マラユ)滞在、羯茶(クダー、マレー半島西岸)を経てインドへ至った。六八七年帰路についた彼は、六九四年まで室利仏逝に止まり(六八九年に一時帰国)、仏典の漢訳や『南海寄帰内法伝』などの著作に取り組んだ。

シュリーヴィジャヤの王家は地元のマレー人の首長層出身で、その中心は六七一年に義浄が訪れた時には、上記の場所かその近くに在ったと一般的には考えられている(Hall 2011: 109)[1]。義浄の来訪前後に唐へ最初の朝貢をしたこと、これ以前二〇年ほど海峡域からの朝貢がほぼなかったことを考えれば、少なくともこの間が海峡域におけるシュリーヴィジャヤの勢力拡大期だと見ることができる。この国家の構造については、サボキンキン(トゥラガバトゥ)碑文に基づいて、クルケが論じている(Kulke 1993)。それは王宮(カダトゥアン)を中心に王都(ワヌア)、その外側にサマルヤーダ、さらにその外側にマンダラが取り巻く同心円構造であり、その全体はブーミと称された。王都はムシ川北岸の港市でもあり、王族、官吏などと共に商工業者がおり、後述の僧院など宗教施設も含んでいた。サマルヤーダは王都とは距離のあるムシ川上流域と下流域から成り、王の臣下が直接治めた部分と、多くは首長制下の血縁的集団によって占められていた。

マンダラは属国であり(ウォルタースのマンダラ論のマンダラとは異なる)、隣地のバタンハリ川流域のジャンビやスマトラ南端のランプン地方、半島西岸のクダーをはじめかつての海峡域のライバル港市国を含んでいた。これらはシュリーヴィジャヤの権力に服しながらも自立的な王国あるいは政体として存続できた。この体制を可能にした背景にはシュリーヴィジャヤの他に勝る軍事力があったと見られる。マレー半島西岸やリアウ・リンガ諸島、スマトラ東岸の沿岸部には、漁業やマングローブ林での採集などに勤しむ海上生活者のオラン・ラウトがいる。後のムラカ王国の設立が、パレンバンの王族パラメーシュワラが彼らの忠誠を獲得し、その海軍・海運に支えられたことを考えれば、シュリーヴィジャヤの軍事力も彼らに負っていたことは確かであろう。

シュリーヴィジャヤは交易の中心だけではなかった。義浄はいささか誇張を交え、王都では一〇〇〇人を越す僧侶が修行に励んでおり、インドと全く同じ規則、儀式に従い、同じ科目を学んでいるので、今後中国の仏僧がインドで学ぶのを望むなら、この地で一、二年正しい規則を学んで行くのが良い、とまで述べている。国王は大乗仏教を保護し、王都がその教学の本山になることでブーミ内での王都の中心性は強化されることになる。タラントゥオ碑文は、国王の大乗仏教信仰に基づく功徳を積む行為としての園林の造営を記している。上述のサボキンキン碑文は国王が臣下に忠誠を誓わせる儀式に用いたもので、叛逆者は呪いにより死に至ると説くが、そこにも大乗仏教の擁護者としての威力が色濃く反映されている(Hall 2011: 116-117)。この法力と呪力の一体化した宗教的霊力が、シュリーヴィジャヤの王がマンダラ諸王を畏服させる威力をいっそう高めた。それ故、サボキンキン碑文と同様の誓忠の石碑がワヌア内に数カ所のほか、海峡を挟んだバンカ島のコタ・カプール、バタンハリ川上流のカラン・ブラヒ、スマトラ南端からジャワを臨むパラス・パスマとブンクックの各マンダラに配置された(Manguin 2017: 104-105)。

記録の上では、シュリーヴィジャヤから唐への二度目の朝貢は七〇一年で、初回から約三〇年後である。この間の両者の関係は、主に朝貢でなく民間商人を主体とする交易によっていたとみるのが自然であろう。中国史料は、六八四年、広州の役人の不正に怒った崑崙人が長官を殺害し、船で逃げ去った事件を伝えている(Wang 1958: 75-76)。この事件は当時の広州での外国商船による民間交易の慣行だけでなくマレー商人が取引に訪れていたことも示している。シュリーヴィジャヤは海域の交易を王都へ集中させ、そこを中心に南シナ海、インド洋に跨がる交易網を構築していたのである(Manguin 2021: 91-97)。

三、シャイレーンドラ朝

海峡域でシュリーヴィジャヤが交易ネットワークを形成した八世紀、水田稲作を主とする中部ジャワでは統一王権成立の途次にあった。水田耕作に伴う灌漑問題の調整等のためにワタクという村落連合が生まれ、それを各村落の長老たちから選ばれた第一人者のラカイが率いた。このラカイがしだいに権力者へと変化し、周囲のラカイと覇を競うようになった。なかでもシヴァ教を奉じるサンジャヤの率いるワタクが八世紀初めに最有力となったが、同世紀半ば、シャイレーンドラ家のワタクに屈した。ジャワのラカイ権力のなかの頂点に達したシャイレーンドラ家はマハーラージャ(大王)を名乗り、大乗仏教に深く帰依し、ボロブドゥールはじめ数多くの仏教寺院の建設を推進した。この王家の出自については、インド説など種々論じられてきたが、現在では碑文資料などからジャワ説が有力である(深見 二〇〇一b:二九四—二九五頁)。

中国史料は、訶陵《かりょう》という国が六四〇年から六六六年の間に数度唐王朝に朝貢したことを伝えている。この訶陵も中部ジャワのラカイ権力であり、シャイレーンドラ朝の前身と見なされている。共に大乗仏教を奉じるシャイレーンドラとシュリーヴィジャヤとが知的・文化的交流をもち、交易関係を深めたことは自然の成り行きであろう。交易港として不可欠の食料確保を求めるシュリーヴィジャヤと、農業生産物の安定的輸出が可能になるシャイレーンドラの双方にとって、これは有利であった。両王家が婚姻によって関係強化を進めるなかで、シュリーヴィジャヤ王家はシャイレーンドラの家系であると主張するようになった(Hall 2011: 125)。中国の朝貢記録には、七四一年を最後に室利仏逝の名が消え、訶陵が七六八年に再び現れ、遅くとも八三五年まで(八六〇—八七三年間の一度を除く)六度記されている。シャイレーンドラ朝が訶陵とシュリーヴィジャヤの一体的関係を主張し、唐朝もこの両者の「一体化」を公式に認め、訶陵(シャイレーンドラ)として認定していたと判断される。

このシャイレーンドラ＝シュリーヴィジャヤは、七七五年の通称リゴール碑文によると、マレー半島のチャイヤーに三つの仏教寺院を建設した。これはシュリーヴィジャヤの支配がマレー半島北部にまで及んでいたことを示す有力な根拠とされている。ベトナムの史料が七六七年の「崑崙闍婆《こんろんじゃば》軍」による交州の安南都護府攻撃を伝え、また、チャンパーの碑文が、七七四年に船で襲来した人々による掠奪、七八七年に船で来た「ジャワ軍」による襲撃を伝えている。これらの「崑崙闍婆」、「ジャワ軍」はいずれも通説ではシャイレーンドラ軍と解され、シャイレーンドラ＝シュリーヴィジャヤの海域支配の一環とされている(山形・桃木 二〇〇一：二四九頁)。この両家連合は、八五〇年代に復活したサンジャヤ系勢力がシャイレーンドラ家のバーラプトラをジャワから追うことで終わった。通説は、バーラプトラはスマトラのシュリーヴィジャヤの王位に就き、以前通りこのシャイレーンドラ家のシュリーヴィジャヤが海峡域の覇者としてその交易網を支配し続けたとしている。

この間のシュリーヴィジャヤによる交易支配の実態はさほど明らかではない。西アジアの商船が中国への直接航海を開始した時期は不明だが、八世紀半ばには広州や揚州に東アジア、東南アジア、インドの商人だけでなく、アラブ・ペルシア商人(以後、ムスリム商人)の居留地(蕃坊《ばんぼう》、居留者は蕃客《ばんかく》、蕃商と称された)が存在しており、彼らが直接海路で往復したのは確かである。これは七五〇年、アッバース朝が成立するとさらに拡大した(Schottenhammer 2012: 74)。彼らの船はシュリーヴィジャヤの支配する海峡域の港で数カ月の風待ちを余儀なくされたはずであり、国王にとってその間の取引や関税、港湾税、その他手数料などから得られる利益は重要な収入源であったろう。七世紀後半になお存在した海域諸国はいずれもシュリーヴィジャヤに服し、それに集中する交易ネットワークを介して、朝貢を含む唐との交易やこれらムスリム商人との取引に参加したと見られる。

だが、このシュリーヴィジャヤの交易支配は常に強力だったわけではない。九世紀中の数十年間、マレー半島東岸のチャイヤー近郊のリャムポーと西岸のタクアパー、コーコーカオとを結ぶ半島越えのルートが盛んに利用された。リャムポーとコーコーカオから共に同種類の、大量の長沙窯磁などの中国陶磁、西アジア産陶器やガラスの破片が出土し、しかも双方の出土品はいずれも九世紀の物で、その前後の物は無いと判定された(Ho and others 1990: 12-17)。最も出土量の多い長沙窯磁はクダーやジャワ各地などの他に、イランやセイロン、アフリカなどからも発見されている。タクアパーからは九世紀前半に南インドのタミル商人ギルドが貯水池を建設したと記す碑文が発見されており、ここに彼らの交易拠点があったのは確かである。これらにより、東西交易の主要ルートとしてこの陸路が使われたのは確かだが、この陸路利用を八世紀末にチャイヤーに進出したシャイレーンドラ=シュリーヴィジャヤが推進したとは考えられない。彼らの発展要因は海峡ルートにこそ在ったからである。むしろ半島部だけでなく海峡部でも同勢力の支配が弱化し、海賊の危険の増大が半島越えを促したと考えられる。八五二年と八七一年に唐に朝貢した占卑《せんぴ》は通説では、隣に位置する属国のジャンビであり、このことからも、その支配の弱化は確かである。

ジャワでのサンジャヤ家とシャイレーンドラ家の権力争いが、このシュリーヴィジャヤの支配の弱体化にどれほど関わりがあったかはわからない。八六〇年頃のインドのナーランダー碑文は、バーラプトラがスヴァルナドヴィーパ(スマトラ)の王として僧院を建設し、現地のパーラ朝が維持費のために数カ村を寄進したことを記している。シュリーヴィジャヤ王家、シャイレーンドラ王家、双方とも大乗仏教の護法者たることが王権を支える基盤のひとつであった。彼はその双方の継承者として、護法者たることを国際的に誇示することで頽勢からの挽回を図ったと見られる。記録に残る祠陵としての最後の朝貢(八六〇―八七三年の間)も、スマトラのシャイレーンドラ家による支配力回復の努力の一環と見なすことができる。

四、三仏斉・ムスリム商人

一〇世紀以降、海峡域を代表する存在は中国史料の言う三仏斉《さんぶっせい》である。通説では、これは単に中国語表記が変わったに過ぎず、シャイレーンドラ家のバーラプトラが引き継いだシュリーヴィジャヤであり、一二世紀初めか後半に王都がパレンバンからジャンビに移り、一四世紀後半まで存続したとされる。これに対し深見は、三仏斉は単一の政体を指すのではなく、アラブ史料が海峡域を指して用いたザーバジュ(インド史料のジャーヴァカ)に相当するのであり、この地域から中国へ朝貢する国家群をまとめて呼んだ総称であると主張する(深見 一九八七、二〇〇一c:一二〇―一二二頁)。本稿では若干の留保はあるが、基本的にこの深見説に基づき論を進める。

アラブ史料では、ザーバジュはマハーラージャが治める一国のように描かれ、スリブザ(シュリーヴィジャヤ)、スマトラ北端のラムリ、カラフ(クダー)、カークラ(マレー半島北部)の国々(島々)を含んでいる。一〇世紀の歴史・地理学者マスウーディーは「スリブザの島はマハーラージャの帝国のなかにあり(中略)この王がザーバジュの島々とラームニー(ラムリ)を、我々の語った他の(島々)と共に所有している」(Tibbetts 1979: 38-39)と述べており、一〇世紀前半ごろはシュリーヴィジャヤがザーバジュ＝三仏斉の中心だったと見られる。これらの史料の「治める」「所有する」は支配・従属関係ではなく、交易を主とするネットワークの中心とその構成国との相互依存関係と解釈すべきである。

九世紀末、この海域のみでなく東西交易にも係わる大きな変化が生じた。八七七年に東西交易の拠点として繁栄してきた広州が黄巣の反乱軍により襲撃され、居留していたイスラーム教徒、ユダヤ教徒、キリスト教徒、ゾロアスター教徒など外国人一二万人が殺された。その結果、ムスリム商人は対中国交易の拠点をクダーに移した(Wade 2010: 368)。この混乱を逃れて避難した多くのムスリム商人もチャンパーや海峡域の主要港市に居留していた同胞のもとへ移った。彼らは共に、その後間もなく中国との交易を再び進め、広州・泉州などに改めて居留地を形成し、交易ネットワークを再構築した。宋朝の成立した一〇世紀後半以降、西アジアの大食《たいしょく》、南インドのチョーラ朝からの海路による朝貢がふえ、直接ではないが中国との長距離交易も拡大した。それはインド洋岸のムスリム商人コミュニティを繋ぎ、彼らが掌握していた南シナ海交易網を包摂して展開された。チャンパーがこの後も長く海域の交易勢力として有力な地位を保ちえたのも、このムスリム商人の交易網の支えがあったからである。

このことに関して注意を要するのは、中国人がチャンパーや海峡域からのムスリム商人を本来のチャンパー人や海峡域住民と区別せず、ほとんど後者として認識していたことである(2)。北宋期、大食、チョーラ、三仏斉、チャンパーから頻繁に朝貢がなされたが、大食は言うまでもなく、他の三者からの使節の名もムスリムの名に同定できる例が多いのである。その多くの場合、彼らが交易の利のために積極的に居留先の宮廷から朝貢を請け負い、時には自ら働きかけて実行した。また、同一人が時を違えて複数国の使節になった例もある(Chaffee 2006: 402; Wade 2010: 366-408)。

九九二年、三仏斉はジャワの攻撃を受ける。中部ジャワでは、九世紀半ばにシャイレーンドラ勢力を追ったサンジャヤ家が統一を果たし、マタラム国と称した。その後、やはりラカイ権力が分立していた東部ジャワへも統一の手を伸ばし、一〇世紀前半の半ばには拠点をこちらへ移した。東遷の理由は火山災害説など種々挙げられるが、定説はない。なかでは、ブランタス川の舟運による物資の集散と流域の稲作による食料供給、沿岸の良港の存在などから、東西海上交易への積極的参入説が注目されている(3)。この東部ジャワに勢力を確立したクディリ朝が、三仏斉支配下の海峡域を通る交易システムへ参入を図ったことで両者が衝突したと見られる。この攻撃により帰国できずに戻った三仏斉の朝貢使節の求めに応じ、宋の宮廷は、折良く百数十年ぶりに来貢したジャワの使節を介してこれを戒めた。その後の事態収束の事情は不明だが、以後またジャワの朝貢は長期間途絶えた(青山 二〇〇一a:一四二―一四七頁)。

五、チョーラ朝の海峡域進出と中国商人の活動

たぶん、このジャワからの脅威を教訓にしたのであろう、三仏斉は東西の強国、南インドのチョーラ朝と宋朝との関係強化を図った。宋朝に対しては、一〇〇三年、皇帝の長寿を祈願し仏寺を建立したので寺号と梵鐘を賜りたいと願い出、皇帝から「承天万寿寺」の額と梵鐘を与えられた。三仏斉は続いて一〇〇八年にも入貢している。この国王は同時に南インドで支配を拡大していたチョーラ朝にも友好関係を求めた。彼は父親の意志をついで南インドのナーガパッティナムに僧院を設立し、一〇〇六年にチョーラ王がその維持のために寄進をした。それを記した刻文では、この三仏斉の王はシャイレーンドラ家系のシュリーヴィジャヤの王で、カターハ(クダー)の王でもあった(辛島 一九九二:九一―一二頁)。シャイレーンドラ家の護法者たる権威をここでも外交に活かそうとしたのだろう。

だが、この友好はすぐに破綻した。一〇二五年ごろ、チョーラ軍が海峡域の諸港市を攻撃し、キダーラ(クダー)の王を捕らえたのである。この後、チョーラはクダーを根拠地として勢力を保ち、西アジアと宋を繋ぐ海上交易に大きく関わった。チョーラは一〇六八年ごろにクダーに置いた国王の要請で再びクダーに遠征した。一〇二〇年から後、二八年の三仏斉、三三年のチョーラを除き、共に宋への朝貢は途絶えていたが、一〇七七年にこのクダーを拠点とするチョーラ勢力が「三仏斉注輦《ちゅうれん》」として朝貢し、それは九〇年まで五度にわたった。この間、チョーラ本国は勢力減退が始まり、クダーにはシャイレーンドラ家が戻り、チョーラとの友好を復活させた(深見 二〇〇一c:一二八頁)。

チョーラの海峡域への国家的な干渉は終わったが、その間に海峡域の勢力図を大きく変化させた。一〇七九年、八二年と三仏斉注輦と競うように「三仏斉詹卑《せんび》」が朝貢している。これはスマトラ南東岸、バタンハリ川河口から約七〇キロメートルのムアラジャンビを中心とするジャンビ王国とするのが通説である。[4] ここには一一―一三世紀を主とする仏教系の堂塔遺跡が数十基確認されている。当地とその下流域のムアラコンペ、コタカンディスなど港の遺跡からは五代、宋・元代の陶磁器片が出土し(Miksic 2013: 116-119)、一〇世紀後半から発展が始まったことがわかる。最初のチョーラの襲撃により、シュリーヴィジャヤ=パレンバンは中心的役割を失い、それは北隣のジャンビに移ったと見るのが一般的である。その時期については、チョーラによる攻撃後間もなくと一〇八〇年頃との二説あるが、発掘資料などによれば前者であろうか。いずれにせよ、この襲撃は海峡域交易ネットワークの求心性を弱め、三仏斉諸港市国の自立化を促しただろう。

　この三仏斉(ジャンビ)について『萍州可談《へいしゅうかだん》』(一二世紀初期)は以下のように記す。(海域東部からの)檀香と(西アジアからの)乳香が大量にあり、中国への商品として彼らの船で運ぶ。近年、国王の独占政策により檀香の価格が数倍に上昇した。南海の中心にあって、なお遠方の大食へ向かう中国からの船はここで修理をし、商品取引をする。遠方の商人がここに集まり、それで繁栄している。また、『嶺外代答《れいがいだいとう》』(一二世紀半ば)は、同じく要衝を占めることを述べ、この国には産物はないが、戦いに習熟しており、不死身になる薬を服用し、外国船が寄港せずに通り過ぎると海軍を出して皆殺しにして商品を奪い、それで犀角、象牙、真珠、香薬などが豊富である、と述べる。次世紀前半の『諸蕃《しょばん》志《し》』はさらに「国人には蒲《ほ》姓の者が多い」と、ムスリム・アラブ商人の居留を記す。三仏斉の中心港市は、地の利を生かし、強制も交えた中継交易で栄えると共に、入手した中国向け商品の輸送交易でも多くを担っていたのである。その取引はもっぱら上記のムスリムの交易網を通じて為されたに違いない(注2参照)。

　この時期には中国人の海上交易活動が顕著になってくる。宋朝は九九一年、それまで禁じていた中国商船の海外渡航を許可したが、規制の窮屈さゆえに渡航は僅かに過ぎなかった。一〇九〇年にその規制が大幅に緩和されたことで東南アジア海域への渡航船は著しく増加した。ただし、渡航期間が九カ月(モンスーンの一周期)に制限されていたため、その多くはジャワ、チャンパーを含めた海峡域の主要港市を目指した。これに伴い、それまで外国船に依存していた中国商人の渡航も増え、中小の港市へも彼らの活動が広まった。渡航者には期間制限がなかったため、長期にわたって中小の交易地を巡り取引を続ける商人の数も増加し、滞在が一〇年に及ぶ例も見られた。元朝は支配の前半において国家独占政策を断続的に実施し、民間商人による海上交易を禁じたが、一三二三年以降はそれを全く民間に委ねた。渡航船の期間制限もなく、中国民間商人の海上交易は急速に回復し、前にも増して活動範囲を広げ、東南アジア海域の域内交易にも広く参入した(Heng 2009: 31-41)。その上さらに、彼らの直接渡航はインドにまで及んだ。

こうした中国商人の活動は、チョーラの遠征により始まった海域内交易の流動化を進め、諸港市を活性化させた。『諸蕃志』は、三仏斉(中心はジャンビ)の属国として一五を挙げ、その下にターンブラリンガ、パタニ、パッタルン、スンダ、カンペ(コンペイ)、ラムリの伝を付している。前三者はマレー半島東岸にあって毎年三仏斉に朝貢し、ターンブラリンガにはチャイヤーほか四国、パッタルンにはパハン、トルンガヌ、クランタンが属すとされている。スンダは西ジャワ、後二者は北スマトラにある。残るひとつの属国がパレンバンである。カンペは属国とされているが、伝には政治的自立を勝ち取ったと明記されている。これは遅くとも一二世紀後半の状況と考えられる。一三世紀初めまでには、カンペ、パハン、トルンガヌは泉州と直接に交易しており(*Ibid.*: 105)、ターンブラリンガも一一九六年には朝貢している。いずれも事実上自立していたと見てよい。このターンブラリンガは一二四七年、チャンドラバーヌ王がセイロンに侵攻し、六二年まで北部に支配を及ぼすほど勢いを強めた。当時のこの地が少なくとも半島東岸の交易の中心地であったことは、他に比して豊富な中国陶磁出土などから明白である。(5) しかし、この国は一三世紀後半にはスマトラのムラユ勢力と南進するタイ勢力に圧迫されて力を失った(深見 二〇〇五)。

六、マジャパヒト王国

一一世紀、東部ジャワではブランタス川流域の農業開発が進むと共に、滞在する南北インドや大陸東南アジアの商人を通してこれらの地域との交易も栄えた。中国民間商人の域内交易への参入は両者間、ひいてはジャワの国際交易の飛躍的発展を導き、一二世紀後半の『嶺外代答』は、諸外国のうち最も豊かなのは大食であり、次がジャワ、三仏斉がそれに次ぐ、と記すまでに至った。インドから導入された胡椒は専ら中国へ輸出され、その量は一二世紀にはインドを上回った。中国商人が胡椒買い入れに大量に用いた中国銅銭は、一三世紀には低額貨幣として市場に流通し、一四世紀には公認貨幣とされた。ティモールの白檀、バンダ諸島の肉荳蔲《にくずく》、メース、マルク(モルッカ)諸島の丁字、南ボルネオや南スラウェシを含む海域各地の象牙、犀角、真珠、玳瑁や竜脳などの香薬類も集荷され、東西に輸出された。大量の中国陶磁のほかに必需品としての鍋、刃物などの鉄製品、織物や手工芸品の製造・加工に要する染料、薬剤が輸入された。こうした手工業製品は輸出だけでなく、国内需要にも供されたと見られ、その消費生活の豊かさを窺わせる(Wisseman 1998)。このクディリ朝下の繁栄は次のシンガサリ時代にも続くなか、一二七五年クルタナガラ王はスマトラに軍事遠征(パマラユ)を行った。この遠征により、バタンハリ川上流のパダンロチョを中心にジャワの属国としてのマラユ王国が成立し、ジャワはスマトラに対する政治的影響力を増し、海峡域における交易でも優位に立った(青山 二〇〇一b:二〇五頁)。

一一世紀末、チョーラ朝は海峡域から退いたが、それと緊密な協力関係にあったタミル商人の活動は続いた。スマトラ北西岸にあって、上質な竜脳の得られる港市であるバルスの遺跡ロブトゥアから一〇八八年のタミル語碑文が見つかっている。刻文から、タミル商人ギルドが来航者から取引前に何らかの税の支払いを求めたと推定されるが、活動内容は不明である。バルスの名はシュリーヴィジャヤの主要港市として義浄や唐代の史料に現れ、港市ロブトゥアには主に九世紀から一二世紀、ムスリムやインド商人が竜脳目的に来航した。一二世紀後半、ロブトゥアは放棄され、タミル商人の活動もスマトラ北東岸のコタチナに重心を移した。竜脳の取引は隣地のブキット・ハッサンに受け継がれ、ここからは一三七〇年没のムスリム墓が発見されており、ムスリムのコミュニティの存在が推測される。コタチナは一一世紀末から一四世紀初めにかけて、主にタミル、中国商人のネットワークの拠点とされ、多数の中国銅銭が出土したことから、中国人の居留地が形成されたようである(Miksic and Goh 2017: 402-404)。

一二七九年に南宋を滅ぼした元朝のフビライは東南アジア各地に従属を求める使節を派遣した。これを拒否したビルマ、ベトナム、チャンパー、ジャワへは遠征軍を派したが、いずれも激しい抵抗を受け、ビルマを除けば短期で敗退した。シンガサリ朝下のジャワにも一二九二年に遠征軍が送り込まれたが、折しもジャワでは反乱が起き、クルタナガラ王が殺害されていた。翌年、王の女婿ウィジャヤは上陸した元軍を利用して反乱軍を破り、元軍をも撤退に追い込み、マジャパヒト朝を建てた。同王朝はすぐに元朝との関係を修復して朝貢を繰り返し、海上交易に積極性を示した。これと連動して、軍事力を交えた対外拡張政策が一四世紀中期の三〇年余、宰相ガジャマダの下で展開された。年代記『デーシャワルナナ』(『ナーガラクルターガマ』)は、直接支配下にあったジャワ、バリのほか、スマトラ島、マレー半島、カリマンタン島、ジャワ以東の諸島を保護下に置いたと記している。この保護下の諸国との関係は、マジャパヒトの宗主権を認めたものから、単に交易関係を持つにすぎないものまで一様ではなかった。それでも、これによりマジャパヒトに集中し、西は海峡域から東はマルク諸島に至るまでの広く海域全体に及ぶ交易網を再編・強化することができた。一三六八年に始まる明朝は海禁令により民間交易を禁じ、厳格な朝貢体制を築いたが、マジャパヒトはこの強化した交易網を基盤に、朝貢を積極的に活用するなどして、これにより生じた東西交易関係の変動に有効に対応しえたのである(青山 二〇〇一b：二〇九—二一九頁)。

七、イスラーム化の始動

一三世紀末、スマトラの北東岸に、東南アジア最初のイスラームを奉じる権力が誕生した。一二九二年に立ち寄ったマルコ・ポーロのプルラク住民のイスラーム信仰についての記述、サムドラのスルタン、マリク・アルサリフの一二九七年死去を記す墓碑がそれを証している。なぜこの時期、この地で最初のイスラーム化が進んだかについては、この地と西インドのグジャラート、または南インドのマラバール海岸との交易、あるいはスーフィー教団の活動を重視する説等々、今でも論争が尽きない。この後サムドラ(隣接のパサイと合体しサムドラ・パサイと称された)は海峡域におけるインド・中国を結ぶ交易、および一四世紀に拡大したジャワ・インド間交易の中継地として、さらに周辺地域へのイスラーム化促進の中心へと発展した(家島 二〇一七:一四五―一六四頁)。

一四世紀、イスラーム化は直線的に、急速に進行はしなかったが、その後半にはいくつかの地にその痕跡が見られる。一〇―一一世紀の転換期にブルネイとフィリピン南部のブトゥアンからムスリム商人を使節にした宋朝への朝貢が始まった。これは中国船による泉州、フィリピン、ブルネイ、その後マルク諸島を繋ぐ交易ルートの使用開始、それをいち早く利用したムスリム商人の活動を反映している。さらにこれはチャンパーを含む東部海域の中国・ムスリムの交易網形成に至った。そのブルネイでは一四世紀の明らかなムスリム名の王墓が見つかっており、その墓石は泉州との繋がりを示している。マレー半島北部東岸のトルンガヌには同世紀後半のイスラーム法施行に関わる碑刻が存在する。また、ジャワのマジャパヒト王家ゆかりの墓地には、やはり同世紀後半からのムスリム墓が複数存在し、一五世紀はじめではあるが、北海岸の諸港の中国人ムスリム社会の存在が知られている。このイスラーム化進展の要因のひとつは、ウェイドによれば、一三六八年、元末の騒乱の泉州でシーア派将兵の起こしたスンナ派住民への大虐殺を避け、アラブ・ペルシア・チャム・中国人混血ムスリム商人が悉く海域内の彼らのネットワーク拠点に移住し、周辺社会にイスラーム化への刺激を与えたことにある(Wade 2010: 386-390)。

この時期、東南アジア大陸部では上座部仏教がかなり広まり、それを奉じる国家も誕生していた。それらのうち、一三五一年に成立したアユタヤ朝は今日のタイ領を広く統一すると共に、それ以前から勢力を延ばしていたマレー半島にも支配を広げ、一五世紀初頭にはムラカにまで及んでいた。アユタヤの領地は西をベンガル湾に接し、タイ湾で南シナ海、インドネシア方面に繋がり、この後東西交易の中継地、交易国として発展する。そのアユタヤの成立と交易の発展を支えた一要因は中国人コミュニティの経済力にあった(石井 二〇二〇:一五五—一六一頁)。東南アジアにおける中国人コミュニティの形成は宋代の中国商人の活動の拡大に伴い、一二、三世紀にはすでに始まっていたとされる。ジャワ遠征に際して残留した元軍の末裔の存在も挙げられる。明朝の海禁令により帰国を促された長期滞在者のうち、帰国後の処罰を恐れ、または厳しい民間交易禁止を嫌い交易拠点に止《とど》まった者、あるいは明の支配を拒否して亡命した者もあった。彼らは本国の支援を得られない故に、パレンバンに居着いた勢力のように、時には海賊まがいの行動をとりながら自立的な交易勢力を築くか、あるいは現地権力に協力することで生存と活動を確保した(和田 一九六一)。

おわりに

明朝の朝貢制、海禁令の厳しい施行は中国人民間商人の活動を封じ、東南アジアの交易はその代替策を求めねばならなかった。その一例は陶器の生産・交易に見られる。数世紀にわたる中国陶磁の輸入・使用が各地の陶工に技術摂取の欲求を生むのは自然の成り行きであろう。その成果は一五世紀に盛んになるタイ、ベトナム、チャム、カンボジア、ビルマなどの陶器の生産と、南シナ海から東シナ海へ及んだ流通に現われる。こうした動きに加えて、各地に生じた中国人コミュニティや、勢いを増したムスリムコミュニティを繋ぐネットワークが再編、あるいは新たに形成され、それらがさらに交易の増大を促進することで、次代の「交易の時代」が現出されることになる。

注

(1) 深見は、義浄の言う末羅瑜《まつらゆう》(マラユ)はパレンバンであり、六八二年に室利仏逝勢力が征服して王都としたのであり、義浄が六七一年に最初に訪れた際の室利仏逝は扶南の故地かマレー半島のいずこかに求められるべきだ、と主張している(深見 一九八二)。なお、一般論に拠るマンガンは、近年のスマトラ南東岸のムシ川河口一帯やバンカ島の遺跡の発掘調査結果から、アイル・スギハンが三、四世紀からの国際的な交易地の遺跡だとし、シュリーヴィジャヤの前身である可能性を示唆している(Manguin 2017: 91-101)。

(2) 一二世紀半ば、泉州で建設された蕃客用の墓地建設に尽力した試郍闌《しない》は、『拙斉《せっさい》文集』(巻一五一二)では三仏斉人、『諸蕃志』(「大食」の項)では施那幃《しない》の名で、大食人とされている。なお前者の史料は、泉州には彼と共に富裕な三仏斉人(たぶんムスリム商人)が十余人いるとも記している(Salmon 2002: 70fn.52, 71-73fn.56)。

(3) 一〇世紀半ばと後半に沈んだと見られるインタン沈船とチルボン沈船は、いずれも東部ジャワを目的地とし、その積荷の多さと東西の産物を含む多彩さがジャワ社会の交易への意欲を示唆していよう。共に積荷の多くが中国陶磁と金属塊・製品であった。前者の青銅工芸品には多くの密教用仏具や仏寺装飾品が見られ、当時の東部ジャワでの仏教への傾斜が窺える。後者の中国陶磁の量の膨大さは東部および周辺諸島への再輸出の可能性を考えさせる(Miksic 2013: 86-92)。

(4) チョーラの攻撃を記した刻文に挙げられた諸港市のうち、スマトラにあるのは北からラムリ、パナイ、マライユール、シュリーヴィジャヤである。現在までの研究状況と発掘資料を基にするならば、シュリーヴィジャヤがパレンバン、マライユールがジャンビと見るのが今のところは最も妥当と考える。

(5) サティンプラのコック・モ地方で生産された高級陶器が周辺地域やムアラジャンビ、コタチナ、東ジャワ、ブトゥアン、スリランカからも出土している。それは前出のインタン沈船やチルボン沈船ほか、その後のいくつもの沈船の積荷にも含まれている。遅くとも一〇世紀半ばからそれは域内向けに輸出されており(Miksic 2013: 358-359)、その輸出拠点であったターンブラリンガは域内交易網の一中心だったと推測される。

参考文献

青山亨(二〇〇一 a)「東ジャワの統一王権――アイルランガ政権からクディリ王国へ」『岩波講座 東南アジア史2 東南アジア古代国家の成立と展開』岩波書店。

青山亨(二〇〇一 b)「シンガサリ=マジャパヒト王国」『岩波講座 東南アジア史2』岩波書店。

石井米雄(二〇二〇)「港市国家アユタヤー」飯島明子・小泉順子編『世界歴史大系 タイ史』山川出版社。

辛島昇(一九九二)「シュリーヴィジャヤ王国とチョーラ朝――一一世紀インド・東南アジア関係の一面」石井米雄・辛島昇・和田久徳編著『東南アジア世界の歴史的位相』東京大学出版会。

桜井由躬雄(二〇〇一)「南海交易ネットワークの成立」『岩波講座 東南アジア史1 原史東南アジア世界』岩波書店。

深見純生(一九八一)「七世紀のシュリーヴィジャヤとマラユ」『南方文化』第八輯。

深見純生(一九八七)「三仏斉の再検討――マラッカ海峡古代史研究の視座転換」『東南アジア研究』第二五巻二号。

深見純生(二〇〇一 a)「マラッカ海峡交易世界の変遷」『岩波講座 東南アジア史1』岩波書店。

深見純生(二〇〇一 b)「ジャワの初期王権」『岩波講座 東南アジア史1』岩波書店。

深見純生(二〇〇一 c)「海峡の覇者」『岩波講座 東南アジア史2』岩波書店。

深見純生(二〇〇五)「ターンブラリンガの長い一三世紀――ジャーヴァカからシャムへ」『南方文化』第三二輯。

家島彦一(二〇一七)『イブン・バットゥータと境域への旅――『大旅行記』をめぐる新研究』名古屋大学出版会。

山形眞理子・桃木至朗(二〇〇一)「林邑と環王」『岩波講座 東南アジア史1』岩波書店。

和田久徳(一九六一)「東南アジアにおける華僑社会の成立」『世界の歴史13 南アジア世界の展開』筑摩書房。

Chaffee, J. (2006), "Diasporic Identities in the Historical Development of the Maritime Muslim Communities of Song-Yuan China", *Journal of the Economic and Social History of the Orient*, 49 (4).

Hall, K. R. (2011), *A History of Early Southeast Asia*, Lanham, Rowman and Littlefield Publishers.

Heng, D. (2009), *Sino-Malay Trade and Diplomacy from the Tenth through the Fourteenth Century*, Athens, Ohio University Press.

Ho, C. and others (1990), "Newly Identified Chinese Ceramic Wares from Ninth Century Trading Ports in Southern Thailand", *SPAFA digest (1980-1990)*.

Kulke, H. (1993), "'Kadātuan Śrīvijaya'—Empire or Kraton of Śrīvijaya? A Reassessment of the Epigraphical Evidence", *Bulletin de l'École d'Extrême-Orient*, 80 (1).

Manguin, P. Y. (2017), "At the Origins of Sriwijaya: The Emergence of State and City in Southeast Sumatra", Noboru Karashima and Masashi Hirosue (eds.), *State Formation and Social Integration in Pre-modern South and Southeast Asia*, Tokyo, Toyo Bunko.

Manguin, P. Y. (2021), "Srivijaya: Trade and Connectivity in the Pre-modern Malay World", *Journal of Urban Archaeology*, 3.

Miksic, J. N. (2013), *Singapore and The Silk Road of the Sea, 1300-1800*, Singapore, NUS Press.

Miksic, J. N. and Y. G. Goh (2017), *Ancient Southeast Asia*, London, Routledge.

Salmon, C. (2002), "Srivijaya, la Chine et les marchands chinois (Xe-XIIe s.), Quelques réflexions sur la société de l'empire Sumatranais", *Archipel*, 63.

Schottenhammer, A. (2012), "The 'China Seas' in world history: A general outline of the role of Chinese and East Asian maritime space from its origins to c. 1800", *Journal of Marine Island Cultures*, 1 (2).

Tibbetts, G. (1979), *A Study of the Arabic Texts Containing Material on Southeast Asia*, London, E. J. Brill.

Wade, G. (2010), "Early Muslim expansion in South-East Asia, eighth to fifteenth centuries", David O. Morgan and Anthony Reid (eds.), *The New Cambridge History of Islam*, vol. 3, *The Eastern Islamic World Eleventh to Eighteenth Centuries*, Cambridge, Cambridge University Press.

Wang, Gungwu (1958), "The Nanhai Trade: A Study of the Early History of Chinese Trade in South China Sea", *Journal of the Malayan Branch of the Royal Asiatic Society*, 31 (2).

Wisseman, C. (1998), "Javanese Markets and Asian Sea Trade Boom of the Tenth to Thirteenth Centuries A. D.", *Journal of the Economic and Social History of the Orient*, 41 (3).

Wolters, O. W. (1967), *Early Indonesian Commerce*, Ithaca, Cornell University Press.

問題群｜*Inquiry*

サンスクリット語とパーリ語のコスモポリス

馬場紀寿

はじめに

ベンガル湾を囲む南アジアと東南アジアの歴史は、言語と宗教に着目するなら、一三―一四世紀を転換期として、それ以前と以後に区分できる。四世紀から一三世紀にかけて、サンスクリット語が政治の言語として各国に用いられ、サンスクリット語の法典や文学が共有されて、サンスクリット語の聖典をもつヒンドゥー教と仏教が主要な宗教として広まった。このような国際空間を「サンスクリット・コスモポリス」と呼ぶ。そこにおけるサンスクリット語の社会的位置、そして、その後の時代に与えた文化的影響は、西欧のラテン語、東アジアの漢語に比せられる。

時代が下るに従い、各地の言語が政治的発話や文学に用いられてサンスクリット語に取って代わり、一三世紀から一五世紀に宗教の大きな変化が起こる。インドではサンスクリット語の仏典を伝承する仏教が衰退し、それに代わりアラビア語のクルアーンを正典とするイスラム教が浸透した。イスラム教は海洋交易路を通して東南アジア島嶼《とうしょ》部へも進出する一方、スリランカから東南アジア大陸部にはパーリ語の仏典を伝承する仏教が広まった。このパーリ語を聖なる言語として共有する国際空間を「パーリ・コスモポリス」と呼ぶ。

本稿では、まず、サンスクリット・コスモポリスが南アジアと東南アジアに成立し、さらに仏教がサンスクリット・コスモポリスからユーラシア大陸の東半部に広まった歴史を概観する。続いて、スリランカと東南アジア大陸部で、パーリ・コスモポリスが成立した歴史を取り上げたい(1)。

一、サンスクリット・コスモポリスの成立

一世紀から三世紀にかけて、クシャーナ朝がヒンドゥークシュ山脈の連なる山岳地帯の周辺地域(今日のアフガニスタンとパキスタン、西北インドの一部)を支配していた。当時、東に漢帝国、西にローマ帝国があって、この一帯はユーラシア大陸の東西を結ぶ交易ネットワークの中心をなしたのである。

季節風を利用した新航路の開発がローマとインドの距離を一挙に縮め、象牙・香料・宝石等を求めるローマ側の需要は、インドにローマ帝国の莫大な富をもたらした。ローマ帝国の政治家ガイウス・プリニウス・セクンドゥス(Gaius Plinius Secundus 二三―七九年)が毎年インドへ多額のローマ貨幣が流出することを嘆くほど(中野ほか 一九八六：二六八頁)、一、二世紀のインドはローマ交易で潤っていたのである。

対ローマ交易の重要な港があったインダス川やナルマダー川の河口は、クシャーナ朝やインド西部を治めた西クシャトラパの支配下にあった。クシャーナ朝は、中央アジアの遊牧民だった月氏が建てた王朝である。クシャーナ朝と関係の深い西クシャトラパも、中央アジアの遊牧民だったサカ族が建てた王朝である。もともとバラモン教と無縁だった外来民族の王朝で、前例のないサンスクリット語の使用が始まった。

サンスクリット語は、ギリシア語、ラテン語などのヨーロッパ諸語やペルシア語と起源を共有し、比較言語学で「インド・ヨーロッパ語族」に分類される最も古いインド語である。バラモン教の儀礼に用いられる「神々の言葉」

であり、ブラーフマナ（婆羅門）と呼ばれる祭官が聖典『ヴェーダ』やヴェーダ補助学を伝承するための言語だった。しかし、二世紀になると、政治的な発話や仏教の作品にサンスクリット語が採用されたのである。

西クシャトラパの最盛期を築いたルドラダーマン（Rudradāman 二世紀中頃在位）は、サンスクリット語で自らの頌徳文《しょうとくぶん》を作らせた。現存資料を見る限り、サンスクリット語が政治的発話に用いられたのは、ルドラダーマンの碑文が最初である。

クシャーナ朝でも、同じ時期にサンスクリット語がバラモン教の外部で使用され始める。仏教者がサンスクリット作品を作り出したのである。

クシャーナ朝下で活躍した仏教詩人アシュヴァゴーシャ（Aśvaghoṣa 馬鳴《めみょう》）は、二世紀に、数々のサンスクリット作品を著した。彼は、『ブッダの行い』『麗しいナンダ』『経典の荘厳』の作者として、仏教史上もっとも高名な人物の一人に挙げられる。その美しい文体により、アシュヴァゴーシャは、五世紀以降本格的に始まるサンスクリット美文芸の先駆者として、インド文学史に大きな足跡を残したのである。

アシュヴァゴーシャ以降、仏教ではサンスクリット語による作品の執筆が続くようになる。ナーガールジュナ（Nāgārjuna 龍樹）は、『中論』を著し、仏教思想に新しい局面を切り開いた。その思想を継承する『廻諍論《えじょうろん》』『空七十論《くうしちじゅうろん》』『宝行王正論《ほうぎょうおうしょうろん》』などもナーガールジュナの作品として伝承された。

仏教からサンスクリット作品の執筆者が現れたのとほぼ同時期に、仏典のサンスクリット化も始まったと考えられる。もともと、ブッダの教えを物語形式でまとめた「経」や出家者の生活規則や出家教団の運営方法をまとめた「律」などの仏典は、サンスクリット語ではなかった。これらの仏典は、もともと古代インド社会で「アーリヤ人が話す言葉」、すなわち「アーリヤ語」で伝承されていた。高名なインド学者、オスカー・フォン・ヒニューバーは、この最古の仏典言語は特定地域の言語ではなく、地域を越えてアーリヤ人が広く用いたある種の共通語（リンガ・フランカ)であり、仏典の言語として残るパーリ語、ガンダーラ語などのプラークリット語(俗語)もそうした言語がそれぞれまとめられたものだと想定している(von Hinüber 1994)。

しかし、クシャーナ朝下で、ガンダーラ語の仏典写本もサンスクリット語に転換され始めた。まず二、三世紀にプラークリット語混じりのサンスクリット語の写本が現れ、三、四世紀以降、より標準的なサンスクリット語へ整備された(Karashima 2014)。こうしたサンスクリット語への変化を「サンスクリット化」(Sanskritization)と呼ぶ。

三世紀、クシャーナ朝の莫大な収益を支えていた交易相手のローマ帝国は政治的・軍事的な危機を迎えた。五賢帝の下、パクス・ロマーナ(ローマの平和)と称えられた帝国の最盛期はすでに過ぎて、皇帝が乱立し、ゲルマン人やサーサーン朝ペルシアの侵攻が続いた。中国では、漢帝国が二二〇年に滅亡して、三国時代が始まり、後継王朝はタクラマカン砂漠を走る交易ルートを手放すことになる。東西交易の要衝を支配して、地の利を得ていたクシャーナ朝は、三世紀、その輝かしい歴史に幕を下ろしたのである。

中国の江南では、三国時代(二二〇―二八〇年)に呉が華北から独立したことを契機として開発が進み、東晋(三一七―四二〇年)、そして宋・斉・梁・陳という南朝(四二〇―五八九年)の下、経済発展に拍車がかかるとともに、東南アジアとの交流が深まった(丸橋 二〇二〇：三九―七三頁)。五世紀初頭までには、中国とインドを結ぶ海上交易ルートが確立して、ベンガル湾を囲む南アジアと東南アジアの経済圏は、大きく成長することになる。

四世紀に北インドで成立したグプタ朝は、対ローマ交易に力を入れたクシャーナ朝とは異なり、ガンジス川流域にあるパータリプトラを都とし、環ベンガル湾交易が発展した。グプタ朝は、本格的にサンスクリット語を政治的発話に採用し、いわば、「神々の言葉」で政治を語り始めたのである。

急速に発展する環ベンガル湾経済圏を背景に、グプタ朝によるサンスクリット語の使用は、南アジアと東南アジアとの両方で、サンスクリット語の普及を促した。驚くべきことに、五世紀にはベトナムでサンスクリット語の碑文が現れる。これら両地域では、政治の言語としてサンスクリット語が用いられると共に、『マヌ法典』などの社会規範を示すサンスクリット法典、サンスクリット文法学、『マハーバーラタ』『ラーマーヤナ』という二大叙事詩や美文芸といったサンスクリット文学が受容され、サンスクリット聖典を伝承するヒンドゥー教や仏教が広がった。その意味で、サンスクリット語はこの時期の南アジアと東南アジアで政治と知的領域の普遍語として役割を果たすようになったと言えよう。

この国際空間の出現そのものが、ベンガル湾を介した、南アジアと東南アジアの関係の緊密化を示している。新たに生まれた国際秩序の下、各地で国家がサンスクリット語を政治的発話に用いると同時に、地域を越えて、サンスクリット語の法典、文学、聖典が広まるという状況は、四世紀から一三世紀まで続いたのである。このおよそ一〇〇〇年にわたるサンスクリット語の国際空間を、インド学者、シェルドン・ポロックは「サンスクリット・コスモポリス」(Sanskrit Cosmopolis)と呼ぶ(Pollock 1996)。

インドのブラーフミー文字は、サンスクリット語などを表記する文字として南アジアと東南アジアに定着した。ブラーフミー文字は、時代と場所によりその形を変えながら広まり、南アジア、東南アジアの文字の起源となったのである。今日も用いられているインドのデーヴァナーガリー文字、ベンガル文字、タミル文字、スリランカのシンハラ文字、ミャンマーのビルマ文字、カンボジアのクメール文字、タイのタイ文字などは、いずれもブラーフミー文字を祖として派生したものである。

南アジアと東南アジアという広範な地域でサンスクリット語が普遍語として確立した結果、情報の透明度が上がった。ちょうど霧が晴れて遠方まで見渡せるように、環ベンガル湾地域がサンスクリット語でつながって、言語文化の共有が始まったのである。

二、サンスクリット仏教

ヒンドゥー教のヴィシュヌ派やシヴァ派と共に、仏教はサンスクリット・コスモポリスの一翼を担った。サンスクリット語の仏典を伝承していた仏教を、本稿では「サンスクリット仏教」と呼ぶこととしよう。サンスクリット仏教は、サンスクリット・コスモポリスの拡大と共に、南アジアから東南アジアへ伝播した。

東南アジアの島嶼部では、スマトラ島とマレー半島にシュリーヴィジャヤ王国が成立した七世紀以降、あるいは少し遅れてジャワ島にシャイレーンドラ朝が成立した八世紀以降、サンスクリット仏教が隆盛を極めた。また、東南アジアの大陸部は、カンボジアのアンコール朝のジャヤヴァルマン七世（Jayavarman VII 在位一一八一―一二一八年）が首都アンコール・トムの中心にバイヨン寺院を建設した時期に、サンスクリット仏教が最盛期を迎えた。ミャンマーには五世紀頃からパーリ語仏典を用いる仏教が広まっていたが、パガン（バガン）遺跡にはサンスクリット碑文が少なからず残されており、サンスクリット仏教はこの地にも進出していた。

仏教では、在家信者は組織化されないのに対し、出家者は「サンガ」（saṃgha）と呼ばれる自治組織に入らなければならない。時代が下ると、戒や仏典の伝承系統によって出家者が帰属意識を有する複数の集団が生じた。これを「部派」（nikāya）と呼ぶ。サンガをカトリック教会にたとえるとすれば（ただしサンガはカトリック教会のような中央集権制ではない）、部派は修道会に当たる（馬場 二〇一八：五九―六一頁）。

義浄（六三五―七一三年）によれば、南アジアと東南アジアでは、説一切有部《せついっさいうぶ》、正量部《しょうりょうぶ》、大衆部《だいしゅぶ》、上座部《じょうざぶ》という四つの部派があり、地域によって勢力の強弱があったが、説一切有部が最も盛んだった。説一切有部は、中インド（ガンジス川流域）で四派中最も有力であり、北インドでほぼ全体を占め、東南アジア島嶼部でも圧倒的主流を成した（『南海帰寄内法伝』巻一、大正蔵巻五四、二〇五頁中)。積極的に仏典のサンスクリット化を進めた説一切有部こそが、サンスクリット・コスモポリスで最大の仏教勢力を形成したのである。

実際、説一切有部のサンスクリット仏典は、南アジアと東南アジアに広く流布していた。すでに触れたアシュヴァゴーシャは説一切有部に所属した出家者であり[2]、彼の作品、『ブッダチャリタ』は、「五天竺(南アジア)や南海(東南アジア島嶼部)で唱えない者はいなかった」(『南海帰寄内法伝』巻四、大正蔵巻五四、二二八頁上)と義浄が述べるほどの人気を集めていた。説一切有部の律典である『根本説一切有部律』[3]は、南アジアと東南アジアで広く用いられ、中国やチベットにも伝えられて翻訳された。チベット仏教圏では、インドからもたらされた『根本説一切有部律』の伝統が今なお生きている。

説一切有部は、「一切の法は実在する」という哲学的命題を部派名に冠しているが、単一の主張を共有する一枚岩の集団だったわけではない。説一切有部の中にも、論蔵に収録される『発智論《ほっちろん》』という論書を注釈する伝統を担った「毘婆沙師《びばしゃし》」や経蔵に収録される経典を基準(量)とする「経量部」といった諸学派が存在した。

大乗もまた仏典のサンスクリット化を進めた。もともとガンダーラ語で書かれていた『般若経』などの初期大乗経典は、次第にサンスクリット語へ転換されるようになった。新たな大乗経典はサンスクリット語で制作されたから、結果として、大乗の文献はみなサンスクリット語となったのである。

我々が今日「大乗経典」と呼ぶ経典群は、もともと「方等/方広」(Vaitulya/Vaipulya)とか「菩薩蔵」(Bodhisattvapiṭaka)と称していた[4]。しかし、サンスクリット・コスモポリスが成立した四世紀頃に、「大乗経典」(Mahāyānasūtra)という新たな概念が生まれた。五世紀以降、「大乗経典」という名が冠せられた経典が増えていくこととなる。

もちろん「大乗」という概念そのものの起源は古く、「大乗経典」という概念以前に存在していた。『般若経』の二世紀の漢訳にはすでに「大乗」[5]の概念が認められるから、二世紀以前に成立した概念であることは疑いない。三世紀に漢訳された『法華経』には「大乗／独覚乗《どっかくじょう》／声聞乗《しょうもんじょう》」という三乗概念が説かれ、二、三世紀に成立したと想定される『宝行王正論』にも「大乗／声聞乗」という対概念が現れる。しかし、これらの「大乗」はいずれも、菩薩として無上菩提(最高の悟り)を目指す実践を指すものであって、経典の分類を意味するものではなかった。

しかし、五世紀初頭に鳩摩羅什《くまらじゅう》(三四四―四一三／三五〇―四〇九年)が訳した『大智度論《だいちどろん》』は、「経」として「四阿《あ》含《ごん》」と並んで「摩訶衍経《まかえんきょう》」(大乗経典)を挙げ、「法」として、「阿含、阿毘曇《あびどん》、律、雑蔵」から成る「四蔵」と並んで「摩訶衍経」(大乗経典)を挙げる。また、四世紀頃に著されたと想定される『大乗荘厳経論』には、大乗は仏説だと主張する文脈で「大乗経典」(Mahāyānasūtra)という名称が現れる。こうして、菩薩として生きることを説く仏典群は、「大乗経典」という新たな仏典のジャンルを形成したのである。

大乗経典は部派の内部でも流通し、大乗は部派に重なる形で展開した。先に挙げた仏典漢訳者の鳩摩羅什、説一切有部の毘婆沙師の思想を要約した『倶舎論』を著したヴァスバンドゥ(Vasubandhu 世親 五世紀頃)、チベットに戒を伝えて出家教団を設立したシャーンタラクシタ(Śāntarakṣita ?―七八七年)は、いずれも大乗経典を信奉しながら、説一切有部の戒統(出家の伝統)に連なる学匠だった。彼ら大乗の学匠たちは大乗の思想的発展を担い、遅くとも七世紀中頃までには、大乗に「中観」と「喩伽(行)」という二学派があるという認識が定着していた(『南海寄帰内法伝』巻一、大正蔵巻五一、二〇七頁下)。

七世紀後半には、インドの大乗の中でも密教が大きな勢力として台頭した。密教は、都市の激増などの社会変容[6]に対応した新たな儀礼や思想により王権の支持獲得に成功したシヴァ派の影響を受け、その儀礼や思想を取り込んで成立した(種村 二〇一三)。

一一世紀に活躍したアドヴァヤヴァジュラ(Advayavajra)による『真理の宝環』(*Tattvaratnāvalī*)という密教文献は、インド仏教における密教の位置づけを示している(種村 二〇一〇、二〇一九)。インド仏教を存在論的視点に立って分類し、①外界の存在は直接認識の対象だとする「毘婆沙師」、②外界の存在は推知されるに過ぎないとする「経量部」、③外界は存在せず、心のみが実在とする「唯識」(瑜伽行派)、④一切が空だとする「中観」という四種を挙げ、①から④の順にレベルが上がるという序列をつけて、サンスクリット仏教の主流を成した説一切有部と大乗の四学派を体系化する。

さらに「大乗」には、いわゆる顕教(非密教)を指す「波羅蜜の実践体系」(Pāramitānaya)と密教を指す「真言の実践体系」(Mantranaya)との二種があると論じることにより、同じ大乗の中でも顕教の上に密教を位置づける。そして、「真言の実践体系」は「中観・唯識という伝統的大乗仏教の教理で説明されると述べている」一方で、「深い教えのため、通常の人間ではアクセスできないとしている」(種村 二〇一〇:一五一―一六頁)。

東インドのパーラ朝(八―一二世紀)やジャワ島中部のシャイレーンドラ朝(八―九世紀)はそれぞれサンスクリット仏教、特に密教を支援していた。前者は、名高いナーランダー僧院と並ぶ大学として密教の重要拠点となったヴィクラマシーラ僧院を八世紀から九世紀にかけて創設し、後者は密教の主要経典である『金剛頂経』に基づき、今日「ボロブドゥール寺院遺跡」として残る、壮麗な石造仏教寺院を八世紀後半に建設した。密教は、バラモン教やヒンドゥー教のような儀礼をもたなかった仏教の弱点を克服し、仏教がサンスクリット・コスモポリスの主要宗教となる原動力となったのである。

三、サンスクリット語を越える仏教

サンスクリット仏教では、サンスクリット語を聖典言語として用いる一方で、ブッダの言語についての議論を展開した。説一切有部(毘婆沙師)は、ゴータマ・ブッダは基本的に「アーリヤ語」(アーリヤ人の言葉)で説法していたが、一切の言語を話す能力があると説いた。また、「アーリヤ語」は、一切の衆生が本来話す言葉なのだが、地獄、餓鬼、畜生は苦しみのあまり忘れてしまい、多くの人間は教育によって違う言葉を覚え、神々は「アーリヤ語」を話すとも説く(馬場 二〇一五)。

他方、『悲華経《ひけきょう》』『十地経《じゅうじきょう》』『二万五千頌般若経《にまんごせんじゅはんにゃきょう》』『維摩経』『三昧王経』『(大乗)涅槃経』などの大乗経典や『大乗荘厳経論』のような大乗論書では、ブッダが発する「一音」を、聞き手がそれぞれの言語で聞き取ることが説かれる(石上 二〇〇〇a、二〇〇〇b、二〇〇一、二〇〇二)。ブッダは法を説いたが、実は何も語らなかったとする「一字不説」論も、「一音説法」と関連して主張され、『如来秘密経』『楞伽経《りょうがきょう》』などの大乗経典で論じられた(王 二〇一七:八五―一一九頁)。

さらに、説一切有部(毘婆沙師)も、大乗(瑜伽行派)も、聖者の言語能力(詞無礙智《しむげち》)として「各地の言語」に熟達することを挙げる(伊原 一九七四、古坂 一九八五)。

これらの言説はブッダが諸言語を超えて説法したとする点で大差なく、サンスクリット語を普遍語としつつも多言語が共存する国際空間に展開した説一切有部と大乗ならではの解釈だと言えよう。関連する文言が『大毘婆沙論』の四世紀の訳にも、四世紀頃に著された『大乗荘厳経論』にも確認できるから、遅くとも四世紀までには、こうした理解がサンスクリット仏教で定着していたのである。

仏典翻訳史を踏まえると、サンスクリット仏教がブッダは諸言語を超えて説法したと主張していた歴史的意義は大きい。中国とチベットでサンスクリット仏典の大規模な翻訳事業が遂行されたのは、サンスクリット・コスモポリスが成立した四世紀以降だからである。

中国では、二世紀に仏典の漢訳が始まっていたが、事業として仏典の漢訳が本格化したのは、四世紀から五世紀にかけてである。教団の制度を整備し、仏典カタログを作成した釈道安《しゃくどうあん》(三一四―三八五年)の時代以降、仏教が皇帝からの支援や士大夫階級からの支持を得るようになり、仏典の漢訳も事業として確立したのである。折しもサンスクリット・コスモポリスが成立した直後だった。

七、八世紀、中国の仏教は最盛期を迎える。七世紀前半、玄奘《げんじょう》(六〇〇―六六四年)は長安を発ち、タクラマカン砂漠を走る交易路を通って、広域ガンダーラへ到り、そこからインドへ入って、ナーランダー僧院で学んだ。帰国後、唐の太宗(在位六二六―六四九年)、高宗(在位六四九―六八三年)の支援の下、「新訳」と言われる新たなスタイルで仏典の翻訳を刷新した。

七世紀後半、義浄は、海路、中国からインドへ渡り、留学後も海路で帰国して、『根本説一切有部律』等の仏典群を翻訳した。義浄が帰国した七世紀末、則天武后(在位六九〇―七〇五年)が唐に代わって武周朝を立て、儒教・道教の上に仏教を位置づけていた。仏教が、政治的にも中国の伝統宗教を凌駕した時代だったのである。

同時期の朝鮮半島では、六七六年に始まる統一新羅時代が続いていた。仏教を保護した新羅では、早くも七世紀に元暁《がんぎょう》(六一七―六八六年)や義湘《ぎしょう》(六二五―七〇二年)といった学僧が輩出し、仏国寺などの大寺院が建てられて、仏教文化が花開いた。

日本でも、七世紀以降、法隆寺、薬師寺などの大寺院の建設が続き、八世紀中頃には聖武天皇(七〇一―七五六年)が東大寺大仏殿(仏)を建立し、勅願により一切経(法)の写経を推進し、鑑真(六八八―七六三年)を招いて正規の出家教団(僧)を設立した。文字通り、日本に仏・法・僧の三宝を確立したのである。

チベットでは、初の統一王朝が成立した七世紀前半にブラーフミー文字からチベット文字を作り、仏教を導入した。八世紀後半、ティソンデツェン王(khri srong lde brtsan 在位七五五頃―七九七年)の下で仏教を国教とすることを決め、九世紀にかけて、国家事業としてインドから膨大な仏典群をチベット語訳した(岩尾 二〇一〇)。仏典の漢訳に並ぶ、中世史上、最大規模の翻訳事業を成し遂げたのである。

同時代に、インドのパーラ朝、東南アジアのシュリーヴィジャヤ王国やシャイレーンドラ朝が仏教を積極的に支援していたことを想起すれば、七、八世紀の仏教が世界に巨大なネットワークを作り出していたことが見て取れよう。南アジア、東南アジア、東アジア、チベットに広まった仏教は、その最盛期を迎えていたのである。

七二〇年に完成した『日本書紀』に収録される「十七条憲法」が「篤く三宝を敬え」と命じ、続いて「仏・法・僧」は「万国の極宗(究極の教え)なり」と述べるのは、日本が当時の世界情勢を正確に把握していたことをよく示している。七、八世紀、サンスクリット仏教は、南アジア・東南アジアという地域を越え、サンスクリット語すら越えて、世界最大の宗教となっていたのである。

四、スリランカの大寺派と大乗

南アジア・東南アジアでサンスクリット仏教が繁栄していたのならば、なぜ現在のスリランカや東南アジア大陸部はサンスクリット語ではなくパーリ語の仏典が広まっているのだろうか。仏教内部の動きに着目して、この問いに一言で答えるなら、「サンスクリット化」に抵抗する仏教の一派による変革がスリランカで起こり、その影響が東南アジア大陸部に波及したからなのである。その起点は、ちょうどサンスクリット・コスモポリスが成立した直後にある。

スリランカでは紀元前に仏教がインドからもたらされ、王権の庇護の下、順調に発展した。四世紀までに、スリランカの都アヌラーダプラには、大寺《だいじ》(Mahāvihāra)、無畏山寺《むいさんじ》(Abhayagirivihāra)、祇多林寺《ぎだりんじ》(Jetavanavihāra)といった拠点が成立していた。いずれも「上座部」(Theriya)という部派に属していたと考えられる。

四世紀に、上座部大寺派が編纂した史書、『島史』(*Dīpavaṃsa*)は、ブッダの聖地という点でも、結集《けつじゅう》された仏説をそのままに継承しているという点でも、そして釈迦族の末裔である王により建てられたという点でも、大寺こそが仏教の正統だとする歴史の構図を描いている。大寺派は、南アジアに広がる仏教全体における自派の特権的な位置を戦略的に主張し始めたのである。

つづいて、上座部大寺派は、パーリ語こそが正しい仏典の言葉であるという言語論を展開した。大寺派ではパーリ語をブッダが活動したマガダ地方の言葉だと見なして、「マガダ語」という呼称で呼んでいた。五世紀に、大寺派の注釈家、ブッダゴーサ(Buddhaghosa)が編纂した『清浄への道』(*Visuddhimagga*)では、この「マガダ語」こそが「一切衆生の根本言語」であると見なしている。『錯誤の一掃』(*Sammohavinodanī*)では、この「一切衆生の根本言語」について、おおよそ、このように説明している。

人は幼児のときに両親が語りかける言語を身につける。しかし、もし双方の話を聞かなければ、マガダ語を話すであろう。村から離れた大きな森林で生まれ、そこで人が話しているのを耳にしなければ、その者は、自己の本性によって言葉を起こし、マガダ語だけを話すだろう。人間界のみならず、地獄、畜生、餓鬼、天界においても、マガダ語が本来の言語であった。アンダカ語、タミル語などのマガダ語以外の言語は変化するが、高貴な者(聖者)の語法といわれるこのマガダ語のみは変化することがない。正自覚者も、三蔵から成るブッダの言葉を伝える場合は、マガダ語だけによって伝える。

上座部大寺派がこのような言語論を打ち立てたのは、この派が当時南アジアと東南アジアに展開していた仏典の「サンスクリット化」の流れに抵抗していたことを端的に示している。彼らにとって、仏説は「マガダ語」すなわちパーリ語で伝承されるべきであって、サンスクリット語によってではないのである。

ブッダゴーサは、解脱した聖者はパーリ語能力を必ず発揮すると主張する一方で、聖者である阿羅漢が第一結集で「全てのブッダの言葉」の構成と範囲を確定したと説き、「ブッダの言葉ならざるもの」(abuddhavacana)として大乗経典を挙げた。「全てのブッダの言葉」のリストに基づき、大寺派はパーリ仏典群を「三蔵」の「本文(Pali)／注釈

（Aṭṭhakathā）／注釈の注釈（Ṭīkā）」という枠で伝承し、大乗を異端に位置づけたのである。
大寺派がパーリ正典を確定し、大乗経典を斥《しりぞ》ける教理的根拠を作り上げた後も、サンスクリット仏典はインド本土からスリランカに渡ってきていた。同じスリランカの上座部でも、大寺派以外では、これらサンスクリット大乗経典は「ブッダの言葉」として受け入れられたのである。

大寺と同様、アヌラーダプラにある無畏山寺では、サンスクリット密教経典である『宝篋印経《ほうきょういんきょう》』と『金剛頂経《こんごうちょうきょう》』が用いられていた。七世紀の前半にインドを巡った玄奘によると、スリランカの上座部は二派あって、大寺が大乗を斥けているのに対し、「無畏山寺では大乗と小乗を兼学していた」（『大唐西域記』巻一一、大正蔵巻五一、九三四頁上）という。大寺や無畏山寺と並び称された祇多林寺でも、寺院跡から『二万五千頌般若経』の黄金写本が発見されており、サンスクリット大乗仏典を受容していたことは疑いない。

遺跡で確認された経典だけを見ても、『宝積経《ほうしゃくきょう》』（迦葉品《かしょうぼん》）のような初期大乗経典から、『二万五千頌般若経』のような中期大乗仏典、『宝篋印経』『金剛頂経』のような密教経典まで多様な文献が幅広く伝わっている。『大慈恩寺三蔵法師伝』によれば、スリランカには『瑜伽論』を理解する者たちがいたというから、この瑜伽行派の大部の論書も伝わっていたのだろう（『大慈恩寺三蔵法師伝』巻四、大正蔵巻五〇、二四一頁上）。

さらに、中世スリランカの遺跡から観音菩薩像や密教尊像などが数多く発見されている。南アジアと東南アジアを覆った「サンスクリット化」の波は、スリランカにも及んでいたのである。

大寺派は、こうした「サンスクリット化」に抵抗していた。大寺では、仏典をサンスクリット語へ書き換えることなく、大乗仏典を「ブッダの言葉ならざるもの」と見なして、排斥したからである。つまり、五世紀以降のスリランカでは、無畏山寺や祇多林寺を拠点とする大乗兼学の上座部と大寺を拠点とする反大乗の上座部とが並存・競合していた。こうした状況が一変するのは、一一世紀になってからである。

五、パーリ・コスモポリス

南インドでは、王家がシヴァ派を信奉するチョーラ朝が成立すると、スリランカへたびたび侵攻し、一〇一七年、ついにアヌラーダプラが陥落した。チョーラ朝が島の拠点をポロンナルワに移した結果、アヌラーダプラの大寺・無畏山寺・祇多林寺は壊滅的状況に陥った(7)。

その後、チョーラ朝の島内勢力を一掃して、スリランカを統一したヴィジャヤバーフ一世(Vijayabāhu I 在位一〇五五―一一一〇年)と再び分裂したスリランカを再統一したパラッカマバーフ一世(Parakkamabahu I 在位一一五三―八六年)は、貯水池を掘り、運河を開くなど、社会基盤を整備し、農耕や交易の発展に尽力した。二人の王の時代に、中世のスリランカは最盛期を迎える。

一二世紀末頃、おそくとも一三世紀前半に成立したスリランカの史書『小史』によれば、ヴィジャヤバーフ一世は正規の比丘が受戒儀礼に必要な人数を満たさなくなるほどに仏教教団が衰退したため、アヌルッダ王(アノーヤター王)治下のラーマンニャ国(現ミャンマー)に使節を派遣し、長老たちを招聘して仏教教団を復興したという(Gv ch. 60, vv. 4-8)。さらに『小史』によれば、パラッカマバーフ一世は、スリランカの統一とともに、出家教団の統一も成し遂げたという(Gv ch. 78, vv. 20-23)。それまで並存していた大寺と無畏山寺と祇多林寺という三派を「和合」させたのである。

『小史』で「和合」と呼ばれているその実態は、「大寺派」によって出家教団を統一したということである。パラッカマバーフ一世はまず大寺を和合させた。大寺で戒を守らない比丘(正式な出家修行者)を還俗させ、あるいは沙弥(比丘の見習い)に格下げした。そして、戒を守っている比丘のみを比丘として認めた。それに対して、「ブッダの言葉ならざる方広蔵（Vetullapiṭaka）など」（Cv ch. 78, v. 21）を仏説だと主張していた無畏山寺と祇多林寺の場合は、みな戒を守っていなかったという理由で、両寺の比丘全員を還俗させ、あるいは沙弥に格下げしたのである。「無畏山寺」と「祇多林寺」が仏説だと主張していたという「方広蔵」とは大乗経典を指すから、大乗排斥派である大寺による仏教教団の統一により、スリランカの仏教教団において大乗経典は「ブッダの言葉」として認められなくなったのである。その結果、大乗はスリランカ史の表舞台から姿を消してしまう。

パーリ・コスモポリスの成立で重要なのは、二人の王による仏教教団改革が起こったということ以上に、それが史書に掲載されたということである。仏教教団改革が王の偉業として明文化された結果、本来、出家者の自治組織だった仏教教団に対して王権が介入する方法が史書を通して東南アジア大陸部へ広まっていった。ちょうどこの時期、世界的な社会システムの変動を背景として、約一〇〇〇年の長きにわたって続いたサンスクリット・コスモポリスは終焉を迎えつつあった。

一一世紀から一二世紀にかけて、現在のアフガニスタンに興ったイスラーム王朝のガズナ朝やゴール朝がインドへ進出し、一三世紀以降、北インドでイスラーム王権が樹立する大きな契機となった。ガズナ朝やゴール朝ではペルシア語が官僚の公用語であったため、北インドを中心にペルシア語が次第に知識人の言語としての地位を獲得していくこととなる。

サンスクリット・コスモポリスの終焉とともに、インド仏教も衰退の一途を辿った。インド最後の仏教王朝、パーラ朝は一二世紀後半に滅び、かろうじて命脈を保っていたナーランダー、ヴィクラマシーラといった大僧院も一三世紀初頭にはゴール朝の遠征軍によって破壊され、インド本土における仏教の拠点が失われてしまう。

同じく一三世紀には、モンゴル帝国が大理国（今日の中国の雲南省）を征服して、さらにパガンに侵攻し、一三一一四世紀の東南アジア大陸部では新たな王権が次々と成立した。これら諸王権（ベトナムをのぞく）は、いずれも改革後のスリランカ仏教を導入していった。

ミャンマーでは、五、六世紀にパーリ仏典を伝承する仏教が伝わって仏教の主流を成したが、サンスクリット仏教も伝わっていた(Ray 1936)。一三世紀、モンゴル帝国の侵攻によりビルマ族の王朝パガン朝が衰退すると、モン族の王朝ペグー朝(ハムサワディー朝)がミャンマー南部で勃興し、海外交易に力を入れて一六世紀まで続いた。その後のミャンマー仏教史に決定的な役割を果たしたのは、このペグー朝の王ダンマゼーディー(Dhammazedi 在位一四七二—九二年)である(伊東 二〇〇一)。

ダンマゼーディー王はスリランカに出家者を派遣して大寺派の戒統で受戒させ、彼らがミャンマーに帰国すると、スリランカの地名にちなんで「カルヤーニー」と名付けた戒壇を設置し、彼らに多くの出家者を受戒させた。その後、このカルヤーニーの戒統によらねば正式の出家とは見なされなくなったため、この国ではすべての出家者がスリランカ、すなわち大寺派の戒統に属することになったのである。ダンマゼーディー王の改革は、明らかに『小史』に描かれた王による仏教教団の改革を模倣したものである。

また、一三世紀から一四世紀にかけて、タイ族がスコータイ朝、ラーンサーン朝、アユタヤ朝といったタイ系王朝を樹立していった。これらの王朝はみな一様にスリランカの仏教を導入していく。

タイ族最古の王朝スコータイ朝は、チャオプラヤー川上流にあるスコータイに都を置き、タイ北部で繁栄した。王国の最盛期を築いたラーマカムヘーン王(Ram Khamhaeng 在位一二七五頃—九九年頃)はスリランカからタイ南部に伝来して「ランカー派」と呼ばれる仏教を導入し、歴代の王はスリランカ由来の仏教を手厚く保護した。

スコータイ朝に少し遅れて成立し、タイ南部(現在のバンコク近郊)に都を置いたアユタヤ朝は、一四世紀から一八世紀まで続き(前期一三五一—一五六九年／後期一五九〇—一七六七年)、スコータイ朝を吸収して拡大した。この王朝では、一五世紀にミャンマーからカルヤーニー戒壇に由来する戒統を導入し、一八世紀にはスリランカから長老を招いて、大寺派に由来する伝統を尊重し続けた。このタイの仏教を直接的または間接的に導入したのが、カンボジアとラオスである。

カンボジアでは、九世紀以降、クメール朝の下、ヒンドゥー教とサンスクリット仏教が繁栄していたが、パーリ仏典を伝承するスリランカ由来の仏教がそれに取って代わっていった。一四世紀にはパーリ語の碑文が確認されるから、この時期までにパーリ仏典がもたらされていたと考えられる。ポスト・アンコール期になると、ますますスリランカ由来の仏教がタイから浸透していった。

ラオスでは、一四世紀の中頃にラーンサーン朝が成立し、分裂しつつも一八世紀初頭まで続いた。この王朝でもカンボジアやタイからスリランカ(つまり大寺派)の戒統を受けた長老が招かれ、彼らが伝えた仏教が王朝の保護・支援を受けて繁栄した。

このように、一三世紀から一五世紀にかけて、東南アジア大陸部の各王権は、次々と大寺派が大乗を斥けた後の仏教をスリランカから導入し、その後も出家教団の相互交流が続いた。スリランカからミャンマーへ伝えられ、そしてミャンマーからタイへ伝えられる場合がある一方で、逆に、タイやミャンマーからスリランカへ逆輸入される場合もあって、これらの地域では同じパーリ語の「教え」を伝承しているという認識が、少なくとも出家者や王により共有されていたのである。

各国では、民衆は国王に仏教を衰退から守る役割を期待し、国王は仏法を伝承する出家教団を支援する。出家教団の支援を通して仏教を維持することにより、国王は理想の王である「法王」(dhammarāja)として統治の正統性を得たのである。これが東南アジア史研究者の石井米雄が示した「上座部仏教国家」における国家と宗教の基本構造である(石井 一九七五：七〇—八三頁、一九九八：一五五—一五八頁)。

しかしながら、パーリ・コスモポリスにおける王権と出家教団の関係に影響を与えた『小史』という大寺派の正史では、国外に正統な仏教が存続していることを前提として仏教教団の改革が実現する。その点で、史書が示す構図は一国モデルではなく、多国モデルなのである。

加えて、石井が「仏教国家」と呼ぶアユタヤ朝などは交易に基盤を置く港市国家であり、主流派の仏教以外の信仰に寛容な政策が取られた。日本ではすでにキリシタン禁制が始まっていた一六三三年から四一年にアユタヤに滞在したオランダ人ファン・フリートは、アユタヤの人々が、キリスト教やムスリムに対して非常に温和な態度をとり、他宗教を攻撃したり、仏教を強制しないことに注目している(弘末 二〇〇四：四四頁)。

このようにパーリ語は多様な民族と多様な信仰が共存する国際空間において聖なる言葉の地位を獲得したのであって、一国モデルに収斂すべきものではない。「上座部仏教国家」が多数あると捉えるよりも、「パーリ・コスモポリス」として捉えるべき所以である。

パーリ語は、政治的発話や世俗の文学にも用いられたサンスクリット語とは異なり、あくまで仏典言語にとどまった。パーリ語こそが、生きとし生ける者の本来の言語であり、ゴータマ・ブッダが語った言葉であり、仏典伝承にふさわしい唯一の言語であるという理念の下、スリランカと東南アジア大陸部では、膨大なパーリ仏典群とその思想が共有された。この理念には、パーリ語が他のいかなる言葉よりも内発的な言葉となるほどに、修行者はパーリ仏典の学習、記憶、実践を通して仏典の言葉を内面化すべきだという主張が込められている。パーリ・コスモポリスでは、仏教の諸実践がパーリ語を中核としているのである。

パーリ・コスモポリスが経済的に依拠した環ベンガル湾地域は、一五世紀から一七世紀にわたる大交易時代に、東西交易の中核として活況を呈することとなる(Reid 1988, 1993)。近代には、タイを除く各国が西欧諸国により植民地化されて、パーリ・コスモポリスは消滅してしまう。しかし、パーリ仏典が唱えられ、書写され、学ばれるという、今に生きる仏教の伝統を通して、パーリ・コスモポリスは、スリランカと東南アジア大陸部の言語文化に共通性を与え続けている。

注

(1) 拙著『仏教の正統と異端——パーリ・コスモポリスの成立』(東京大学出版会、二〇二二年)の第三章と第八章には、本稿と同じ骨子をもとにした文章が一部含まれているが、前者は単行本用に、後者は岩波講座用に整え、修正したものである。

(2) アシュヴァゴーシャが属した部派については、広い意味で説一切有部という点で研究者の意見はほぼ一致しつつある。さらに、近年、チベットに伝えられた『三啓集』梵文貝葉写本がアシュヴァゴーシャの説一切有部所属に言及することが明らかにされた(松田 二〇二一:六五頁)。

(3) 『根本説一切有部律』は大部のテクスト群の総称であって、漢訳でもチベット訳でも単独のテクストとして訳されていない。また義浄訳では「律」ではなく「毘奈耶」と音写される。しかし、漢訳・チベット訳「雑事」で説かれる第一結集の説話では一本の律として扱っていたことがうかがわれるため、そして研究者以外にも律文献だと理解してもらうため、本書ではあえてかぎ括弧で『根本説一切有部律』と表記した。

(4) 多くの大乗論書が「方広」と「菩薩蔵」を同じジャンルとして結びつけている(Pagel 1995: 11; 高橋 二〇一六)。

(5) 『八千頌般若経』の漢訳『道行般若経』にはmahāyānaを原語とする「摩訶衍」(大正蔵巻八、四二七頁下二九)の語が認められる。

(6) 五世紀に入ると、君主国家が各地に拡散するとともに、新たな都市の激増、土地を所有して農村経済を促進する寺院の増加、農村の拡大が起こり、それらの結果として社会の文化的・宗教的な融合が進んだことがシヴァ派の成立を促した(Sanderson 2009: 252-254)。

(7) 第五節はとくに馬場(二〇一七)を踏まえている。

参考文献

青山亨(二〇一二)「サンスクリット化」『新アジア仏教史4 スリランカ・東南アジア 静と動の仏教』佼成出版社。

石井和子(一九九四)「ジャワの王権」『変わる東南アジア史像』山川出版社。

石井米雄（一九七五）『上座部仏教の政治社会学』創文社。

石井米雄（一九九八）「上座仏教と国家形成」『岩波講座 世界歴史13 東アジア・東南アジア伝統社会の形成 一六―一八世紀』岩波書店。

伊東利勝（二〇〇一）「エーヤーワディ流域における南伝上座仏教政治体制の確立」『岩波講座 東南アジア史2 東南アジア古代国家の成立と展開』岩波書店。

井上文則（二〇二一）「三世紀の危機とシルクロード交易の盛衰」『岩波講座 世界歴史3 ローマ帝国と西アジア 前三～七世紀』岩波書店。

伊原照蓮（一九七四）「四無礙解について――弁無礙解の検討」『智山学報』二三／二四巻。

岩尾一史（二〇一〇）「古代王朝時代の諸相」『新アジア仏教史9 チベット 須弥山の仏教世界』佼成出版社。

石上和敬（二〇〇〇a）「一音説法の諸相（部派史料編）」『印度学仏教学研究』四八巻二号。

石上和敬（二〇〇〇b）「一音説法の展開」『武蔵野女子大学仏教文化研究所紀要』一七号。

石上和敬（二〇〇一）「一音説法の諸相（大乗仏典編）」『江島恵教博士追悼記念論集 空と実在』春秋社。

石上和敬（二〇〇二）「〈悲華経〉に見られる一音説法について」『木村清孝博士還暦記念論集 東アジア仏教――その成立と展開』春秋社。

王俊淇（二〇一七）『*Prasannapadā* 第25章の研究』東京大学大学院人文社会系研究科博士論文（https://repository.dl.itc.u-tokyo.ac.jp/records/52713）。

奥平龍二（一九九四）「上座仏教国家」『変わる東南アジア史像』山川出版社。

桂紹隆・五島清隆（二〇一六）『龍樹『根本中頌』を読む』春秋社。

加藤純章（一九八九）『経量部の研究』春秋社。

古坂紘一（一九八五）「四無礙解について」『印度学仏教学研究』三四巻一号。

小林知・吉田香世子（二〇一一）「カンボジアとラオスの仏教」『新アジア仏教史4 スリランカ・東南アジア 静と動の仏教』佼成出版社。

大正蔵＝大正新修大蔵経。

高橋晃一（二〇一六）「『菩薩地』における菩薩蔵（bodhisattvapiṭaka）の位置づけ」『インド哲学仏教学研究』二四号。

種村隆元（二〇一〇）「密教の出現と展開」『新アジア仏教史2　インドⅡ　仏教の形成と展開』佼成出版社。

種村隆元（二〇一三）「密教とシヴァ教」『シリーズ大乗仏教10　大乗仏教のアジア』春秋社。

種村隆元（二〇一九）「密教と顕教」『仏教文化』五八号。

中野定男・中野里美・中野美代訳（一九八六）『プリニウスの博物誌』第1巻、雄山閣出版。

西村実則（二〇一七）『仏教とサンスクリット』山喜房仏書林。

馬場紀寿（二〇一五）「上座部大寺派のパーリ語主義」『パーリ学仏教文化学』二九号。

馬場紀寿（二〇一七）「パーリ仏典圏の形成――スリランカから東南アジアへ」『仏教文明の転回と表現　文字・言語・造形と思想』勉誠出版。

馬場紀寿（二〇一八）『初期仏教――ブッダの思想をたどる』岩波新書。

弘末雅士（二〇〇四）『東南アジアの港市世界――地域社会の形成と世界秩序』岩波書店。

松田和信（二〇一二）「不浄観を説く中阿含一三九経――三啓集から回収された梵文テクストと和訳」『仏教学会紀要』一六号。

松長恵史（二〇一九）「インドネシアにおける密教の展開」『アジア仏教美術論集　東南アジア』中央公論美術出版。

丸橋充拓（二〇二〇）『シリーズ中国の歴史②　江南の発展――南宋まで』岩波新書。

森祖道（二〇一一）「上座部仏教教団の相互支援と交流」『新アジア仏教史4　スリランカ・東南アジア　静と動の仏教』佼成出版社。

森祖道（二〇一五）『スリランカの大乗仏教――文献・碑文・美術による解明』大蔵出版。

Assavavirulhakarn, Prapod (2010), *The Ascendancy of Theravāda Buddhism in Southeast Asia*, Chiang Mai: Silkworm Books.

Cv: *Cūlavaṃsa, being the more recent part of the Mahāvaṃsa*, ed. by W. Geiger, 1925-1927, London: Pali Text Society; repr., 1980, London: Pali Text Society.

Eltschinger, Vincent (2012), "Aśvaghoṣa and His Canonical Sources II: Yaśas, the Kāśyapa brothers and the Buddha's Arrival in Rājagṛha (*Buddhacarita* 16.3-71)", *Journal of the International Association of Buddhist Studies* 35.1, 2.

Eltschinger, Vincent (2013), "Aśvaghoṣa and His Canonical Sources I: Preaching Selflessness to King Bimbisāra and the Magadhans (*Buddhacarita* 16.73-93)", *Journal of Indian Philosophy* 41.

von Hinüber, Oskar (1994), "The Oldest Literary Language of Buddhism", *Selected Papers on Pāli Studies*, Oxford: Pali Text Society.

Karashima, Seishi (2015), "Who Composed the Mahāyāna Scriptures?: the Mahāsāṃghikas and Vaitulya Scriptures", *Annual Report of the International Research Institute for Advanced Buddhology at Soka University* 18.

Pagel, Ulrich (1995), *The Bodhisattvapiṭaka*, Tring: Institute of Buddhist Studies.

Pollock, Sheldon (1996), "The Sanskrit Cosmopolis, 300-1300: Transculturation, Vernacularization, and the Question of Ideology", *Ideology and Status of Sanskrit: Contribution to the History of the Sanskrit Language*, Leiden: E. J. Brill, Brill's Indological Library.

Pollock, Sheldon (2006), *The Language of the Gods in the World of Men: Sanskrit, Culture, and Power in Premodern India*, Berkeley/Los Angeles/London: University of California Press.

Ray, Niharranjan (1936), *Sanskrit Buddhism in Burma*, Leiden; repr., Bangkok: Orchid Press, 2002.

Reid, Anthony (1988), *Southeast Asia in the Age of Commerce 1450-1680*, London: Yale University Press, volume 1.（平野秀秋・田中優子訳、アンソニー・リード『大航海時代の東南アジア』第一巻、法政大学出版局、一九九七年）

Reid, Anthony (1993), *ibid.*, volume 2.（平野秀秋・田中優子訳、同上、第二巻、法政大学出版局、二〇〇二年）

Sanderson, Alexis (2009), "The Śaiva Age: The Rise and Dominance of Śaivism during the Early Medieval Period", *Genesis and Development of Tantrism*, Tokyo: University of Tokyo, Institute of Oriental Culture.

Sen, Tansen (2003), *Buddhism, Diplomacy, and Trade: The Realignment of Sino-Indian Relations, 600-1400*, Honolulu: University of Hawaii Press.

Terwiel, Barend Jan (2010), *The Ram Khamhaeng Inscription: The Fake That did not Come True*, Gossenberg: Ostasien Verlag.

Zürcher, Erick (2002), "Tiding from the South: Chinese Court Buddhism and Overseas Relations in the Fifth Century CE", *A Life Journey to the East*, Kyoto: Italian School of East Asian Studies; repr., *Buddhism in China: Collected Papers of Erick Zürcher*, Leiden/Boston: Brill, 2013.

コラム｜*Column*

バガン王国と仏塔

伊東利勝

大河エーヤーワディーのほとり、東南アジア三大仏教遺跡の一つに数えられるバガン(パガン)。はるかダユイン連山を望むペディメントに、三千五百余の仏塔(cetī)や窟院(kū)、寺院(kloṅ)などが今も残る。一一世紀から一三世紀にかけ、積み上げた煉瓦に漆喰が塗られ、壮大な宗教施設が建設された。

仏塔はいわゆるパゴダで、窟院は塔の形をしているが、基壇のお堂には釈尊の像が安置されている。僧院はこれらと異なり、出家が修行し、年少者に対する教育の場でもある。

王権の正統性や世の中の仕組みは、仏教的世界観で説明され、庶民の道徳・倫理もこれとの関連で語られた。仏塔や窟院の建設が重視されたのは、権力がマウリヤ王国アショーカ王の事績にあやかりたかったからであろう。

信仰の手段として、その荘厳さを示すため、意匠が最新の技術でバージョンアップされ続けている。だから二〇一九年になるまで、世界遺産に認定されなかった。文化財となるためには、建物が空虚な抜け殻で、過去の栄光を偲ばせるだけのものになっていなければならないからである。

こうした、いわば公共財といえるものは、国王や王族、高官(sampyaṅ)、富豪(sūkrway)などによって、涅槃に至りたい、来世において弥勒仏の知遇を得たいという願いのもと、私財をはたいて建立された。

また維持管理修復のため、農地や労働力を寄進した施主もいる。田畑から徴収されていた地代や税金は、耕作者もろとも宗教施設の所有となった。

功徳を積んだ証は、はじめはモン語、一二世紀後半以降はビルマ語で石碑に刻まれた。あるものには、建設費用の明細、寄進された土地の場所・種類・広さ、作物、地代や税金の額、耕作人や芸人の名前などが記されており、興味深い。

より良き境遇に転生し、ついには輪廻の苦しみを断ち切る。そのためには蓄積した富を消費して、功徳を積まなければならない。仏教のみならず、すべからく宗教は、死に対する恐怖を利用して、金品を放出し、欲望を断ち切れと説く。

生産力の低い乾燥地にありながら、二五〇年にわたって権力の中心であり続けたのは、バガンが流域地方における物流ネットワークの中心となっていたからである。

王都は、上流のチャウセー、下流にあってはミンブーという大規模灌漑稲作地帯の中間に位置した。また周辺の広大な氾濫原では、乾季にマイン米(春米)が栽培され、食糧の心配はない。その上、北西部に発するチンドウィン川の流入点に近く、一年をとおして流路が安定し勾配の少ない場所に築かれた河川港でもあった。

バガンの仏教遺跡(2005 年撮影)

流域地方は、すでに五世紀、南インドとの通交が指摘でき、それは流通していた銀貨のマークや仏像・神像の様式に示されている。加えてバガンは、北中部タイからベンガル湾への出口タトン地方もおさえた。

スリランカで確立していたマハーヴィハーラ系仏教が一二世紀以降導入され、教学研究も盛んになる。ただこの地方が清浄なる(上座部)仏教一辺倒になるのは、一五世紀、南部にハムサワディー王国が成立するのを待たねばならない。

大規模な建造物群は王都バガンのみに展開した。支配域を有機的に組み合わせ、富と権力が一極に集中するシステムを作りあげたからであろう。これには乾燥地でしか再生産できない騎馬隊という機動力を有したこともおおきく与ったに違いない。

これ以前、ピュー(pyū 驃)の時代(一—一〇世紀)には自己完結的な城郭都市が点在し、後のピンヤ・インワ時代(一四—一六世紀)になると、各地に城市(mruiw)権力が成立する。地方の富はその地で消費されるようになり、バガンを中心とする徴税・物流ネットワークは崩壊した。

また皮肉なことに、バガン王室が率先垂範した積徳行為は、自己の経済基盤を掘り崩す。寄進によって土地も労働力も王室の支配から離れてしまうからである。一三世紀にはいると、王室は、寺領地の規模を厳しくチェックするようになった。

そもそも宗教施設は消費の最終形態で、そこに財がいくら投下されても、利潤を生みださない。ただ壮大な仏塔や窟院、寺院の建設は、資材や労働力、技術に対する需要を生みだす。この過程で、支配階級や地主・大商人など、一部のもとに集中していた富が再配分され、kywan(「奴隷」)にかわり asañ(平民)という言葉による新しい階層も生成する。

もちろん徴税、宗教施設の造営事業や儀礼での消費を通してまた新たな富の集積がおこる。しかし、人間に良心の呵責や、死後の安寧を願う思いがある限り、積徳という回路を通って、富は限りなく配分され続けていく。

収奪した富をもっぱら心の平安にたいする投資に振り向け、政治権力や収奪機構の強化に投下しつづけなかったことが王室権力の脆弱性をもたらしたというべきであろう。

問題群｜Inquiry

南アジアにおけるムスリムの活動とイスラームの展開

二宮文子

はじめに

本稿は、一一—一五世紀を中心に、南アジアにおけるムスリムの活動と、ムスリムが南アジアに定着したことによる社会の変化を扱う。この時代は、デリー・サルタナトをはじめ、ムスリムを君主に戴き支配層の主体がムスリムである王朝の勢力が強まり、南アジアにおけるムスリムの政治的プレゼンスが高まった時期である。社会的には、村落共同体や地域共同体の維持・再生産に必要な職分を担う集団が、生産物に対して世襲的な取り分を持ち生業を営む職分権体制（世襲的家産・家職体制）が基盤となっていた。取り分権はミーラース（南インド）、ワタン（西インド）などアラビア語・ペルシア語起源の単語で表現されることも多く、職分権体制の発達と、ムスリムが持ち込んだ諸制度が在地社会に組み込まれる過程が並行していたことが窺われる（小谷 二〇一〇：二一六—二一七頁）。

南アジア、特にガンジス川流域は多くの人口を支える力を持ち、周辺地域から人口が流入する傾向があるが、このような人口流入は特定の歴史的要因で活性化することがある。一一世紀から一二世紀にかけてのムスリムの南アジアへの流入は、より長い時代にわたるテュルク系民族の西方への移動と連動した動きであり、西アジアや中央アジア出身の集団が南アジアに進出するという、古代から一八世紀まで見られたパターンを踏襲している。また、このテュルク系民族の移動を、西暦一〇〇〇年前後の気候変化を背景とした社会変化の一部とする議論もある。この時期の温暖化によって、西アジア・中央アジアから西北インド、グジャラート地方、デカン高原にかけての乾燥・半乾燥地帯と、その周辺の定住農耕地帯それぞれに拠る社会集団の交流が活発化し、両者が連結して国家形成が促進されたというものである(三田 二〇一三:四一―四二頁)。デリー・サルタナトはこのようなユーラシア規模の歴史的変動の中で成立したが、一方でモンゴルによる征服を免れたため、一三世紀のユーラシアに大きな変革をもたらしたモンゴル帝国下の政治・経済の発展に直接結びついたのは一三世紀の最末期であった。また、一四世紀の南アジアではモンスーンの不安定化や降水量の減少、軍隊内での疫病(病原体は特定されていない)の発生が記録されているが、これらの事象といわゆる「一四世紀の危機」との関連の検討は未だ進んでいない。

一一世紀以降に南アジアに進出したテュルク系遊牧民はイスラームを奉じ、また、西アジア・中央アジアで発達してきた国家運営の技術とペルシア語文化を身につけた人々に行政面で支えられていた。これらの人々をはじめとするムスリムが南アジアにもたらしたものは宗教だけではなく、デリー・サルタナト時代には、行政や軍事に関わる制度、さらに灌漑用の水車、製紙法、紡織、建築におけるモルタルの利用など様々な制度や技術が発達している。文化面でも新しい潮流が現れ、とくに歴史研究においては、ペルシア語文化の導入によって、従来の銅板文書や碑文に加えて王朝史を叙述する史料が増加した点も大きな変化である。このような技術や文化の一部は、王朝や宗派の違いを超えて南アジアに広まった。一四世紀初めから南インドを支配したヴィジャヤナガル王国は、「ヒンドゥーの王たちのスルターン」という称号を用い、さらに宮廷文化や軍事制度などにおいてデリー・サルタナトやインド洋海域世界からの影響を受けていた(Wagoner 1996: 861-864; 2002: 316-319)。一四世紀から一六世紀にかけてのデカンにおける文化的接触・交流を、ペルシア語文化とサンスクリット語文化の接触・交流と捉え、両文化の併存や重層関係を分析する研究も見られる(Eaton and Wagoner 2014: 18-20, 32)。非ムスリムも含む南アジア社会にムスリムがもたらした変化を理解するためには、ムスリムの政治的拡大以外の側面にも目を向ける必要がある。本稿では、政治史だけではなく社会・文化に関する記述に分量を割き、また、非ムスリムのムスリム認識を示すことによって、この時代の社会の様相や、単純な対立や支配・被支配に留まらないムスリムと非ムスリムの交流・相互関係を、より具体的に幅広く示したい。(1)

一、ムスリムの南アジア進出とムスリム王朝の展開

南アジアへのムスリム進出の第一波は、イスラーム初期におけるアラブ・ムスリム勢力の軍事的・経済的活動の拡大の一環と位置付けることができる。ムスリムは、インド洋の「海の道」を利用して南アジアに進出した。この動きを代表する出来事が、八世紀初頭のスィンド征服である(七一一―七一三年)。ムスリムの支配下に入ったスィンド地方は、アラビア半島からインド西岸、ベンガル湾、東南アジア、中国南部の広州を繋ぐ交易ネットワークの一部として繁栄した。このような経済的発展の一方で、スィンド地方におけるムスリムの政治的プレゼンスは大きく広がることはなく、南アジア史全体には大きな影響を与えなかった(稲葉 二〇〇〇)。

一一世紀には、中央アジア、イラン方面からアフガニスタンの山岳部を抜けて南アジアに至るルートを通したムスリムの進出が本格化した。アフガニスタンに拠点を置いたガズナ朝は、一〇世紀末から一一世紀にかけて南アジアへの侵攻を繰り返し、一一世紀半ばにはパンジャーブ地方を支配下において一一六〇年頃にラホールに遷都した。一一九二年にゴール朝のムイッズッディーンがチャーハマーナ朝のプリトヴィーラージャ三世を破り、南アジア内陸部におけるムスリムの勢力圏は、パンジャーブ地方を超えて急速に拡大した。ゴール朝勢力は北インドを中心に征服活動

を行い、東方ではビハール地方やベンガル地方まで到達した。一二〇六年にムイッズッディーンが没すると、彼に仕えていたテュルク系ムスリムの武将たちが北インドで相次いで独立した。デリーに本拠地を置いたクトゥブッディーン・アイバク(アイベグ、在位一二〇六―一〇年)は、ライバルへの対抗のためラホールで即位している。彼の時代からローディー朝(一四五一―一五二六年)までの間にデリーを根拠としたムスリム政権は、君主がスルタンを称したことからデリー・サルタナトと総称される。アイバクの跡を継いだ奴隷軍人シャムスッディーン・イルトゥトゥミシュ(在位一二一〇―三六年)の時代に、ホラズム・シャー朝とモンゴルの軍勢が相次いでインド北西部に侵入したことでライバルたちの勢力が弱まり、イルトゥトゥミシュが北インドの覇権を握った。さらにイルトゥトゥミシュは一二二九年にアッバース朝カリフから北インドのスルタンと認められ、アッバース朝カリフとの関係は南アジアのムスリム王朝にとって大きな政治的意味を持つようになる。一方、モンゴル配下の勢力はアフガニスタンにとどまり続け、一四世紀に至るまでインド北西部にたびたび侵入したため、北西部の防衛はデリー・サルタナトにとって優先すべき軍事的課題となった。

イルトゥトゥミシュによって確立されたデリー・サルタナトは、一二三〇/三一年のベンガル遠征などを通して徐々に勢力を拡大した。イルトゥトゥミシュの子孫を廃して即位したギヤースッディーン・バルバン(バラバン、在位一二六六―八七年)は、北西方面に長男を配して対モンゴル勢力への防備を固めるとともに、ベンガル地方を再征服して次男を総督に任じ、北インドの領土支配を強めている。続くハルジー朝(一二九〇―一三二〇年)の時代、デリー・サルタナトの勢力圏は飛躍的に拡大した。ハルジー朝第二代スルタン、アラーウッディーン(在位一二九六―一三一六年)が一二九九年にグジャラート地方を征服したことによって、デリー・サルタナトは、モンゴル帝国下で活発化した海洋交易のネットワークに直接接合された。また、デリー軍は中部インドのマールワー地方(一三〇五年)、続いてデカンのヤーダヴァ朝(一三〇七年)、カーカティーヤ朝(一三〇九―一〇年)を攻め、南インドのマアバル地方まで侵攻した(一三一一年)。ハルジー朝の時代にはデカン以南の地域は直接支配の対象にはされず、敗北した王たちはデリーに連行されたのちに従属的な君主として元の領土に戻されたが、この征服活動によってデカン・南インドの在来王朝は弱体化し、トゥグルク朝やヴィジャヤナガル王国によって滅ぼされることになる。デリー・サルタナトによる一三世紀末から一四世紀初頭の征服活動は中部・南部インドの勢力図と政治文化に変革をもたらし、新興勢力の台頭を促したのである。また、アラーウッディーンはデリーからの征服者の象徴となり、多くの文学作品に登場している(Sreenivasan 2002)。

ハルジー朝に続くトゥグルク朝(一三二〇―一四一三年)の第二代スルタン、ムハンマド・トゥグルク(在位一三二四/二五―五一年)の治世に、デリー・サルタナトは南アジアの最南端を除く地域を支配下に入れた。彼の治世はデリー・サルタナトの最盛期と言える。しかし、ムハンマド・トゥグルクの治世後半には拡大した領土の各地で反乱が起こり、デカンのバフマニー朝など独立する勢力も現れた。また、北インドにおける銀不足が原因で銀貨発行量が激減し、さらに一三三〇―四〇年代にはデリー周辺で天候不良による飢饉が発生するなど、政情不安だけではなく経済的な危機も生じている。次のスルタン、フィールーズ・シャー(在位一三五一―八八年)の治世には、内政は比較的安定していたが、トゥグルク朝の版図は大幅に縮小した。そして、フィールーズ・シャー没後に発生した内乱の最中、一三九八/九九年にティムール軍の侵攻を受けてトゥグルク朝は崩壊した。

一五世紀から一六世紀にデリーを首都としたサイイド朝(一四一四―五一年)とローディー朝は、この時代に各地に成立した、ムスリムを君主とする地方王朝の一つと位置付けるのが妥当である。東のジャウンプルと西のグジャラート地方ではトゥグルク朝が派遣した総督が一四世紀の末に独立し、一五世紀の末にはデカン地方のバフマニー朝から五つの王朝が相次いで成立した。カシミールやベンガル地方では、一四世紀の半ばから一六世紀の終わりまで独立王朝が存続した。一四世紀半ばには、コロマンデル海岸(マアバル地方)やモルディヴにもムスリムの王朝が成立している。

これらの地方王朝のもとで、地域独自の社会や文化が発展していったのである[2]。

二、デリー・サルタナト時代のムスリム社会とイスラーム

南アジアに移住したムスリムは、数世代を経て、南アジア外のルーツを意識すると同時に南アジアを故郷と認識する集団へと変質していった。スィンド地方やパンジャーブ地方には、デリー・サルタナト成立前からムスリムが定住しており、一四世紀半ばにおいても、八世紀のスィンド征服時に同地に移り住んだアラブ系ムスリムの子孫を称する人々が見られる。インド洋沿岸部にもデリー・サルタナトの進出前からムスリムコミュニティが存在しており、内陸部とは異なる社会や文化が発達していた。グジャラート地方のモスクなどに残るバイリンガル碑文[3]からは、マイノリティであったムスリムが現地の様々な勢力と関係を結び交渉していた様子が窺える(稲葉 二〇〇七：八四―八七頁、Patel 2004: 48-51; Sheikh 2014)。デリー・サルタナト最初期の中心的な集団は、主にテュルク系の軍人と、行政を担ったペルシア語使用者であった。北インドにムスリム支配の拠点が築かれると、一二一〇年代末からのモンゴルの侵攻もあり、多くのムスリムが南アジアに移住するようになった[4]。この時期の移住者には、一二二〇年頃にナスィールッディーン・クバーチャ(一二二八年没)支配下のウッチュに移住したブハラ出身のアウフィー(『物語集』*Jawāmiʿ al-hikāyāt* 作者)、一二二七年にアフガニスタンのフィールーズクーフからウッチュに移住したジューズジャーニー(『ナースィル史話』*Tabaqāt-i nāsirī* 作者)などがいる。一三世紀後半には、アフガン系やモンゴル系の人々がまとまって流入し、新たな軍事力となった。モンゴル系の人々は新規改宗者であり、「新ムスリム」と呼ばれている(Kumar 2007: 314-316)。また、ハルジー朝やトゥグルク朝期におけるデリー・サルタナトの勢力圏の拡大、さらに一四世紀末のティムールのインド侵攻によって、北西インドやデリー周辺に定着していたムスリムが南方や東方へと移住する新たな動きが生じ

ている。トゥグルク朝期、特にムハンマド・トゥグルク時代には、インドでの成功を目論んで一時滞在するムスリムも多かった。なお、アラビア半島やアフリカ、イランからは、インド洋やペルシア湾の海洋ルートによって多様な人々が継続的に南アジアに流入していた。一四世紀半ばの南インドを旅したイブン・バットゥータは、非ムスリムの支配下にあったマラバール地方に、バーレーンやイラク、イランのカズウィーンなど多様な地域出身のムスリムが居住しており、北インドのムスリムとは異なる文化や風俗を持っていたことや、マイソール地方のホイサラ朝が二万人ほどのムスリム兵士を抱えていたことを記している(イブン・バットゥータ：六巻 一〇八―一一〇、一二七、一三五、三二六頁)。イランから流入したテュルク系やイラン系の集団は、特に一五世紀以降のデカンにおいて政治的・社会的に大きな働きをした(本巻和田論文参照)。さらに、デリー・サルタナト下では、南アジア出身の改宗ムスリムも徐々に増加していたと推察される。このように、南アジアのムスリム社会は、異なるルーツを持つ多様な人々から構成されていた。また、この時代の南アジアにはムスリムにとってのフロンティアが絶えず存在しており、移住も多く流動性の高い状態であった。

ムスリムが南アジアにもたらした制度や思想が南アジア社会に定着した過程については、この時代の史料的限界もあり、十分に解明されているとは言い難い。例えば、デリー・サルタナトの行政制度が都市部以外の地域に浸透した時期について、従来はアラーウッディーンによる税制・軍制改革のインパクトが重視されてきたが、近年デリー・サルタナト初期史の見直しを進めたクマールは、イルトゥトゥミシュ没後の政争の中で、デリー周辺に配されていた貴族とその領地の関係が深まり、在地勢力との間に同盟関係が築かれた結果、社会に変化が訪れたと論じている(Kumar 2007: 282-286, 297-298)。殊に、「イスラーム化」と総称される、南アジアにイスラームが定着する過程については、当該時代地域の社会環境や政治状況など様々な要因が関係する事象であり、改宗や移住によるムスリム人口の増加、ムスリムが地域社会に組み込まれる過程、南アジア固有のイスラーム思想や文化の発展などの具体的な事例についての研究の積み重ねが待たれる。また、イスラーム化によってそれまでの思想や生活様式が完全に変わってしまい、従来の信仰の対象がすぐに排除されるというわけではない。改宗に伴う世界観の変化について、ベンガル地方におけるイスラーム化の歴史的過程を分析したイートンは、多神教の世界観から一神教の世界観への漸進的な変化を、包摂、同一化、置き換えという段階に分けて論じている(Eaton 1993: 302)。

イスラームが南アジアに定着する過程においては、スーフィーが宗教者として重要な働きをしたとされている。修行を通して神との合一を目指すスーフィズムは、九世紀頃から神秘体験や修行法の理論化と体系化が進み、一二世紀にはスンナ派における正統な宗教的営為の一部と認められた。この頃に、有名な導師(シャイフ、ピール)に発する系譜(スィルスィラ、シャジャラ)を共有する教団(タリーカ)の形成も始まった。また、高い階梯に達したとされる導師は聖者として人々の崇敬を集め、その墓廟(ダルガー)は参詣地となった。絶えず移住が生じていたデリー・サルタナト期のムスリム社会において、スーフィー導師は各地に新しく成立したムスリムコミュニティの信仰を支える存在となり、スーフィーの修行場や聖者廟は教団の活動拠点だけでなく、地域の経済活動や独自の文化形成の拠点ともなった。とくに修行法においては、ハタ・ヨーガとの接近が指摘されている(榊 二〇〇〇)。地域に根ざしたスーフィー導師や教団との師弟関係は当該地域の地縁を構成する要素でもあり、移住者が多いこの時代のムスリムにとっては、移住元あるいは移住先と縁が深い導師や教団との師弟関係は特に高い社会的価値を持った。一方、スーフィーの手による改宗については、デリー・サルタナト時代の史料に見られる事例は個人的なものが多く、当時の社会に与えた影響の評価は難しい。パンジャーブ地方には、一三世紀の高名なスーフィー聖者、ファリードッディーンによって改宗したと主張するカースト集団が存在するが、そのような改宗は聖者本人の手によるものというよりも、その聖者の廟の代々の導師と各集団との間の長期間にわたる師弟関係、ひいては社会的・経済的関係を通して徐々に進行したものであり、これらの集団内でのムスリム人口の増加が史料上明確に跡付けられるのは一六世紀以降だとする分析もある(Eaton

1984)。なお、スーフィズムで発展した聖者論や師弟関係の枠組みは、宗派を超えて様々な聖者に適用され、イスラームの要素が含まれる民間信仰の成立にも寄与した。南アジアで広く見られる民間信仰として、「パンチュ・ピール」と呼ばれる五人の聖者を崇めるものがある。これら五人の聖者には、預言者ムハンマドの孫ハサンやフサイン、ムスリム殉教者サーラール・マスウード、ヒンドゥー教の神格や聖者など多様な組み合わせがある。また、ラージャスターン地方では、イスマーイール派の分派ニザール派が、ラームデーヴ・ピールとよばれるバクティの聖者を奉じる信仰と混淆した宗派が見られる(Khan 1997)。このような民間信仰においては、しばしば聖者がピールと呼ばれており、スーフィズムの聖者論やスーフィー聖者のイメージが多様な階層の人々に共有され、さまざまな信仰実践に理論的背景を提供していたことが窺える。

三、デリー・サルタナト支配と非ムスリム

一般に、ムスリムと非ムスリムが併存する社会をムスリムが支配する場合、様々な局面でムスリムが優遇され非ムスリムが差別されると考えられがちである。ただし、デリー・サルタナト支配下におけるムスリムの特権や非ムスリムの立場を分析する際には、史料中で理想として掲げられるイスラームに基づく政治や社会と、実際の政治や社会の描写との差異に注意するべきであり、ムスリム・非ムスリムそれぞれの社会状況や多様性も把握しておく必要がある。デリー・サルタナト時代のムスリムの多くはデリーなどの都市、あるいは地方行政の拠点とされた村やまち(カスバ)に居住しており、農村部の人口の大部分は非ムスリムであった。従って、史料の中でムスリムと「異教徒」の違いとして記述されている事象は、実際には都市部と農村部の違いに帰されるものという場合も多い。トゥグルク朝時代の文人バラニーは、アラーウッディーンの税制改革によってヒンドゥーが困窮したと記している。アラーウッディーン

の政策は非ムスリムの圧迫を目的としたものではなかったが、農村部を対象とした税制改革は、必然的にその主な住人である非ムスリムにより大きな影響を与えたのである(Barani: 287-288)。また、一部の非ムスリムは旅の途上などでムスリムを襲撃する危険な存在として認識されており、実際に、イブン・バットゥータは異教徒の一団に襲われた経験や異教徒による地方都市の襲撃について記している。同時に、これらの異教徒はしばしば山岳や森林などに住む勢力であるとされている。このような「異教徒」とムスリムの対立の背景には、単なる宗教の違いではなく、定住農耕社会とその周縁に位置する諸集団との文化的差異や対立関係という、南アジアに一般的な社会構造が存在している可能性が高い(イブン・バットゥータ：四巻 三〇八頁、五巻 三一一頁、七巻 二一頁、二宮 二〇一五：六四―六五頁)。

多くの非ムスリムにとって、奴隷や捕虜となりスルタンなど有力者に仕えることは、デリー・サルタナトでの経歴のスタートとなった。有力者が奴隷や捕虜に個人的な保護を与え、出自にかかわらず能力や個人的関係に基づいて地位を向上させる体制は、イスラーム初期以来の伝統である。改宗を前提としてはいるが、多様な人々を支配層として受け入れる仕組みは、デリー・サルタナトが南アジアの他勢力に比して豊富な人材を確保することに寄与したと言えるだろう。史料に個人名が記されるほどの高位の人物は改宗者が多いが、改宗せずに、自由身分のままデリー・サルタナトに仕える非ムスリムももちろん存在した。ガズナ朝やアイバクの時代から、スルタンの軍にはラーイやラーナーと呼ばれる在地有力者とその手勢が多数含まれており、バルバン治世以降はパーイクと呼ばれるヒンドゥーの歩兵部隊も見られる(Leclère 2011: 189-190)。スルタン・ムハンマド・トゥグルクは、ヨーガの行者を身近に置いていた(イブン・バットゥータ：六巻 三九―四一頁)。さらに、農村地帯での徴税業務において欠かせない存在である在地有力者のほとんどは非ムスリムであったと考えられる。デリー・サルタナトの支配は、多くの非ムスリムに支えられていたのである(Jackson 1999: 279-287)。

改宗ムスリムの活動は、デリー・サルタナト初期から見られる。バルバンのライバルであったイマードゥッディーン・ライハーンは「インド人の宦官」とされており、改宗ムスリムであったと推察される(*Ibid*.: 72-73)。ハルジー朝のアラーウッディーンのもとでは、奴隷出身の改宗者マリク・カーフールがデカン遠征で功績を挙げた。カーフールはアラーウッディーン没後に実権を握ったが、短期間でアラーウッディーンの親衛隊であったパーイクに殺害された。その後に即位したクトゥブッディーン・ムバーラク(在位一三一六―二〇年)の下では、ホスロー・ハーン(ホスロー・シャー)が重用された。一三〇五年のマールワー遠征の際に捕虜にされ改宗したホスロー・ハーンは、始めスルタンの側近に仕え、スルタンに譲渡されて見張り役からワズィール(宰相)まで登り詰めた。彼は、同郷のヒンドゥー戦士階級を兵力として活用したとされている。ホスロー・ハーンは一三二〇年にスルタン・クトゥブッディーンを殺害し、自ら即位した。彼は権力を握るとモスクに偶像を祀るなど反イスラーム的な態度を取ったとされているが、実の所、彼の支配に対してデリーの貴族やムスリム宗教者らは有効な反撃を加えていない。ホスロー・ハーン打倒に立ち上がったのは、デリー西方に配されていた武将ギヤースッディーン(トゥグルク朝初代スルタン、在位一三二〇―二四年)と、その息子マリク・ジャウナー(のちのスルタン・ムハンマド・トゥグルク)であった。バラニーは、ホスロー・ハーンを卑しい生まれの改宗者と呼び、財力で味方を作り支持を集め、歴代のハルジー朝スルタンの家臣団の排除を目論んだと非難している(Baranī: 410-412)。ホスロー・ハーンのクーデターは、彼自身をはじめとする、ムスリムやヒンドゥーの新興勢力――バラニーのようなムスリム知識人の家系出身の人々から見れば「身分が低い」人々――が、旧来の勢力を排除しようとした動きと言えるだろう。

トゥグルク朝において最も注目すべき活動をした改宗者は、スルタン・フィールーズ・シャーのワズィールを務めたマクブールである。(5) マクブールは、一三二二年頃に征服されたカーカティーヤ朝の王プラターパルドラ(在位一二八九―一三二三年)のデリー連行に付き添った一団の一人であった。王は途上で死亡したが、一団はデリーでスルタン・ムハンマド・トゥグルクに面会し、マクブールはこの際に改宗した。彼は読み書きができなかったが、ムハンマドはその能力を認めてデリーの財務管理の職を与え、その後マクブールはムハンマドのワズィール、アフマド・アヤーズの補佐官となった。ムハンマド没後にアフマド・アヤーズとフィールーズ・シャーが対立した際、マクブールはフィールーズ・シャーに与して彼の王座奪取に貢献し、その功績からハーン・ジャハーンの称号を得てワズィールに任じられ、一三六八／六九年に死ぬまで同職に留まった。マクブールには多数の子息がおり、彼の息子や娘婿らも高位についた。フィールーズ・シャーは、「デリーの王はハーン・ジャハーンである」とまで言っていたと伝えられる(ʿAfīf: 400)。彼の死後は息子の一人が彼の称号と職務を引き継いだ。彼の墓廟は、デリーのニザームッディーン廟の南に今も残っている。

情報は限られているが、後宮の女性たちの中にも非ムスリム出身者がいたことが確認できる。アラーウッディーン・ハルジーは征服した王朝の女性たちを後宮に入れており、カーフールはヤーダヴァ朝の王女が産んだ子を擁立している。また、スルタン・フィールーズ・シャーの母親はパンジャーブ地方のヒンドゥー有力家系の出身であった。ただし、一般に、デリー・サルタナト時代の史料中に女性の活動の記録は乏しく、スルタンの妃や母であっても個人的な経歴はほとんど分からない。デリー・サルタナトの後宮に入った非ムスリム女性はおそらく改宗させられたと考えられるが、一般化できるほどの情報も残されていない。なお、イスラーム法で正式に定められた結婚契約(ニカーフ)を結ぶには、女性はムスリムあるいは経典の民でなければならないが、正式の妃ではない後宮の女性たち全てにそのような契約が求められた可能性は低いだろう。後宮の女性たちの様子を伝える文学作品として、ヒンドゥー王家の娘デーワル・ラーニーとハルジー朝の王子ヒドゥル・ハーンのロマンスを描いた『デーワル・ラーニーとヒドゥル・ハーン』がある。ヒドゥル・ハーン自らがインド語(ヒンダヴィー)で原案を作成し、一三一四年に詩人アミール・ホスローに作成を依頼したペルシア語作品である。デーワル・ラーニーはグジャラート地方のヒンドゥー王の娘で、一二九九年のグジャラート遠征で捕えられて後宮に入り、ヒドゥル・ハーンの妃とされた。デーワル・ラーニーの母カンヴァル・デーヴィーは先にアラーウッディーン・ハルジーの後宮に入っており、彼女が遠征前に自らの娘デーワル・ラーニーとヒドゥル・ハーンの婚姻をスルタンに提案していたという。この作品は、ヒドゥル・ハーンの母が息子と姪(兄の娘)の政略結婚を推し進めたことにも触れており、歴史書には見られない女性の主体性のあり方を窺い知ることができる(Bednar 2014)。また、後宮の女性たちは生まれ育った環境の生活文化をある程度は維持しており、それが南アジアのムスリム王朝独自の宮廷文化の形成に繋がったと推察される。

四、南アジアにおける宗派認識とムスリム

南アジアの非ムスリムは、一二世紀の終わりから急速に勢力を拡大したムスリムをどのように認識していたのであろうか。同時代のサンスクリット語の記録がムスリムに言及する方法には、「ムサルマーナ」(ムスリム)という宗派に基づく呼称を用いる、民族あるいは出身地の違いに言及する、タジク(tājika)・テュルク(turuṣka)・異邦人あるいは蛮族(mleccha、元はギリシア人を指したyavana)など特定の属性を指す言葉を使用する、という三種類があった。このうち「ムサルマーナ」の頻度は少なく、最後のカテゴリーに入る、古代から様々な外部者に用いられてきた語彙がもっともよく用いられる。中でも、七世紀頃からテュルク系の人々や北方の山岳地帯の人々に対して用いられていた「テュルク」という語は、後に広くムスリムを指すようになった。これらの単語はしばしば相互に交換可能で、「テュルクになる」という表現が改宗を意味している場合もある。これらの語彙の用例からは、ムスリムと非ムスリムの間には宗教・宗派以外にも様々な差異が認識されており、また、ムスリムは必ずしも単一の集団と捉えられていたわけではなかったことが分かる(Chattopadhyaya 2017: 13-28; Chojnacki 2011: 205-210)。

南アジアにおけるムスリム勢力の台頭は、既存の宗教・宗派間の認識にも影響を与えた。南アジアには多様な神を

信仰する様々な宗派が存在してきたが、現在、そのような宗派の多くはヒンドゥー教と総称されている。「ヒンドゥー」という呼称は、もともとムスリムが南アジアの異教徒全般を指して用いた他称であった。「ヒンドゥー」と呼ばれた人々が、ムスリムとの共存を経てどのように自己認識を作り上げていったのかという点については、近年多様な文献を用いて研究が進められている。ジャイナ教徒が一三―一四世紀に著すようになった「プラバンダ」と呼ばれる新たなジャンルの作品には、「ヒンドゥカ」(hinduka)という言葉が見られる。一四世紀のプラバンダ作品では、ムスリムによる支配以前が「ヒンドゥカ」の時代と表現され、ムスリム(mleccha)の時代と対比されている。これは、ヒンドゥー教徒やジャイナ教徒をまとめて「ヒンドゥー」と呼び「ムスリム」と対比させる認識と解釈できる表現であり、ムスリムの「ヒンドゥー」という表現を取り入れたものと推察されている。ただし、その「ヒンドゥー」認識には、宗教だけではなく、民族的な要素や地理認識などが関係している可能性があるという。一方で、一部のプラバンダ作品からは、ジャイナ教徒とヒンドゥー教徒は異なる集団であるという認識も読み取れる(Chojnacki 2011: 210-217)。ムスリムと非ムスリムの共存が常態化した一五世紀のカシミールにおいては、両者の間、さらに非ムスリムの間での宗派的な違いが「ダルシャナ darśana(教条・宗派)の違い」と表現されている(小倉 二〇一七：二八六―二九三頁)。ムスリムの存在は宗派以外のアイデンティティ形成にも影響した。トゥグルク朝に滅ぼされたカーカティーヤ朝最後の王プラターパルドラのテルグ語の伝記『プラターパルドラ・チャリトラム』(一六世紀初頭)を分析したタルボットは、ムスリムの存在によってテルグ戦士層の集団アイデンティティや地域アイデンティティが強化されたと論じている(Talbot 2002: 294)。

一三世紀にグジャラート地方で書かれた『ハンミーラマダマルダナ』など、一二―一三世紀に非ムスリムの王朝下で著された戯曲の中では、ムスリムが賤民や悪魔と同様に表現される場合も多く、ムスリムへの敵対的な心情がうかがえる。デリー・サルタナト成立から数世紀を経ると、南アジアにおけるムスリムの存在を前提とし、ムスリムとの違いを利用して自らが奉じる価値観を高めようとする集団が現れる。タミル地方やカルナータカ地方の複数のヴィシュヌ派寺院にまつわるタミル語のテキストには、南インドの寺院から略奪されたヴィシュヌ神の像に恋をする「テュルク」の王女が登場する逸話が記録されている。ティルチラーパッリのシュリーランガム寺院には、信徒たちによって奪還されたという神像とともに、「トゥルッカ・ナーッチヤール」(テュルクの王女)が祀られているという。このような逸話は、神への献身の価値を強調するバクティの隆盛を、異教徒(テュルク)が献身者になるという形で表現しようとしたものと分析されている(Davis 2004; Leclère 2011; Wagoner 2002: 309-311)。また、一五世紀にグジャラート地方のラージプート王家に仕えたバラモンのパドマナーバが著した『カーンハダデー・プラバンダ』では、スルタン・アラーウッディーンの娘フィールーザ(フルーザーン)がラージャスターンのジャーロール王の息子ヴィーラマデーに恋をする。ジャーロール攻略中のアラーウッディーンは、娘の説得に負けて彼女と王子ヴィーラマデーの婚姻による和平を提案し、その交渉の中で王女は、ヴィーラマデーと彼女が前生において夫婦であったことを彼に伝える。王子はその主張を認めるも、「テュルク」の彼女とは結婚できないとして婚姻を拒む。結果としてジャーロールはアラーウッディーンに征服されてヴィーラマデーは戦死し、王女はその死を嘆いて自死する。なお、史実として、一三一一年にジャーロール王はアラーウッディーン・ハルジーに敗れている。この物語では、ムスリムの王女がイスラームでは異端とされる前生(生まれ変わり)を認め、その前生ではラージプート女性であったことを主張し、さらに王子の後を追って死ぬというラージプートの価値観に則った貞淑な妻の行動を取っている。つまり、ムスリム女性が「ラージプート化」されているのである。また、ラージプートの間では上位者(勝者)が下位者(敗者)の娘を娶るのが通例であり、ムスリムの王女がラージプートの王子との婚姻を申し出るという関係は、ラージプートの価値観に基づけば、軍事的には敗者であるラージプート側を婚姻関係では勝者の立場に置いていることになる(Behl 2012: 189-198; Sreenivasan 2002: 296)。これらの物語や伝承は、ムスリムの政治的・軍事的優位を認めた上で、ロマンスの要素を用いてムスリムを自分たちの価値体系の中に取り込み、自分たちの文化的価値を高めていると言える。

デリー・サルタナトが政治的プレゼンスを高めた結果、ムスリム（テュルク）は南アジア社会の中で支配層を構成する勢力とみなされるようになった。一四世紀以降のデカンでは、ヴィジャヤナガル・オリッサ（ガジャパティ）・デリーという三つの都市を「三つの獅子の王座」とするなど、ムスリムを同じ枠組みの中で政治的覇権を争う勢力と位置付ける表現が増加する（Wagoner 2002: 314-315）。また、一六—一七世紀のサンスクリット語史料に記録されているヴィジャヤナガル王国の建国譚を分析したワゴナーは、王国の創始者ハリハラとブッカ兄弟がデリーで強制改宗させられ、その後デカンに戻りヒンドゥーの導師の手で再改宗してムスリム支配に抵抗したという宗派的側面を強調する従来の解釈は、実際の記述から乖離したものであると批判している。史料中には改宗を意味する表現は見られず、これらの建国譚は、兄弟がデリーのスルタンによってデカンの支配を認められ、ホイサラ朝最後の王と戦って自らの領土を勝ち取る物語であり、デリー・サルタナトの権威がヴィジャヤナガル王国の正統性の根拠とされているのである（*Ibid.*: 305-307, 314-315）。さらに、一部の人々は、軍事的・政治的に優位な地位にあるムスリムはヒンドゥーの神々の加護を受けているという解釈をも生み出していた。一五世紀のカシミールでバラモンが著した歴史書の中では、同地のムスリム王家の支配が『マハーバーラタ』やシヴァ派の教えを用いて正当化されており、同時期のグジャラート地方では、バラモンの詩人が同地のスルタン・マフムード・ベーガラー（在位一四五九—一五一一年）を女神サラスヴァティーに祝福された転輪聖王（チャクラヴァルティン）と讃えるサンスクリット語の詩を作成している。ヒンドゥー王朝の征服者というイメージが強いスルタン・アラーウッディーンに関しても類似の事例があり、先述した『カーンハダデー・プラバンダ』や『プラターパルドラ・チャリトラム』では、アラーウッディーンをヴィシュヌ神の化身とする描写が見られる（小倉 二〇一七：二八一—二八二頁、Kapadia 2018: 9-10, 103-128; Talbot 2002: 292-293; Wagoner 2002: 308-309）。

多様な集団が存在する南アジアにおいては、それぞれの時代地域の政治的・社会的文脈に応じて様々な差異が問題とされてきた。宗派の違いはその中の一つではあるが、常に他の差異よりも重視されたわけではなく、また、宗派の違いが政治的・社会的な対立に必ず結びつくわけでもない。一六世紀までに、南アジアの政治的・社会的エリートの間には、ムスリムと非ムスリムは宗教や生活文化において異なるが、同じ枠組みで政治的覇権を競い、手を結ぶこともできる存在であるという認識が広がっていた。中央アジア出身の征服者であるムガル朝勢力が、三代で南アジアの支配層の中に確固たる地位を占めることができたのも、このような下地が出来上がっていたからだと考えられる。

五、デリー・サルタナト時代の文化

最後に、デリー・サルタナト時代にムスリムが南アジアにもたらした新たな文化と、既存の文化との接触・交渉を通して発展させた文化を、建築と文芸を中心に見ていきたい。

デリー・サルタナト時代の建築の特徴として、キーストーンを用いるアーチやドームが多用されるようになったこと、クトゥブ・コンプレックスのアラーイー門などに見られる赤砂岩と大理石の組み合わせなどが挙げられる。トゥグルク朝時代には陶器タイルも多く用いられ、ローディー朝時代にはストゥッコやタイルを用いた装飾が発達した(Flood 2019: 8-12)。建築においてはしばしば先行文化の文物が転用され、権威の象徴としても利用されており、文化交流の分析においても有用な材料である(6)。デリーのクッワトルイスラーム・モスクなど、ヒンドゥー寺院やジャイナ教寺院の素材を転用して作られた建築の構造を検討したフラッドは、人型の装飾は棄損するが動物は残す、幾何学的装飾が施された素材を目立つ場所に配置するなど、装飾の選択や空間の利用において明確な計画性が認められると論じている(*Ibid.*: 162-178)。フィールーズ・シャー・トゥグルクは、アショーカ王の石柱をデリーから二〇〇キロメートルほど離れた村から運び、新宮殿フィールーズ・シャー・コートラのモニュメントにしている。ビジャープルのアーディル・シャーヒー朝(一四八九—一六八六年)は、デカンを支配したヒンドゥー王朝チャールキヤ朝(一〇—一二世紀)時代の建築素材を、地域の伝統と先行王朝の権威の象徴として宮殿や砦に転用した(Eaton and Wagoner 2014: 126-156)。入手可能な素材が地域によって異なることや、加工技術を持つ職人集団とパトロンの関係など社会的な側面に注目し、建築様式の違いを宗派の違いのみに帰する傾向を克服しようとする研究も見られ、一三世紀から一四世紀にかけてのグジャラート地方は特に豊かな成果を生んでいる。グジャラート地方で加工された大理石製品は、東アフリカ、ザンジバルから東南アジアに至るまでの広い地域に残っている。これらの大理石の加工は、ヒンドゥー教やジャイナ教の寺院建築も手がけていた非ムスリム職人が担っていた。このような職人は、ムスリムのパトロンの要求と、寺院建築の経験を通して蓄積した技術やモティーフを勘案して、新たな様式の成立に寄与した(Lambourn 2004, Patel 2004: 105-128)。同地で発達した建築様式は、後にムガル朝の建築にも取り入れられている。

デリー・サルタナトにおける行政や文芸活動は主にペルシア語で行われ、歴史書や伝記集など、サンスクリット語やプラークリット語では見られなかった形式の作品が書かれるようになった。また、『欲求の喜び』(*Ghunyat al-munya*, 一三七四/七五年成立)、『バーラーヒーの書翻訳』(*Tarjumah-i kitāb-i bārāhī*, 一四世紀後半)など、音楽や天文学、医学などの分野で、サンスクリット語文献の内容を踏まえたペルシア語作品も現れた。このようなペルシア語作品には翻訳元の文献が特定出来ないものも多く、ムスリムと非ムスリムの知識人の間で様々な学術や思想が共有されていたと推察される。文学においても、南アジア固有の語彙やモティーフを取り入れたペルシア語作品が著された。デリー・サルタナト時代の最も有名な詩人アミール・ホスロー(一三二五年没)は、『九つの天』(*Nūh sipihr*)の中で南アジアの風物を讃え、インドを故郷とするテュルクとしての自意識を詩で表現している。その他、南アジア在来のモティーフや語彙を用いたペルシア語詩として、ハサン・スィジュジー(一三三七年頃没)作『愛の書』(*ʿIshq-nāmah*)や、ズィヤーウッディーン・ナフシャビー（一三五〇年頃没）作とされる『女性の愉しみ』(*Ladhdhat al-nisā*) などが挙げられる。イスラーム諸学では、アラビア語の著作も見られる。フィールーズ・シャー・トゥグルク時代の貴族タータール・ハーン（一三三七年没）の名前が冠された『タータール・ハーンのファトワー集』(*al-Fatāwā al-Tātār-khāniyya*) は、トゥグルク朝時代までの南アジアのイスラーム法学の集大成ともいえる作品である。

一四世紀以降は、ペルシア語だけではなく、アワド語やグジャラート語、パンジャーブ語など各地の言語を用い、地域文化に根ざした素材を用いる文学作品がムスリムによって著されるようになった。スーフィズムの価値観に基づくロマンス（プレマーカヤーン）では、ペルシア語の叙述詩マスナヴィーの形式を基に、ペルシア語やサンスクリット語、プラークリット語など、様々な文学伝統のモティーフや修辞が用いられており、『チャンダーヤン』（一四世紀）や『マドゥマーラティー』（一六世紀）など、女性が主人公にされている作品も多い。アワド地方のスーフィー、ジャーヤスィーが著した『パドマーワト』（一五四〇―四一年成立）は、特によく知られた作品である。この作品の主人公であるラージプートの王子ラタンセーンは求道者の、ヒロインの美女パドマーワトは真実在の象徴であり、王子が冒険の末に美女を手に入れ、その美女を守って命を落とすというストーリーは、ラージプートの英雄譚であると同時にスーフィー求道者の物語としても読み込める二重の意味を持つ。また、敵役として登場するアラーウッディーン・ハルジーや裏切り者のバラモンは同時代のプラークリット語文学にも登場しており、当時の南アジアで共有されていたキャラクターであった(Behl 2012: 141-217; De Bruijn 2012; Sreenivasan 2002: 278-279)。デカンでは、トゥグルク朝時代に北インドからの移住者が増加した結果ダキニー・ウルドゥー語[7]が生まれ、一五世紀には、サンスクリット語やプラークリット語の語彙や文学モティーフを多く用いたダキニー・ウルドゥー語の詩が著されるようになった。クトゥブ・シャーヒー朝の王ムハンマド・クリー・クトゥブ・シャー（在位一五八〇―一六一一年）は、ダキニー・ウルドゥー語の詩人としても知られている。南アジアの景観や風物とイスラーム的な価値観を融合させ、ムスリムが在地の言語で著した文学作品は、この時代の各地域固有の文化を代表するものとも言える。

注

（1）八世紀から一二世紀にかけてのムスリムの南アジア進出や、デリー・サルタナトの政治史については、稲葉や真下による概説も参照されたい(稲葉 二〇〇〇、二〇〇七、真下 二〇〇七)。

（2）これらの地方王朝の概略については真下(二〇〇七：一一九―一三四頁)を参照。

（3）原則として、サンスクリット語あるいはグジャラート語と、アラビア語あるいはペルシア語の組み合わせである(Sheikh 2014: 188-189)。

（4）一三世紀から一四世紀にかけて、インド洋海域、特にグジャラート地方でも、モンゴル勢力の圧力を受けた中央アジアからの移住が増加しているという指摘がある(Patel 2004: 60-63)。

（5）アフィーフ作『フィールーズ・シャーの歴史』内に見られるフィールーズ・シャー時代の家臣列伝において、マクブールは六人中二人目に配置されており、記述は最も分量が多い(Afif: 394-424)。

（6）書道や絵画、工芸においても、宗派間や、南アジアと他地域の間の交流の様相を分析する研究が現れている(Flood 2019: 12-26)。

（7）デカンのウルドゥー語を意味する。ただし、ウルドゥー語という名称はムガル朝時代に成立したもので、この時代のデカンの言語をウルドゥー語と呼ぶのは遡及表現である。

参考文献

稲葉穣(二〇〇〇)「イスラーム教徒のインド侵入」『岩波講座 世界歴史6 南アジア世界・東南アジア世界の形成と展開 一五世紀』岩波書店。

稲葉穣(二〇〇七)「ムスリム諸勢力の南アジア進出」『世界歴史大系 南アジア史2 中世・近世』山川出版社。

イブン・バットゥータ(一九九六―二〇〇二)『大旅行記』一―八巻、家島彦一訳、平凡社。

小倉智史（二〇一七）「共存しえぬ他者か、ダルシャナの信徒か」太田信宏編『前近代南アジア社会におけるまとまりとつながり』東京外国語大学アジア・アフリカ言語文化研究所。
小谷汪之（二〇一〇）「インド中世・近世の社会変動ダイナミズム」『南アジア研究』第二二号。
榊和良（二〇〇〇）「『甘露の水瓶（Amṛtakuṇḍa）』とスーフィー修道法」『東洋文化研究所紀要』一三九。
二宮文子（二〇一五）「中世の日常におけるムスリムとヒンドゥーの接触　スーフィー語録を通して」今松泰・澤井一彰編『前近代南アジアにおけるイスラームの諸相』京都大学イスラーム地域研究センター。
真下裕之（二〇〇七）「デリー・スルターン朝の時代」『世界歴史大系　南アジア史２　中世・近世』山川出版社。
三田昌彦（二〇一三）「中世ユーラシア世界の中の南アジア――地政学的構造からみた帝国と交易ネットワーク」『現代インド研究』第三号。
ʿAfīf, Shams Sirāj, *Tārīkh-i fīrūz shāhī*, W. Husayn (ed.), Asiatic Society of Bengal, 1888-91.
Baranī, Ḍiya al-Dīn, *Tārīkh-i fīrūz shāhī*, S. A. Khan (ed.), Calcutta, Asiatic Society, 1862.
Bednar, M. B. (2014), "The Content and the Form in Amīr Khusraw's *Duval Rānī va Khiẓr Khān*", *Journal of Royal Asiatic Society Series 3*, 24-1.
Behl, A. (2012), *Love's Subtle Magic: An Indian Islamic Literary Tradition, 1379-1545*, New York, Oxford University Press.
Chattopadhyaya, B. D. (2017), *Representing the Other? Sanskrit Sources and the Muslims*, New Delhi, Primus Books (originally published in 1998).
Chojnacki, C. (2011), "Shifting Communities in Early Jain *Prabandha* Literature: Sectarian Attitudes and Emergent Identities", *Studies in History*, 27-2.
Davis, R. H. (2004), "A Muslim Princess in the Temples of Viṣṇu", *International Journal of Hindu Studies*, 8.
De Bruijn, T. (2012), *Ruby in the Dust: Poetry and History in Padmāvat by the South Asian Sufi Poet Muḥammad Jāyasī*, Leiden, Leiden University Press.
Eaton, R. M. (1984), "The Political and Religious Authority of the Shrine of Baba Farid", B. D. Metcalf (ed.), *Moral Conduct and Authority: the Place of Adab in South Asian Islam*, Berkeley, University of California Press.
Eaton, R. M. (1993), *The Rise of Islam and the Bengal Frontier 1204-1760*, Berkeley, University of California Press.

Eaton, R. M. and P. B. Wagoner (2014), *Power, Memory, Architecture: Contested Sites on India's Deccan Plateau 1300-1600*, New Delhi, Oxford University Press.

Flood, F. B. (2009), *Objects of Translation: Material Culture and Medieval "Hindu-Muslim" Encounter*, Princeton, Princeton University Press.

Flood, F. B. (2019), "Before the Mughals: Material Culture of Sultanate North India", *Muqarnas Online*, 36-1 (DOI:https://doi.org/10.1163/22118993-00361P02).

Jackson, P. (1999), *The Delhi Sultanate: A Political and Military History*, Cambridge, Cambridge University Press.

Kapadia, A. (2018), *In Praise of Kings: Rajputs, Sultans and Poets in Fifteenth-century Gujarat*, New Delhi, Cambridge University Press.

Khan, D.-S. (1997), *Conversion and Shifting Identities: Ramdev Pir and the Ismailis in Rajasthan*, New Delhi, Manohar.

Kumar, S. (2007), *The Emergence of the Delhi Sultanate*, New Delhi, Permanent Black.

Lambourn, E. A. (2004), "Carving and Communities: Marble Carving for Muslim Patrons at Khambhāt and around the Indian Ocean Rim, Late Thirteenth-Mid-Fifteenth Centuries", *Ars Orientalis*, 34.

Leclère, B. (2011), "Ambivalent Representations of Muslims in Medieval Indian Theatre", *Studies in History*, 27-2.

Patel, A. (2004), *Building Communities in Gujarāt: Architecture and Society during the Twelfth through Fourteenth Centuries*, Leiden, Brill.

Sheikh, S. (2014), "Languages of Public Piety: Bilingual Inscriptions from the Sultanate of Gujarat, c. 1390-1538", F. Orsini and S. Sheikh (eds.), *After Timur Left: Culture and Circulation in Fifteenth-Century North India*, New Delhi, Oxford University Press.

Sreenivasan, R. (2002), "Alauddin Khalji Remembered", *Studies in History*, 18-2.

Talbot, C. (2002), "The Story of Prataparudra: Hindu Historiography on the Deccan Frontier", D. Gilmartin and B. B. Lawrence (eds.), *Beyond Turk and Hindu: Rethinking Religious Identities in Islamicate South Asia*, New Delhi, India Research Press.

Wagoner, P. B. (1996), "'Sultan among Hindu Kings': Dress, Titles, and the Islamicization of Hindu Culture at Vijayanagara", *The Journal of Asian Studies*, 55-4.

Wagoner, P. B. (2002), "Harihara, Bukka and the Sultan: The Delhi Sultanate in the Political Imagination of Vijayanagara", D. Gilmartin and B. B. Lawrence (eds.), *Beyond Turk and Hindu*, New Delhi, India Research Press.

焦　点 | *Focus*

焦点｜*Focus*

南アジアの古代文明

小磯 学

一、インダス文明[1]とは

概要

南アジア史上初となるインダス文明は、南アジア北西部（今日のパキスタン中・南部からインド北西部・西部）の広大な土地に前二六〇〇–前一九〇〇年頃興亡した。遺跡が分布する領域はインダス平原（インダス川とガッガル＝ハークラー川によって形成された沖積平野）を中心に、その西側に隣接するバローチスターン地方／高原（アラビア海に面するマクラーン地方を含む）や南東側に隣接するインド西部のグジャラート地方に及ぶ［図1］。その範囲は東西約一八〇〇キロメートル、南北一五〇〇キロメートルに達し、総面積は六八–八〇万平方キロメートルとも試算されている（Kenoyer 1991: 352）。必然的にそれは、多様な地理的環境の中に人々が暮らしていたことを意味する。文明を支えたであろう交易活動や情報を伝達するモノと人の往来・交流が、河川路・陸路・海路を総動員して行われていたことを物語る。

この領域に囲まれるようにタール（チョーリスターン）砂漠が広がるなど全体的に乾燥しているとはいえ、西アジアまで連なる冬雨が卓越する環境とインド半島から東アジアまでの夏雨が卓越する環境のちょうど接点にあたり、その降

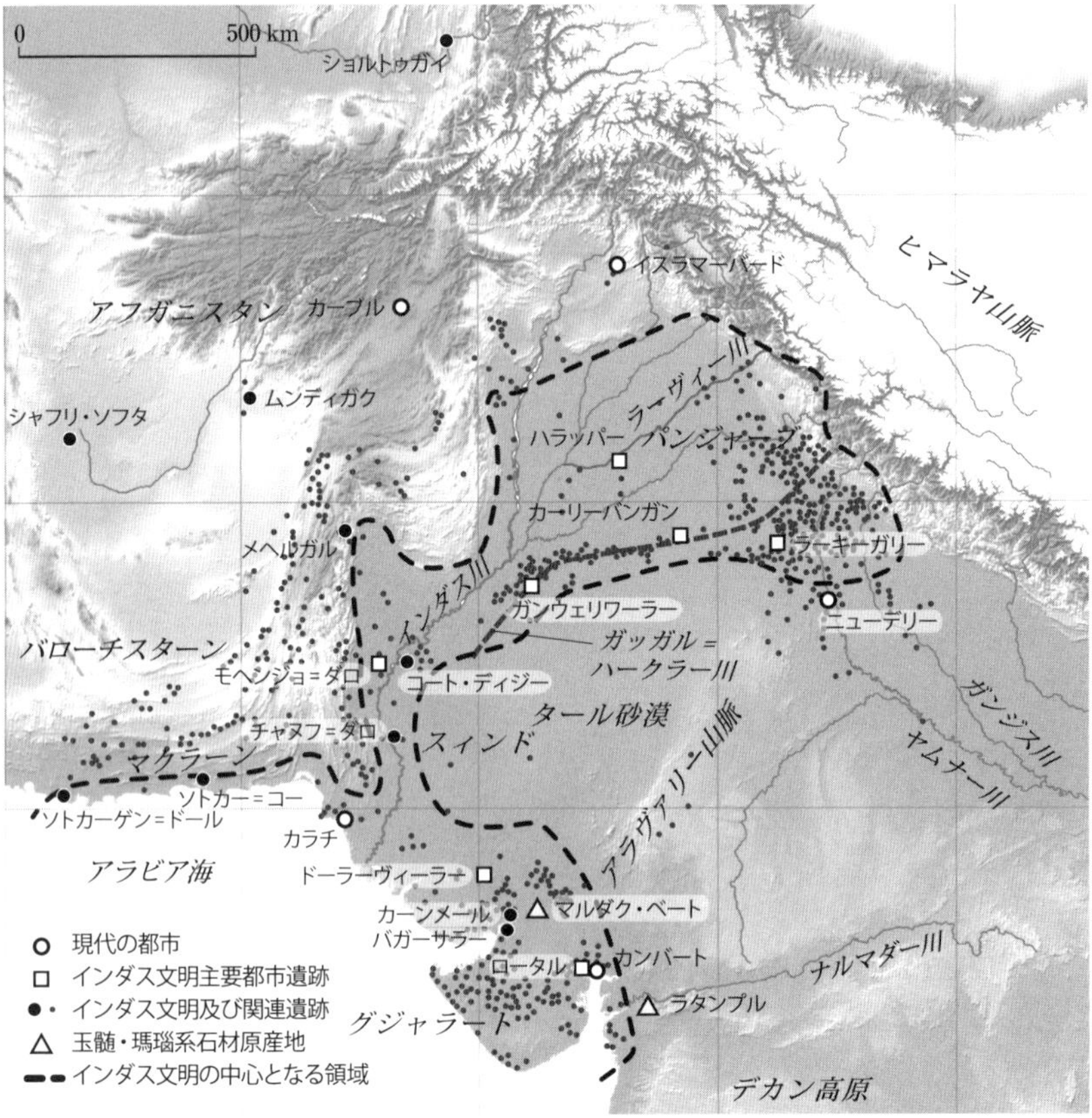

図1　インダス文明の中心的領域（作成：遠藤仁）

雨は各々ムギ類と雑穀（ミレット＝シコクビエやモロコシなど）類に適している。インダス文明の生業はこの両者を主作物とする農耕とともに、ヒツジ・ヤギ・ウシ・スイギュウの（おそらくは乳利用を伴う）牧畜に依存していた。すなわちそれは、今日の南アジア北西部を特徴づける食生活の基盤が確立した時代であった。ガッガル＝ハークラー川上流域のファルマーナー遺跡の墓の人骨の歯石に付着したデンプン粒の分析からは、ナスやマンゴー、ヤムイモのほか、後代の「カレー料理」に欠かせない香辛料であるコショウ、ショウガ、ウコンが検出され、南アジア最古の事例として注目されている。また漁労への依存度も高く、淡水魚ではナマズ類が、海水魚ではサバやアジなどが豊富に食され、その干物は内陸にも運ばれた。

この文明の存在は、イギリス領インド帝国下でインド考古調査局(一八六二年設立)が一九二〇―二九年のシーズンに実施したハラッパー(インダス川中流域支流のラーヴィー川岸)とモヘンジョ=ダロ(インダス川下流域=スィンド地方)の発掘調査によって歴史上初めてその存在が明らかとなり、全体を指揮した局長のジョン・マーシャルによって「インダス文明」と名付けられた。銅器時代に位置づけられ、ハラッパー文化と総称される物質文化資料(文化の物質的側面=すべての出土資料、建築物や遺構など)のなかでも、とくにハラッパー式土器と交易の取引の際に用いたと考えられる押捺型のインダス式印章及びそこに刻まれた文字(未解読)、そして都市の外見的な構造によって特徴づけられる。

一九四七年のインドとパキスタンの分離独立後は、調査体制がインド政府考古調査局とパキスタン政府考古学・博物館局とに分かれることとなった。モヘンジョ=ダロとハラッパーがパキスタン国内となるなか、インド側でも地道な遺跡分布調査が精力的に進められ多くの遺跡が発見されていった。ただ大学を含む各々の国の研究者は政治的な状況もあり相互の行き来や情報交換が限定的で、むしろアメリカ、フランス、ドイツ、イタリア、日本などを中心とする第三国の大学や研究機関が現地の国々と共同発掘調査・研究を進め、その情報が各々にフィードバックされ共有されてきた一面がある。このようにやや変則的ではあるが、研究は必然的に国際的で、また学際的な傾向にある。[2]

その一方で、発見から一〇〇年経った今なお、その具体的な社会構造や担い手などは明らかになっていない。その最大の要因は、実際にどのような人(たち)が、どのような仕組みで文明を統治・運営していたかを知るために必要な情報(とくに文書資料)が残されていないことにある。また、なぜこの文明が成立し、なぜ崩壊したのかという問いにも、いまだ答えることができていない。ただ発掘調査によって蓄積されてきた物的資料、なかでも普遍的に出土する土器の研究によって、時間的空間的な比較・変化から状況証拠的に示されるプロセスの精度は益々高くなりつつある。このような間接的な方法こそが、当時の社会状況を類推する手段となる。しかしそのためには、西南アジア交流圏

（西アジア—アラビア（ペルシア）湾岸—イラン高原—中央アジア—南アジア北西部）と呼びうるより広大な土地の一端に位置づけながら、インダス文明の成立や社会基盤を理解する必要がある。一部では前七千年紀に遡る頃から各地に固有の文化が興り、たとえその規模が小さなものであったとしても、すでに人々は遠方の土地とも往来し交流を行っていた。そのダイナミズムの一つの帰結として、交流圏の東方に展開した諸文化を結び付け統一を果たしたのがインダス文明であったと見ることができる（上杉 二〇二二）。

そして、この交流圏の中での関係性が失われたことが、前二千年紀に入り文明が衰退し崩壊した原因になったと考えられる。それは社会全体の統一が失われ、再び地方ごとの小規模な文化に分散していくことであった。生業や土器の製作技法など、一定の知識や技術は確実に継承された。時期的には、中央アジア方面からインド・アーリヤ語族が波状的に進入したことを端緒とするヴェーダ時代とも重複してくる。後のバラモン教とヒンドゥー教文化の根幹をなすこの重要な歴史的事象との関係については、インダス文明研究の初期以来議論が続けられているものの、いまだ決着がついていない。換言するならば、南アジア史上における意義や評価が十分にできていない状態ともいえる。

西アジアの文明との相違点

以下ではまず、西アジアのメソポタミア文明やエジプト文明との主な相違点を振り返ることで、インダス文明の特徴の一端を確認しておきたい。

〈未知の文明〉 メソポタミア文明とエジプト文明の歴史上の正確で詳細な理解と研究が進んだのは一九世紀以降であったとはいえ、両文明の存在自体は古来より地中海沿岸を初めヨーロッパの人々に知られていた。ジグラト（神殿）やピラミッドなど地上に残る建造物が顕著であっただけでなく、ユダヤ教やキリスト教の『聖書』にも（少なくともそのある一時期について）記述され、古代ギリシア・ローマとの関係も深い。これに対しインダス文明は、その遺跡が土に覆われたまま二〇世紀に発見されるまで、その存在が歴史上から忘れ去られていた。

〈遺跡の分布〉 西アジアの両文明では、遺跡の多くが主要河川沿いに集中している。これに対しインダス文明ではそこから離れた周辺の土地にも広がっており、面積のみの比較では倍以上の違いがある。地理的環境の相違を考慮する必要があるものの、インダス文明はその存続のためには領域を広げる必要があったともいえる。

〈文書資料の欠如と未解読の文字〉 メソポタミア文明とエジプト文明では各々粘土板やパピルス、建築物の壁面などに膨大な文書をしたためた。そこには統治していた王の名やその神権政治、神々の名や神話、多様な職種や経済活動、日々の生活の様子などが事細かに記されている。しかしインダス文明にはこうした長文の文書資料が発見されていない。貝葉や布、動物の革などに記したかもしれないが、実際に書き残さなかった(その発想をしなかった)可能性も捨てきれない。インダス文字を持ってはいたがその利用は主にインダス式印章に平均五文字(所有者の名前や護符の文言の類か?)を刻んだに過ぎない。このように情報が限定されていることが、この文明の理解にとって大きなハンデとなっている。西アジアの文字の解読には、ロゼッタ・ストーンやベヒストゥン碑文のような他言語併記資料の存在が不可欠だった。インダス文明はメソポタミア文明と直接・間接的な交易関係にあったため、インダス文字と楔形文字とが併記された文書が発見される可能性は十分にある。

〈王宮・神殿・王墓の欠如〉 西アジアの文明を象徴するものに、ジグラトやピラミッド、また豪華な奢侈品を伴う王宮や王墓などがある。これに対しインダス文明では、これらに比定できる建築物や遺構が不在・未発見ないし明確になっていない。様々な色合いの準貴石製ビーズが非常に好まれ金製ビーズなども少なからず見られるが、金をふんだんに用いた煌びやかな冠や装身具がほぼ見当たらない。またそれらに見合うような人物の壮麗な住まいや墓も欠如している。このため、この文明には権力が集中し社会全体の統治を担う王や神官の存在が疑問視され、代わって例えば商人や手工業者などからなる職業組合連合のような組織がそれを担ったとする考えがある(Kenoyer 1998)。このことは、少なくとも西アジア的な「国家」とは呼べない独自の社会であったことを示唆する。

〈権威者・神の像〉 上記とも関連し、文明を管理運営したであろう政治的・宗教的な権威者や神の像(浮彫や絵画を含む)がインダス文明では非常に限られている。西アジアでも初期には神・人物ともに巨大な像は作られなかったものの、アッカド王の銅製頭部(もとは全身像)のように等身大の例がある。インダス文明では何らかの権威者とされる数例の石像やとくに有角神/人像などの土偶や土器の彩文が知られるものの、高さは約二〇―三〇センチメートルを超えることはない。神像はメソポタミア文明では回転押捺式の円筒型印章の図柄に刻まれる例が多々見られ、これは共通点としてインダス文明でも(数は限られるが)その印章に有角神/人像を刻んだ例がある。小さく表現することへのこだわりには、固有の観念が反映されているのであろうか。

〈紛争の痕跡の欠如〉 西アジアでは都市国家間や対外勢力との紛争が度々起こり、勝利を収めることが指導者の使命でもあった。その記録が文書・図柄とともに残されている。しかしインダス文明では文書資料そのものが欠如しているだけでなく、兵士や戦い・殺傷の場面を表現した図柄などが皆無である。カーリーバンガン出土の円筒型印章の図柄に中央の「女性/神」(?)の両側の人物が互いに槍で威嚇し合うものがあり、インダス文明のほぼ唯一の暴力的な表現とされる(Harappa.com 2017)。銅・青銅製の剣や槍など武具となる道具の事例も非常に少ない。文明の各地方には(おそらくは出自が異なる人々が暮らす)固有の文化が共存し、地方差・多様性が認められることが今日では明らかとなっている。領域の広大さゆえに、それは必然でもあったろう。しかし全域から出土する土器や印章は、そこに反映された社会通念/イデオロギーによって全体が一つに統一されていたことを示している。またメソポタミア文明やアラビア湾岸、イラン高原や中央アジアとも交易・交流関係にあったが、そのいずれとも紛争や敵対関係になったことを示す痕跡がない。このため「平和的」な文明であったとする解釈もある(McIntosh 2001)。

〈限定的な期間での興亡〉 西アジアの両文明は約三〇〇〇年間にわたりほぼ同じ土地で幾多の王朝や国家が、さらに後代には帝国が興亡を繰り返す歴史を経て今日に至っている。これに対しインダス文明は七〇〇年間ほどで潰えると、(文明の一部の要素を継承した小規模な文化が各地方に継続したものの)次にインダス平原が再び都市社会の統治下に収められたのは、南アジア北部に十六大国の一つであるガンダーラ王国が台頭した前六世紀頃のことである。「都市」の不在期間は実に一三〇〇年間ほどに及ぶ。しかもこの王国の中心はタクシラなどが位置するインダス平原北端のガンダーラ地方であり、インダス文明にとって外縁といえる土地にあたる。インダス川中・下流域でインダス文明後に栄えた最初の都市の記録は前四世紀で、アレクサンドロス大王の遠征途上で攻撃対象とされた複数の名前があげられる(Robson 1929)。いずれも数万人規模の人口と軍隊を擁したとされるが、伝承に留まり考古的に検証できていない。インダス文明がなぜこうした固有の特徴をもち、「短命」に終わりその土地に長らく都市と呼べるものが成立しなかったのか。大きな課題となっている。

二、古環境

西アジアの文明に大きな影響を及ぼしたとされる4.2 ka 気候イベント(四二〇〇年前の世界的な急激な乾燥化)であるが、南アジアではそれ以前から乾燥化は進んでいたとされ、乾燥化が進む中でインダス文明が誕生したことになる。それは厳しい環境のなかで冬作物・夏作物の双方に基盤を置いたことと無関係ではなかったかもしれない。

現在モヘンジョ＝ダロの東側を流れるインダス川については、当時の流路について議論されている。とくに下流域は非常に平らな土地であるため春先のヒマラヤの雪解けとモンスーンの影響で溢水した後に度々流路が移動してしまうことで知られており、今の位置を流れていた保証はない。航空写真と地形に残る過去の段丘形成の検証に基づき四〇キロメートル西側に流路があったとする説もあるが、時期的な根拠が不十分で支持する研究者は少ない。

また遺跡が集中するガッガル＝ハークラー川流域(今日では間欠河川・末無川)がかつては大河だったとする見方もあったが、当時も今と大差ない環境であったことが確かめられている(前杢・長友 二〇一三)。

三、編年的枠組みと遺跡分布

編　年

その発見当初、インダス文明の起源についてはメソポタミア文明からの影響が指摘されることもあった。しかし一九五〇―六〇年代の各地の調査から先インダス文明期の遺跡が相次いで発見され、この文明がこの地で独自に発展・成立したとする解釈が主流となった。今日では前七千年紀から前二千年紀前半頃までを「初期食料生産・地方化・統合化・分散化」の四つの時代に大きく区分し、そこにインダス文明(＝統合化の時代)を位置付けた編年案が欧米を中心に広く受け止められている(Kenoyer 1998: 24; 1991: 5)。農耕・牧畜(食料生産)が南アジアで最初に試みられた時期にまで遡る長期的・連続的な発展を念頭に置くもので、下記の三遺跡の発掘調査の成果に負うところが大きい。

①メヘルガル遺跡(バローチスターン地方中部カッチー平原)：インダス平原とアフガニスタンなどの西方とを結ぶバローチスターン地方のボーラーン峠の麓に位置する。一九七四年の発見から一九八六年までと一九九七―二〇〇〇年にフランス隊によって発掘調査が実施され、前七千年紀中頃の無土器新石器時代に遡る南アジア最古の定住・農耕・牧畜が確認された。人々は地点を移動させながら無土器新石器時代―土器新石器時代―銅石器時代―そして前二六〇〇年頃の青銅器時代のインダス文明成立直前まで継続して居住しており(Ⅰ―Ⅶ期)、長期的・連続的な発展を示す唯一の遺跡となっている(宗基 二〇一一)。

Ⅰ期にはアフガニスタン北部のバダクシャーン地方産ラピスラズリや海水性貝を用いたビーズが見られ、各々直線距離で約九〇〇キロメートルと四五〇キロメートル以上離れた場所とすでに交流ないし交易と呼べる活動が行われていたことを示す。アフガニスタン北部には同時期に同じく農耕牧畜を確立させていたアーク・クプルク(ダフタル＝エ・パドゥシャー)Ⅲ・Ⅳ遺跡が知られ、メヘルガルを含む土地一帯を当時の「核地域」としてその先進性を評価する考えもある(Gupta 1979)。またⅡ期以降に現れる土器は時期ごとに特徴をもち、描かれた文様などからイラン高原やインダス平原と関係・交流・交易によって結ばれていたことがわかる。一時的な中断後、Ⅷ期(前二一〇〇－前一九〇〇年頃)には墓地として利用され、副葬品として中央アジア南部(トルクメニスタン－アフガニスタン北部)に栄えたバクトリア＝マルギアナ考古文化複合(略称BMAC。別名オクサス文明)の遺物が出土している(Jarrige 1994)。

②ナウシャロー遺跡(バローチスターン地方中部カッチー平原)：メヘルガルから南西約六キロメートルに位置し、メヘルガルと同じフランス隊が一九八五－九六年に発掘を行った(Jarrige 1989)。前三〇〇〇－前一九〇〇年頃(Ⅰ－Ⅲ期)の編年のうち、ⅠA－ⅠC期にはメヘルガルと同一の遺物が出土している。ⅠD期(前二六〇〇年頃)以降にはハラッパー式土器やインダス式印章などが出土し、周壁で囲まれたインダス文明の拠点集落となっている。これにより、メヘルガルと合わせ南アジア最古の新石器時代とインダス文明とが編年上断絶なくつながった。

③ハラッパー遺跡(ラーヴィー川流域)：アメリカ隊によって一九八六年以降継続的に再発掘され、前四千年紀中葉－前三千年紀前葉に遡るラーヴィー期(ハラッパー1期)とコート・ディジー期(ハラッパー2期)を経てインダス文明期(ハラッパー3期)を迎え、その後は過渡期を経てH墓地期となる(ハラッパー4・5期)(Kenoyer and Meadow 2016; Meadow 1991)。

こうした情報に基づき、おおよそ以下のような土器文化の発展を読み取ることができる。

〈先インダス文明期のバローチスターン高原(前七千年紀－前三千年紀前半)〉　前五五〇〇年頃に南アジア最古の土器となる編み籠痕土器(編み籠に粘土板を張り付けて整形)が登場する。前四千年紀前半頃には粘土紐巻き上げと回転台利用が始まり、多様な幾何学文・動植物文(コブウシ、ヤギ、トリやスペード形の葉の菩提樹など)を特徴とする土器伝統が成立する。前四千年紀後半になると西のイラン高原とも共通する要素が見られるなど地方間の交流がより活性化し、各々の土器にも多様性が増していく。アフガニスタンのムンディガクや一五〇〇キロメートル隔てたイラン北部のテペ・ヒッサールなどでも類似する土器が見られ、イラン高原全体が一交流圏として成立していたことを示す。前三千年紀前半頃にはクエッタ式土器(Shudai et al. 2013)と呼ばれる土器群が広く分布するなど、以前とは異なる土器様式が各地に登場する(上杉 二〇一〇:二四頁)。

〈先インダス文明期のインダス平原(前四千年紀後半—前三千年紀前半)〉 インダス平原への進出・開拓が始まり、ラーヴィー川やガッガル＝ハークラー川下流域を中心に無文や単純な帯状文、櫛状工具を用いた平行沈線文などを特徴とする土器様式が展開していく。その典型が、ハラッパーでも確認されたラーヴィー式土器とコート・ディジー式土器である。また前三千年紀前半にはガッガル＝ハークラー川上流域にソーティ＝シースワル式土器が、インダス平原の南東部に隣接するグジャラート地方にアナルタ式土器が現れる。

このように連続的に各地に登場する多様な土器は、活発な交流の結果ともいえる。ただし、たとえ各々が編年上連続(人々の共住が断絶なく連続)していたとしても、それはかならずしも文化の連続性を意味しない。例えばサルからヒトへの進化のように、土器の形態の漸移的な変化が辿れることは稀で、その都度固有の土器が交互に登場する。実はこれは南アジア考古学の多くの時代・空間に共通する特徴にほかならず、言い換えれば、文化的な「断絶の連続」とさえ表現しうる現象である。そこで何が起こっていたのかを解明することが、今後の課題となっている。

一方この時期には複数の同心円文を刻んだ押捺型の円形・方形印章がゴーマル地方からインダス川中流・支流域、ガッガル＝ハークラー川上流域に分布しており、すでに印章を必要とする本格的な交流・交易圏が成立していたことを示している(上杉 二〇一〇:二四頁)。

〈インダス文明期(前二六〇〇―前一九〇〇年頃)〉　文明が成立すると、それまでの地方ごとに展開していた土器群に代わり、ハラッパー式土器とインダス式印章とがその全域に広がり文明の領域が完成する。しかし先文明期の土器群と同じく、層位的に前段階と連続してはいても、すでに完成された様式で「突然」出現する印象は否めない。ただし形態的にコート・ディジー式土器とハラッパー式土器との近縁性が高いのも事実で、前者がファイズ・ムハンマド式土器やメヘルガルⅦ期の要素(彩文様式・構成など)を取り込みつつ、新たにハラッパー式土器が生み出された可能性が指摘されている(上杉 二〇二〇：六六頁など)。七〇〇年間にわたるこの土器の時間的変化については、一〇%ほどの土器に描かれた彩文(動植物などの具象文や幾何学文)に基づき大きく四つの時期に細分されている(Quivron 2000; Uesugi 2017など)。

またハラッパー式土器は文明の等質性・均質性を裏付ける存在でもあるが、ガッガル＝ハークラー川上流域やグジャラート地方などの周辺部では、先文明期の土器が存続しハラッパー式土器と共存するという特徴が見られる。このことは、文明内に個別の土器伝統を継承するおそらくは出自を異にする多様な集団がいたことを示し、対立することなく共存し土器も分け隔てなく消費され、両者が同時に墓に副葬される例さえ見られる(Uesugi and Dangi 2020)。こうした地方的な多様性をすべて受容し内包した社会全体がインダス文明を構成していた。

後期(前二二〇〇―前一九〇〇年頃)になっても地方的な多様性は保持された。ただしガッガル＝ハークラー川上流域ではバーラー式土器、グジャラート地方ではソーラート・ハラッパー式土器と呼ばれる在地土器様式とハラッパー式系統とが融合した土器が現れる(上杉 二〇一三、木村 二〇〇九、Possehl and Herman 1990)。このことは、「特定の土器に対する志向性、需要、生産、流通、消費という一連のシステム」が大きく変化し、「社会を支える交流ネットワークと統合システムの変容」(上杉 二〇二〇：六七―六九頁)を反映した結果であったともいえる。

さらにこの時期には、バローチスターン地方南部を中心とするクッリ式土器(前二二〇〇―前二〇〇〇年頃)が顕在化する。バローチスターン高原やイラン高原東部の彩文要素の組み合わさった、頭部全体が大きな丸い眼で表現された動物文(コブウシを中心としてヤギ・ネコ科の動物・魚・鳥など)と植物文(菩提樹文やイトスギ文)とを組み合わせた構成の彩文を特徴とする。インダス文明とともにイラン高原南部やアラビア湾南岸とも交流関係を持ち、クッリ式土器の図像を刻んだ円筒印章がメソポタミア文明のウルから出土(小磯 二〇〇五)するなど、西南アジア交流圏のネットワークの中で重要な役割を果たした集団の存在を裏付ける。ただしそれは相対的にインダス文明の影響力の弱体化を示すものかもしれない(上杉 二〇二〇:六七頁、近藤・上杉・小茄子川 二〇〇七)。

〈ポストインダス文明期(前一九〇〇ー前一三〇〇年頃)〉 文明の崩壊とともに統合システムが消滅しハラッパー式土器やインダス式印章、また文字の使用が見られなくなる。一部では準貴石製ビーズの減少に代わってファイアンス製ビーズや腕輪が多数出土するなど、石製装身具の生産・流通システムの大きな変化の可能性も指摘されている(上杉 二〇二〇:七五頁)。文明の消滅は社会の変容ではあるが、必ずしも一地方・社会の衰退を意味しない。

各地方には各々個有の土器が展開し、とくにガッガル＝ハークラー川上流域のバグワーンプラ遺跡では、前段階から存続するバーラー式土器が前一四〇〇年頃に現れる彩文灰色土器とも共存する。後者は後の初期歴史時代を構成する土器で、すなわちインダス文明期から初期歴史時代への断絶のない移行を示す重要な事例となった(Joshi 1993)。彩文灰色土器はインド・アーリヤ語族(アーリヤ人)が南アジアに来住したとされる時期とも重なるため両者を関連づける主張もされてきたが(Lal 1954)、編年上孤立しその起源や系譜は今なお不明である(上杉 二〇〇九:九六頁)。

遺跡分布

インダス文明に関連する遺跡数は、上述した全時代・地方では三六〇〇カ所を超える。しかし発掘されたのは全体の四％(その多くも小規模にとどまる)に過ぎず、その他は時期や文化設定が表面散布の土器などから判断されているため正確さには限界がある。こうした問題を踏まえつつ、下記のような大枠の傾向が把握できる。

前四千年紀後半以降になると、それまでバローチスターン高原に限られていた遺跡がインダス平原にも広がりガッガル＝ハークラー川流域やインダス川下流域、グジャラート地方北部に遺跡の集中が始まる。前三千年紀中・後葉のインダス文明期には、インダス平原(ガッガル＝ハークラー川上流域では増加後に一旦減少)やグジャラート地方では遺跡数は概ね増加傾向にあるのに対し、逆にバローチスターン地方では徐々に減少が見られる。また文明期には遺跡が集中する上記の各地方に他よりも規模が大きな一―数カ所の「都市」が位置しており(モヘンジョ＝ダロ、ハラッパー、ドーラーヴィーラー、ロータル、ラーキー・ガリーなど)、各々が地域センターであったことが推測できる。

前二千年紀前葉になるとガッガル＝ハークラー川上流域の遺跡数が大幅に増加するのに対し、その他の土地では急激に減少する。前者への人口移入、また同地での人口分散が想定される。全時期にわたり新規、廃絶、継続する遺跡があり、人々の流動は実際には非常に複雑であったろう(上杉 二〇一〇)。

四、都市――外見的特徴

何をもって都市とするか議論が絶えないが、インダス文明の場合には当時の社会体制がそもそも不明なので、この文明なりの基準を設けてもよいであろう。その最大の特徴が「城塞」(Citadel)と「市街地」(Lower Town)と呼称される二つの区画(マウンド)を持つことである。全遺跡は①一〇〇ヘクタール(1 km²＝1 km×1 km)以上(人口は少なくとも四万人)、②二〇―八〇ヘクタール、③二〇ヘクタール未満、その大中小の三群に概ね区分が可能である。このうち大・中規模と一部の小規模な遺跡はこの二つの区画をもち、いずれも日干し煉瓦や石を積み上げた周壁によって囲まれている。その機能には溢水対策もあったとされる。モヘンジョ＝ダロは例外的に周壁が確認されていないが、城塞は焼成レンガの基壇の上に築かれ堅牢な門から内部にアクセスする構造となっている。門とはいうものの、他の遺跡の例を含め、出入りする間口の幅が一―三メートル程度と規模が小さい場合が多いのも特徴である。

また城塞と市街地は各々が独立したマウンドに分かれた「分離式」(インダス川下流域、ガッガル＝ハークラー川下流域、ラーヴィー川流域)と、全体を一つの周壁で囲んだ内側に入れ子状にさらに壁で城塞部を区画した「一体型」(ガッガル＝ハークラー川上流域、グジャラート地方)に分類でき、周辺部に一体型が見られる傾向にある(小磯 一九九八)。

最も広い面積が発掘されたモヘンジョ＝ダロが典型ともなるが、城塞には水を溜めたプール状施設の「大浴場」のほか、初期の研究者が各々「穀物倉」、「大学」、「列柱の間」と呼称した規模が大きく用途不明な建築物が集中している。これに対し市街地には東西南北に大通りが直線状に計画的に配され、その両側や路地沿いには中庭を囲むように部屋が配置された一定の規格性が窺える建物(大多数の人々の住まいと考えられる)が密集して建てられた。ただしモヘンジョ＝ダロではこれら以外にも八〇もの部屋をもつ大規模な「邸宅」も見られ、こうした建物が社会的地位や貧富の差によるものなのか、特殊な集合住宅なのか検討を要する。

いずれにしても城塞と市街地には異なる用途・機能があり、前者が公的施設、後者が私的施設と解釈することが十分に可能である。城塞にどのような人々が出入りしていたか(出入りできたか)は不明ながら、そこが人々にとって「特別な」場所であったといえる。これが西アジアの王宮やジグラトに代わる施設であったとはいえないであろうか。バガーサラーなど周壁で囲まれた区画が一つだけ確認されている遺跡でもその外側から建物や遺物が検出される場合があり、そこを周壁のない「市街地」とみなすことも可能かもしれない。

こうした周壁を持つ集落は先文明期のラフマーン・デーリやハラッパー、カーリーバンガン、コート・ディジー、ドーラーヴィーラーなどですでに見ることができ、多くは文明期に継続して周壁が拡張・拡大された。

五、インダス式印章と信仰、文字

印　章

方形のインダス式印章は荷に封をする際の泥に押捺した封泥が発見されており、判子として使われたのは間違いない。ただし印面に刻まれた動物を主とするモチーフから、所有者の役職や地位などを示すＩＤカードのような役割もあったろう。同時に護符の意味もあったかもしれない。いずれにしてもその機能と理解を領域内で徹底させる仕組みが働いていたことは疑いようがない。

所有と使用が特定の個人に限定されていたと類推できるが、保管・廃棄の結果として生活空間から発掘時に出土し墓に副葬された例がないため、世代を超えて伝世していた可能性もある(上杉 二〇二〇：六九頁)。二〇一八年時点では印面の図柄が確認できる印章は一七八三点あり、そのうち一一二七点(六三・二%)がモヘンジョ＝ダロ、四一五点(二三・三%)がハラッパーからの出土とこの二遺跡に極端に集中しているが、領域全域の三〇カ所の遺跡から報告されている(小磯・小茄子川 二〇〇九)。

印章自体の最古の事例は前四千年紀後半にイラン高原のシャフリ・ソフタⅠ期やテペ・ヒッサールⅡ期、そしてメヘルガルⅤ期に見られる複雑な文様のみを刻んだ円形・方形の幾何学文印章で、すでに広大な交流ネットワークの東端にバローチスターン地方が組み込まれていたことを示す(上杉 二〇二〇)。これらに加え、前三千年紀前半になると複数の同心円を刻んだ同心円文印章がインダス平原北部各地に出現し、インダス文明期にもインダス式印章と共存するようにグジャラート地方でもその出土が見られる。とはいえインダス式印章は、土器の場合同様にその固有の様式が完成されたかたちで文明期に「突然」現れる。しかしイラン系の影響も窺える同心円文印章が先文明期にすでにイ

図2　インダス式印章：一角獣（© Harappa Archaeological Research Project, Courtesy: Department of Archaeology and Museums, Government of Pakistan）

ンダス平原に展開した事実が、インダス式印章の成立と無関係であったとは思えない。先文明期以来行われていた印章を必要とする交易活動が文明の運営・統治機構に組み込まれていく際に、新たなデザインとシステムが構築されたと考えられる（小茄子川 二〇一六）。

インダス式印章はその印面の中央から下半に動物（実在する動物のほか有角のトラなど空想上の動物を含む）を一匹、上部に数文字のインダス文字を刻んだ図柄が大半を占める。動物で最も多いのが七〇・三％（一二五四点）を占める一角獣［図2］で、その次が四・八％（八六点）のウシ、その他一四種（コブウシ、スイギュウ、ゾウ、サイ、トラなど）は三―〇・〇六％（五五―一点）程度と極端な差がある。このことから、一角獣の図柄が特定の「集団」に共有されたのに対し、数が限られる図柄は特定の「個人」やその役職を示すものであったことが推測できる。

また一辺一―四センチメートルほどの多くは大中小のサイズ分けがされた傾向が読み取れ（図柄によってやや異なる）、さらに六―七センチメートル近い特大・超特大サイズは一角獣のみに見られる。こうしたサイズの違いは、同じ動物に代表される集団内の地位や役割の差を窺わせる（Konaskawa and Koiso 2018）。

また動物は印面に左向きに刻まれるもの（印影は右向きとなる）が大半を占めるなかで、右向きに刻まれるものがガッガル＝ハークラー川上流域に集中しており明らかな地域差が見られる（小茄子川 二〇一一）。後者には上部に刻まれた文字に「樹木」形などが伴う傾向があり、それは文明期後半のバローチスターン地方のクッリ式土器に継承された彩文と共通する。さらにこの図柄は、クッリ式土器と広域的交流関係にあった前二千年紀前葉のアラビア湾岸で使われた円形のディルムン式印章にも確認できる。すなわち、右向きの動物の図柄は、一地方の特徴にとどまらない可能性がある（上杉 二〇二〇：七〇―七一頁）。

儀礼的シーンと有角神／人

印章には物語ないし動的な行為の一場面を表現した図柄も数例知られ、なかでも有角神／人を刻んだものが当時の信仰や精神世界を知る貴重な資料ともなっている。二例のみが知られる「儀礼的シーン」［**図3**］と呼ばれる図柄には、印面の左上に菩提樹の中（玉座？）に立つ（節が表現されているためおそらくは）スイギュウの角（その中央には菩提樹が生えている）を戴く有角神／人が立ち、その手前に同じく有角神／人が跪《ひざまず》き両手をかざして祈りを捧げている。その足元の台の上には、頭髪を後頭部で丸く二つにまとめた人物の頭が捧げものとして載せられている。この様子を見守るように人面のヤギと七人が取り巻いている（各々の性別判定は困難）。菩提樹と角は先文明期のインダス平原のコート・ディジー式土器やバローチスターン地方の土器の彩文に散見され、何らかの象徴的意味が託されていたと思われる。こうした要素が文明期に統合されて信仰の対象として完成したと考えられる。また印章の図柄とヴェーダ時代のサンスクリット文化に基づくアスコ・パルポラによる解釈も、一定の評価を得ている（Parpola 1994: 256-272）。

図3　インダス式印章：儀礼的シーン（Ⓒ J. M. Kenoyer/Harappa.com, Courtesy: Department of Archaeology and Museums, Government of Pakistan）

文字

土器や護符、腕輪、銅斧などにも一―数文字が刻まれたり記されたりしたが、最も多用された印章には平均五文字程度、最長でも一七文字（一例のみ）が刻まれた。個別の文字の使用頻度には極端な差もあり、利用の時期的な変遷を含め検証の必要がある。その祖形を土器に刻んだとされる事例が、ハラッパー遺跡1・2期から報告されている。ただし数例にとどまり、文明期の約四〇〇字を数える文字体系は印章とともに完成した状態で現れるように見える。そして、文明の終末とともに歴史から忘れ去られた。冒頭で触れたように未解読で、後のヴェーダ時代のサンスクリット文化と関連づけつつ解読できたとの主張や、そもそもこれらは字ではなく記号だとする説もあるが広く受容されていない。インダス文字の特徴やその配列を今日の南インドのドラヴィダ系言語に基づくパルポラの解釈が、同様に一部で批判があるものの注目されている(Parpola 1994)。

六、交易活動と交易品

先文明期から西南アジア交流圏のなかでヒト・モノが主に陸路によって結び付けられてきたが、文明期になると海路が加わりメソポタミア文明との直接・間接的な交易活動が活性化する。彼の地の都市遺跡から出土するインダス式印章は、その所有者=インダス文明の商人が直接現地を訪れ滞在していたことを裏付ける(小磯 二〇〇五)。粘土板文書の記録でも、当該期(初期王朝からウル第三王朝期)の粘土板文書に七〇例ほど登場する「メルッハ(メルハ)」がインダス文明ないしそれを含む東方の地を指しているとされる。アッカド王朝期にはディルムン(ティルムン)、マガン(各々今日のバハレーンとオマーンとされる)及びメルッハからの舟が寄港し、続く時期には紅玉髄(赤メノウ)や銅、ベッドなどの木製品、クジャク、サル、象牙などが輸入された。当初はアッカド王朝が主導する威信材交易が行われ、円筒型印章に刻まれた「メルッハからの謁見者とその通訳」も公的な関係であったことを推測させる。その後は公的商人が活躍し、コロニーであるメルッハ村もあった(近藤 二〇一一：第八章)。

交易品で最も価値があったのが紅玉髄製ビーズである。最大で一二センチメートルの細長い長樽形のビーズは良質な石材とその加工と研磨、加熱による発色の促進、両端からの穿孔がセットになった高い技術を要する（遠藤 二〇一三）。そのすべてを兼ねそろえていたのがインダス文明だった。それがいかに珍重されたかは、ウルの王墓から紅玉髄製ビーズのネックレスが出土したことからも明らかである。さらに紅玉髄の表面に白色の文様を描く漂白（腐食）加工が施されたビーズもインダス文明の特産品で、南西アジア交流圏全域から出土する（小磯 二〇〇八）。

一方、西からインダス文明に輸出された商品については記載がなくまた十分な出土資料がないが、イラン高原産でメソポタミア諸都市に広く分布する威信材のクロライト製石製容器や、マガン産の銅の可能性が指摘されている（近藤 二〇一一：一五九―一六二頁）。

交易活動は前二〇〇〇―前一九〇〇年頃に変換期を迎え、台頭したバールバール（ディルムン）文明が仲介役を担うセンター交易が発展した（後藤 二〇一五）。当該地で用いられたのがインダス式印章と同じ様式でウシとインダス文字（文字配列はインダス式印章と異なる）を刻んだ円形のペルシア湾型印章である。おそらくはウシをシンボルとするインダス商人に出自をもつ集団が活躍したことが窺える。またメソポタミアを特徴づける円筒型印章にもインダス文明風や前述したクッリ文化風の図柄が見られ、非常に多様な出自の商人が関わっていたことを示唆する（小磯 二〇〇五）。

七、葬制

葬制（遺体処理）は、特定の集団の精神世界を反映した象徴的行為でもある。ハラッパー、カーリーバンガン、ラーキー・ガリー、ドーラーヴィーラーなど五カ所の都市を含む六カ所の遺跡からは、その近場ないし数百メートル―一キロメートルほどの位置に設けられた墓地が発見されている。文明全体でこれまで数百基が発掘されている。ハラッパーでは墓地はマウンドの二五〇メートルほど南に位置し、全体で二〇〇基が埋葬されていると見積もられている。

しかし最盛期に少なくとも四万人が暮らし七〇〇年間継続した都市の墓地としては人数が少な過ぎる。他にも複数の墓地があったか、もしくは墓地に埋葬する以外の方法（火葬後に遺灰を川に流すなど）の可能性も捨てきれない。

文明全体の墓地の埋葬例で概ね共通するのが、①主に南北に遺体を寝かせた伸展葬土壙墓、②一度土葬にした骨を集め壺に納めた壺棺葬、③遺体を伴わず土器などのみが埋葬された副葬品埋納壙（象徴埋葬ともされる）の三種の墓である。①が過半数を占めるとはいえ、②、③も一定の割合で見られる。どのような理由がその背景にあるのか定かではなく、同集団のなかの異なる方法なのか、出自が異なる集団のものなのか検討を要する。また特に①では数点―四〇点ほどの土器が副葬されることが多く、男性の場合にやや数が多い傾向にある。また女性が左腕に貝製の腕輪を付けていたり銅製の鏡が副葬される例や、土壙の縁をレンガで囲ったり遺体を木製の棺に納める例などがあるほかは、埋葬方法に大きな社会的格差は認められない。

八、文明社会の実態

当時の社会を知る情報はいまだ不足しているものの、近年取り入れられつつあるのがヘテラルキー（多頭的階層）という考えである。王などを頂点とするようなピラミッド形のヒエラルキー（階層性）に対し、前述した工芸職人や商人などの職業組合連合や宗教従事者など各々の専業集団が共存しつつ一体化が図られている社会である（Rahmstorf 2012: 318; Vidale 2018）。社会的判断を下す際には、少なくとも複数のメンバーが関わっていたことが想定され、そこに後のカースト制度の萌芽を見る向きもある。これまでの既成概念を捨て、さらに検証を進める必要がある。

墓からは顕著な社会的格差が認められないとしても、前述した城塞の役割・機能の解釈は重要な課題である。また都市遺跡で稀に住居内から発見される個人的な埋納品（豪華な紅玉髄製ビーズの首飾りや金製品などを壺に納めて保管した／

隠した)が、住居の大小の違いとともに富の偏在を示すものとして注目されている。周壁をもつ都市ともたない村が存在した以上、文明内に一定の社会的格差が生じていたのは必然であろう。
ミクロとマクロの視点を持ちつつ、このユニークな文明の実態解明に向けて次の一世紀に臨む必要がある。

注

(1) 英語表記ではIndus Civilizationのほか、Indus Valley Civilization, Indus-Sarasvati Civilization, Sindh Valley Civilization, Harappan Civilizationなどが使われることがある。

(2) 一九八〇年にユネスコ世界文化遺産「モヘンジョダロの考古遺跡：英語表記＝Archaeological Ruins at Moenjodaro」(ユネスコHP＝https://whc.unesco.org/en/list/138)として登録された。その記載名からも窺えるように、カタカナ表記とアルファベット表記とでずれがあり、実際にその統一が取れていないのが実情である(Mohenjo-daro, Moenjodaro, Mohenjo Daro、モヘンジョ＝ダロ、モエンジョダロ、モヘンジョ・ダロなど。ダロについてもカタカナではダーロ、ダローとする場合がある)。ユネスコのアルファベット表記Moenjodaroは遺跡が位置する土地の今日の言語であるスィンディー語に基づいている。ただし一般によく知られているその名称の意味「死者(たち)の丘」をスィンディー語に基づき解釈するのであれば、より正確には「ムアンジョダロ／ムハンジョダロ」となる。そのためMoenjodaroモエンジョダロの表記は「慣習」に基づくものといえるであろう。またMoenjodaro、ないしMohenjodaroについてはパキスタン国内でもスィンディー語と公用語のウルドゥー語とで綴りには揺れがあり、両者ともに使われている。ただ現地表記(空港名を含む)がMoenjodaroであるため、これが公式名称ともいえる(以上、麻田豊・萬宮健策両氏からのご教授による。ただし上記の文責は筆者にある)。この他、モヘンジョダロと読む場合に「モヘン＝モーハン＝ヒンドゥー教のクリシュナ神の丘」とする解釈もある(Sindhav 2016)。
研究上の表記では、この遺跡を発掘したジョン・マーシャルがその発掘調査報告書(Marshall 1931)に「Mohenjo-daro(モヘンジョ＝ダロ)」を用いたことに倣い、その使用がほぼ通例となっている。本稿ではこれに従う。

参考文献

上杉彰紀(二〇〇九)「ガッガル平原における先・原史文化の変遷」『環境変化とインダス文明 二〇〇八年度成果報告書』総合地球環境学研究所インダス・プロジェクト。

上杉彰紀(二〇一〇)「先インダス文明期からポスト・インダス文明期における遺跡分布に関する覚書」『環境変化とインダス文明 二〇〇九年度年報』総合地球環境学研究所インダス・プロジェクト。

上杉彰紀(二〇一三)「ガッガル平原におけるインダス文明期の諸相」『西アジア考古学』一四号。

上杉彰紀(二〇二〇)「インダス考古学の現状と課題」『西アジア考古学』二一号。

上杉彰紀(二〇二二)『インダス文明――文明社会のダイナミズムを探る』雄山閣。

遠藤仁(二〇一三)「工芸品からみたインダス文明期の流通」長田俊樹編『インダス――南アジア基層世界を探る』京都大学学術出版会。

木村聡(二〇〇九)「ソーラト・ハラッパー文化小考」『インド考古研究』三〇号。

小磯学(一九九八)「「都市」のかたちに見るインダス文明の地域性」『網干善教先生古稀記念考古学論集』関西大学考古学研究室。

小磯学(二〇〇五)「インダス文明の交易活動における印章」『西アジア考古学』六号。

小磯学(二〇〇八)「インダス文明の腐食加工紅玉髄製ビーズと交易活動」『古代文化』六〇巻。

小磯学・小茄子川歩(二〇〇九)「インダス式印章のサイズとその意義」『日々の考古学2』東海大学考古学研究室(編・出版)。

後藤健(二〇一五)『メソポタミアとインダスのあいだ――知られざる海洋の古代文明』筑摩書房。

小茄子川歩(二〇一一)「右向きのモチーフが刻まれたインダス式印章―ハラッパー文化の多様性に関する一考察」『西アジア考古学』一二号。

小茄子川歩(二〇一六)『インダス文明の社会構造と都市の原理』同成社。

近藤英夫(二〇一一)『インダスの考古学』同成社。

近藤英夫・上杉彰紀・小茄子川歩(二〇〇七)「クッリ式土器とその意義――岡山市立オリエント美術館所蔵資料の紹介を兼ねて」『岡山市立オリエント美術館研究紀要』二一。

宗基秀明(二〇二一)「インダス文明の形成とバローチスターン文化(1)――研究史を振り返りながら」『鶴見大学紀要 第4部 人

文・社会・自然科学編』五八。
前本英明・長友恒人（二〇一三）「消えた大河とインダス文明の謎」長田俊樹編『インダス　南アジア基層世界を探る』京都大学学術出版会。

Gupta, S. P. (1979), "Baluchistan and Afghanistan: refuge areas or nuclear zones?", D. P. Agrawal and D. K. Chakrabarti (eds.), *Essays in Indian Protohistory*, Delhi, B. R. Publishing Corporation.

Harappa.com (2017), "The Harappan Goddess of War?", 〈https://www.harappa.com/blog/harappan-goddess-war〉最終閲覧日二〇二二年一月一一日。

Jarrige, J.-F. (1989), "Excavations at Nausharo 1987-88", *Pakistan Archaeology*, 24.

Jarrige, J.-F. (1994), "The final phase of the Indus occupation at Nausharo and its connection with the following cultural complex of Mehrgarh VIII", A. Parpola and P. Koskikallio (eds.), *South Asian Archaeology 1993*, Vol. 1, Helsinki, Annales Academiae Scientiarum Fennicae, Series B, Vol. 271.

Joshi, J. P. (1993), *Excavations at Bhagwanpura 1975-76 and Other Explorations & Excavations 1975-81 in Haryana, Jammu & Kashmir and Punjab*, New Delhi, Memoirs of the Archaeological Survey of India, 89.

Kenoyer, J. M. (1991), "The Indus Valley Tradition of Pakistan and Western India", *Journal of World Prehistory*, 5 (4).

Kenoyer, J. M. (1998), *Ancient Cities of the Indus Valley Civilization*, Karachi, Oxford University Press and American Institute of Pakistan Studies.

Kenoyer, J. M. and R. H. Meadow (2016), "Excavations at Harappa, 1986-2010: New Insights on the Indus Civilization and Harappan Burial Traditions", G. R. Schug and R. Walimbe (eds.), *A Companion to South Asia in the Past*, Chichester, Wiley-Blackwell.

Konasukawa, A and M. Koiso (2018), "The Size of Indus Seals and its Significance", D. Frenez, G. Jamison, R. Law, M. Vidale and R. Meadow (eds.), *Walking with the Unicorn: Social Organization and Material Culture in Ancient South Asia (Jonathan Mark Kenoyer Felicitation Volume)*, Oxford, Archaeopress Publishing.

Lal, B. B. (1954), "Excavation at Hastinapura and other Explorations in the Upper Ganga and Sutlej Basin 1950-52", *Ancient India*, 10-11.

Marshall, J. H. (1931), *Mohenjo-daro and the Indus Civilization*, London, A. Probsthain.

McIntosh, J. (2001), *A Peaceful Realm: The Rise And Fall of the Indus Civilization*, New York, Basic Books.

Meadow, R. H. (ed.) (1991), *Harappa Excavations 1986-1990: A Multidisciplinary Approach to Third Millennium Urbanism*, Madison, Prehistory Press.

Parpola, A. (1994), *Deciphering the Indus Script*, Cambridge, Cambridge University Press.

Possehl, G. L. and C. F. Herman (1990), "The Sorath Harappan: a New Regional Manifestation of the Indus Urban Phase", M. Taddei and P. Callieri (eds.), *South Asian Archaeology 1987*, Vol. 1, Roma, Istituto Italiano per il Medio ed Estremo Oriente.

Quivron, G. (2000), "The Evolution on the Mature Indus Pottery Style in the Light of the Excavations at Nausharo", Pakistan, *East and West*, 50 (1-4).

Rahmstorf, L. (2012), "Control mechanisms in Mesopotamia, the Indus Valley, the Aegean and Central Europe, c 2600-2000 BC, and the Question of Social Power in Early Complex Societies", T. L. Kienlin and A. Zimmerman (eds.), *Beyond Elites Alternatives to Hierarchical Systems in Modelling Social Formations*, Vol. 2, Bonn, Verlag Dr. Rudolf Habelt GmbH.

Robson, E. L. (trans.) (1929), *Arrian: History of Alexander and Indica*, 2 Vols., Cambridge, Harvard University Press.

Shudai, H., A. Konasukawa, S. Kimura and H. Endo (2013), "Report on the Survey of the Archaeological Materials of Prehistoric Pakistan stored in the Aichi Prefectural Ceramic Museum, Part 5: Archaeological Considerations on the Pottery and Cultures in the Pre-/Protohistoric Balochistan", 『鶴見大学紀要 第4部 人文・社会・自然科学編』五〇。

Sindhav, H. D. (2016), "Mohenjo-Daro civilization", *International Journal of Social Impact*, 1-1.

Uesugi, A. (2017), "Ceramic Sequence in the Ghaggar Plains from Pre-Indus to Post-Indus Periods", V. Lefèvre, A. Didier and B. Mutin (eds.), *South Asian Archaeology and Art 2012*, Vol. 1, *Man and Environment in Prehistoric and Protohistoric South Asia: New Perspectives*, Turnout, Brepols.

Uesugi, A. and V. Dangi (2020), "Change in the Mortuary Practices from the Urban Indus Period to the Post-Urban Indus Period in the Ghaggar Basin with a Focus on the Ceramic Evidence from Farmana (Seman-6) and Bedwa-2", S. V. Rajesh, G. S. Abhayan, Ajit Kumar and E. R. Ilahi (eds.), *The Archaeology of Burials: Examples from Indian Subcontinent*, Vol. 1, New Delhi, New Bharatiya Book Corporation.

Vidale, M. (2018), "Heterarchic Powers in the Ancient Indus Cities", *Journal of Asian Civilizations*, 41-2.

焦点｜*Focus*

ドンソン文化とサーフィン文化
——東南アジアの鉄器時代文化

山形眞理子

はじめに

東南アジアにおける首長制社会の展開を考える上で、鉄器時代文化の検討は欠かせない。その中で、最も研究の蓄積が進んでいるのがドンソン(Đông Sơn)文化とサーフィン(Sa Huỳnh)文化である。文化名の由来となったドンソン遺跡はベトナム北部タインホア省に、またサーフィン遺跡はベトナム中部クアンガイ省に位置している。両文化は年代的にはおおむね並行しており、紀元前四—前三世紀から紀元後一世紀にかけて独自性を発揮したが、後一〇〇年頃には衰退したとみられる。調査研究の歴史はフランス植民地時代にさかのぼり、一九三〇年代に「ドンソン文化」「サーフィン文化」という名称が考古学界で使われ始めた。東南アジアの他のどの地域の鉄器時代文化と比べても、長い研究史を有している。

考古学的な知見から見えてきたことは、ドンソンを象徴するものが銅鼓を中心とする青銅器群であり、サーフィンを象徴するものが甕棺墓であるように、隣接する地域にありながら文化の内容は大きく異なっている点である。一方で、サーフィン文化圏からドンソン文化の銅鼓が出土することからも、両者の間で交易が行われていたことも明らかである。

本稿では両文化の実像を、近年の研究成果を踏まえて再構築し、東南アジアの鉄器時代における歴史的意義を考察する。(1)

一、ドンソン文化とサーフィン文化を取り巻く歴史的環境

東南アジア大陸部では、いつ金属器時代が始まったのかをめぐって論争がある。青銅器の出現時期を、東北タイのバンチェン(Ban Chiang)遺跡の資料に即して紀元前二〇〇〇年頃とする長期編年説と、同じく東北タイのバンノンワ

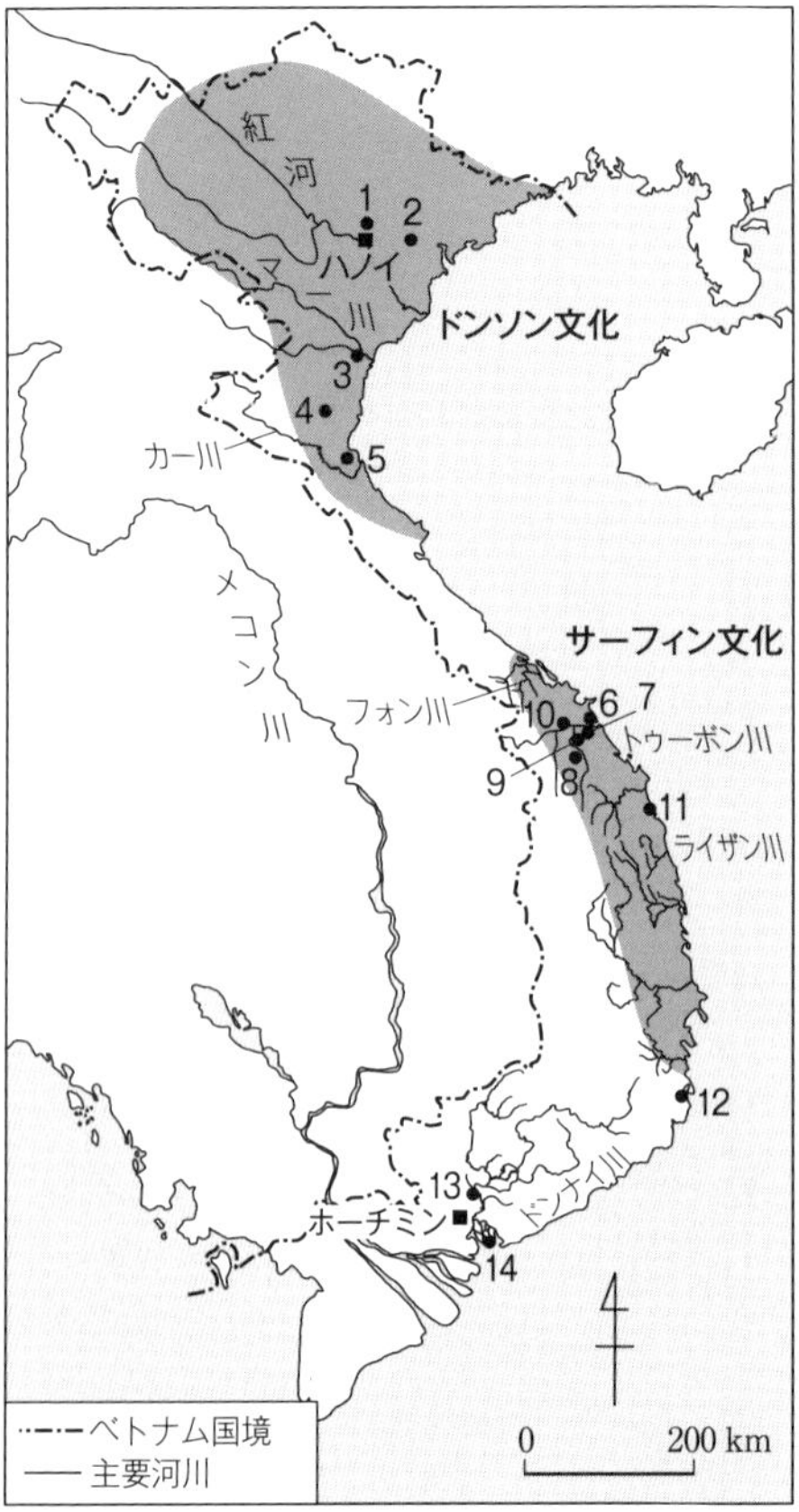

図1 ドンソン文化・サーフィン文化の分布範囲と遺跡の位置
1. コーロア　2. ヴェトケ　3. ドンソン　4. ランヴァク　5. バイコイ　6. ライギ　7. ゴーマーヴォイ　8. ビンイェン　9. ゴーズア　10. ダイライン　11. サーフィン／ロンタイン　12. ホアジェム　13. フーチャイン　14. ゾンカーヴォ

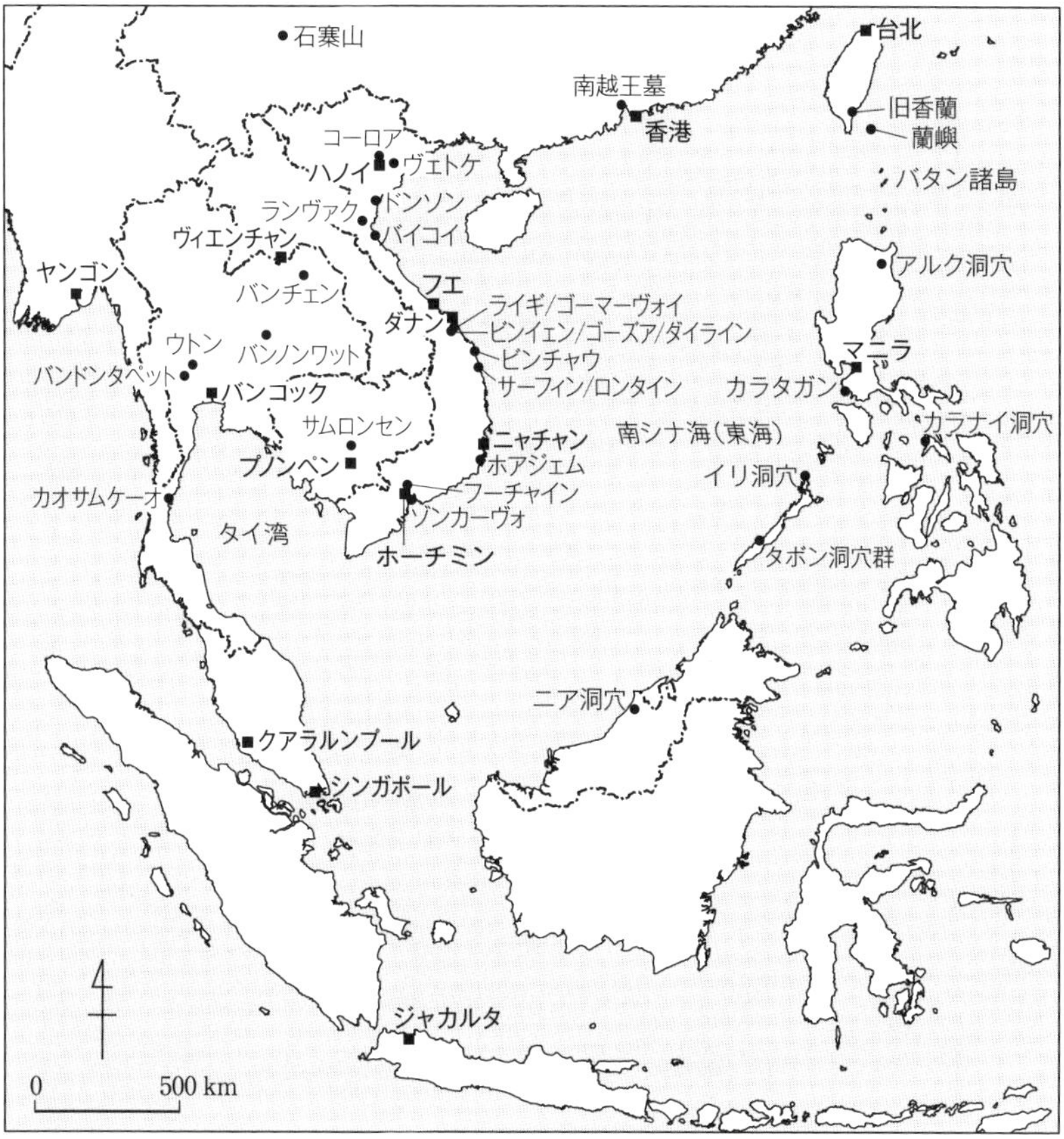

図2　本稿で言及する遺跡の位置(■は現代の都市)

ット(Ban Non Wat)遺跡の調査にもとづいて前一〇五〇年頃とする短期編年説がある(山形二〇〇三)。近年ではチャールズ・ハイアムが主導して、バンノンワットに加えて東北タイの複数の遺跡で得られた放射性炭素年代に対して共通の手法(Bayesian age model)を適用した分析が積み重ねられた結果、短期編年説が支持を集めている。

この青銅器時代の開始を前一一世紀とする短期編年体系において、鉄器時代は前四二〇年頃に始まり、後五〇〇年−六〇〇年頃に初期歴史時代に移行するまでの期間とされている。紀元前四−前三世紀頃から始まったと考えられるドンソン文化とサーフィン文化の年代は、ハイアムらが提示する鉄器時代の年代的枠組とずれてはいない。ただしベトナムでは、両文化が衰退し、鉄器時代から初期歴史時代に移行したのは紀元後一〇〇年頃と考えられる。

ドンソン文化とサーフィン文化の時代は激動のさなかにあった。統一秦による嶺南への侵攻と三郡の設置（前二一八ー前二一四年）、秦の滅亡（前二〇六年）と趙佗《ちょうだ》による南越建国（前二〇三年）、南越の滅亡と前漢の九郡設置（前一一一ー前一一〇年）、徴《ちょう》姉妹（ハイバーチュン）の蜂起と後漢が派遣した将軍・馬援《ばえん》による鎮圧（後四〇ー四三年）などの歴史的事件が、ベトナム北部の在地社会に大きく影響したことは疑いない。南越を滅ぼした前漢の武帝が旧南越の地に設置した九郡のうち、交趾《こうし》郡・九真《きゅうしん》郡・日南《にちなん》郡が現在のベトナム領内に置かれ、交趾郡は紅河《こうが》平野、九真郡は現在のタインホア省を中心とする地域、日南郡はさらにその南にあった。日南郡の範囲はサーフィン文化のすぐ北まで迫り、その文化圏の一部を取り込んだ可能性もある。

この時代、中国と南インド東海岸を結ぶ交易が前一世紀には盛んになっていたことは、『漢書』（巻二八下）地理志の記載からも明らかである（山本 一九六六、桜井 二〇〇一）。粤地《えっち》すなわち現在の中国南部からベトナム北部・中部にかけての地域が犀、象、玳瑁《たいまい》、珠玉、銀、銅、果、布を産したことも記載されている。交易の航路はインドシナ半島東岸をたどっており、その航路上で日南郡は交易の玄関口にあたり、交趾郡・九真郡は日南郡と広東方面をつなぐ仲介点という性格を帯びた（桜井 二〇〇一：一一六頁）。ドンソン文化とサーフィン文化それぞれの在地の集団も、この交易に関与したと考えることは自然である。

ドンソン文化衰退の要因は、徴姉妹の蜂起の後、ドンソン文化の中核的な担い手であった在地首長層が力を失ったことに求められる。後一〇〇年頃を境にベトナム北部には漢墓（漢系の磚室墓）が急速に広がり、漢系の青銅器生産も定着した（吉開 一九九五：八六頁、俵 二〇一四：二六九ー三五七頁）。サーフィン文化が衰退した後のベトナム中部では、クアンナム省チャーキュウ（Trà Kiệu）遺跡などで、後二世紀に中国式の瓦を葺いた木造建築が出現した。チャーキュゥ遺跡は、中国史書に二世紀末に独立したという記事がある初期国家・林邑《りんゆう》の王都に比定されている(山形・桃木 二〇〇一)。

二、金属器文化の土着の発展

前述のような歴史的変動の中にあった両文化が、土着の文化を礎にして形成されたことを、ベトナム考古学の調査研究が明らかにしている。

ドンソン遺跡はタインホア省内を流れるマー川の右岸に位置する。丘陵の裾部にあたり、丘とマー川に挟まれた細長い区域に遺構が広がっている。一九二四年、タインホアの税関吏ルイ・パジョが初めてドンソン遺跡を発掘し、その資料をもとに一九二九年、フランス極東学院のヴィクトル・ゴルーベフが「トンキンならびにアンナン北部における青銅器時代」と題する論文を発表したことで、ドンソン遺跡出土遺物が広く学界の関心を集めることになった(Goloubew 1929)。一九三〇年代半ばにオーストリアの民族学者ロベルト・ハイネ゠ゲルデルンによって「ドンソン文化」という名称が使われるようになった。

ハイネ゠ゲルデルンはドンソン文化の起源を東欧・黒海沿岸地域からの民族移動による文化伝播として説明した(Heine-Geldern 1937)。一九五〇年代にベトナム人によるベトナム考古学が創始された際、こうした伝播論に反論するために、考古学者が最初に取り組んだのはドンソン文化に先立つ金属器時代の編年を確立することであった。フート省フングエン(Phùng Nguyên)遺跡、同省ゴームン(Gò Mun)遺跡、ヴィンフック省ドンダウ(Đồng Đậu)遺跡が次々に発見され、ドンソン遺跡も一九六一―六二年、一九六九―七〇年、一九七六年に発掘されている。一九六八―七一年にはベトナム考古学院が「雄王時代」すなわち初期国家建国の時代を研究テーマに掲げた(Viện Khảo cổ học 1971-

74)。ベトナムの史書『大越史記全書』によれば、雄王は「文郎《ぶんろう》国」を建国し一八代続いたとされる。この雄王時代の実在を証するものとして、ベトナム北部の金属器時代にフングエン文化→ドンダウ文化→ゴームン文化→ドンソン文化という体系が構築された(2)。

さらにベトナムの考古学者はドンソン文化を前期(前七—前六世紀)、中期(前五—前三世紀)、後期(前二—後二世紀)に分け、中期にドンソン文化が最も発展し、ゴックリュ(Ngọc Lũ)鼓[図3]に代表される優美な大型銅鼓が生産されたと考える(Phạm Huy Thong et al. 1990; Hà Văn Tấn 1994; Bùi Văn Liêm 2015)。しかしドンソン文化を前七世紀までさかのぼらせ、ゴックリュ鼓を最古の銅鼓とする考えには、外国人研究者の多くが賛成していない。

ドンソン文化圏内では三つの河川に沿って、紅河類型(ドゥオンコー類型)・マー川類型(ドンソン類型)・カー川類型(ランヴァク類型)という、三つの地方類型が認められている。青銅器時代にそれぞれの流域で発展した地域文化が、ドンソン文化として一つになり、開花したことが強調される(Phạm Minh Huyền 1996)。

ベトナム北部におけるフングエン文化期からドンソン文化期には、金属器と稲作農耕の発展と、定住化が進行した。東南アジア大陸部には前二五〇〇—前一五〇〇年の間に中国南部から稲作が伝播した。紅河平野でもフングエン期の文化層から炭化米が出土する例がある。こうした稲作の証拠とともに動物骨には家畜化の傾向も見え始める。ドンダウ遺跡のようにフングエン期からドンソン期まで居住が継続し、文化層の厚さが最大で五メートルを超える重層的な遺跡も存在する。ゴームン期までは紅河平野縁辺部の比較的高い地域に遺跡が立地するが、ドンソン期に至ると低地

図3 ゴックリュ鼓(Pham Huy Thong et al. 1990). 高63 cm, 鼓面径79 cm

にも遺跡が広がる。この居住域の拡大を、夏季に広範に冠水する低地で、冬季に栽培が可能な冬春稲が作付け選択されたためとみる説がある(桜井 一九七九、西村 二〇一一：九三頁)。農地の開拓と農業生産量の増大は人口増加をもたらした。『漢書』地理志の戸口数統計によれば、紀元前後の交趾郡つまり紅河平野の人口は七四万を超え、嶺南とベトナム北部のどの郡に比べても人口が多い。

サーフィン文化の標式遺跡となったサーフィン遺跡は、クアンガイ省南端の海岸に形成された細長い砂州の上にある。ここで一九〇九年にフランスの税関吏が初めて甕棺墓を発見したことが研究の嚆矢となった。一九七五年のベトナム戦争終結直後からベトナム人による中部の遺跡調査が始まる。サーフィン遺跡と同じ砂州の上に立地するロンタイン(Long Thạnh)遺跡、同じ省内のビンチャウ(Bình Châu)遺跡が調査され、「先サーフィン」文化としてロンタイン段階→ビンチャウ段階が設定され、その後にサーフィン文化が続くという発展段階が認められている(Vũ Công Quý 1991; Hà Văn Tấn 1999)(3)。

三、ドンソン文化とサーフィン文化の在地社会

ヴェトケの厚葬墓とコーロアの巨大城郭

ここで紅河平野のドンソン期を代表する二つの遺跡、ヴェトケとコーロアの在地社会について考察する。

紅河平野の低湿な地域に特徴的な埋葬として、丸木を半截して刳り抜いた割竹型木棺を埋置する墓がある。ここでは舟形木棺墓と呼ぶ。ベトナム人考古学者の集計によれば紅河平野の四二地点から総計一五〇基の舟形木棺墓が発見されている(Bùi Văn Liêm 2013)。実際に使用された丸木舟が棺に転用されたこと、転用の際に取りはずされた舷側板が、棺を囲う槨室の部材に転用されたことも判明している。

図４　ヴェトケ２号墓と副葬青銅器の一部(Viện bảo tàng Lịch sử Việt Nam 1965)．縮尺不同

一九六一年に調査されたハイフォン市ヴェトケ(Việt Khê)遺跡では四〇〇平方メートルの範囲から五基の舟形木棺墓が出土した。五基のうち四基には全く副葬遺物はなかったが、二号墓からは大量の副葬遺物が出土した(Viện bảo tàng Lịch sử Việt Nam 1965)[図４]。

ヴェトケ二号墓は長さ四・七六メートルを測る大型の木棺をもつ。墓の内部に納められていた一〇七点のうち九三点が青銅器であり、銅鼓も副葬されていた。今村啓爾の編年によればヘーガーI式の1期にあたる古い銅鼓である。[4] 船の紋様がつく桶型青銅容器、鐘、鈴、たんつぼ形容器、壺、楽人装飾付きの柄杓、短剣、槍先、矛、各種の斧、鑿などに加え、中国戦国時代の型式の銅剣や鼎などの輸入青銅器も伴っている。中国系遺物の年代からは戦国末—前漢早期、つまり前三—前二世紀の墓と考えられる。

前述のカー川類型を代表する存在であるゲアン省ランヴァク(Làng Vạc)遺跡は、土壙墓、石蓋土壙墓、土器片墓、甕棺墓などが集中する前二世紀を中心とする墓地であるが、副葬品の数が際立って多い墓は確認されていない(Imamura and Chu 2014)。マー川類型を代表するドンソン遺跡では、植民地時代にパジョが発掘した墓群が前三世紀後半から前二世紀後半の大型墓群であり、ベトナム北部全体からみても最も高い質と量の青銅器群を含み、ヴェトケ二号墓に匹敵する(俵 二〇一四：二五八－二六一頁)。そのヴェトケ二号墓も、中国・広州市南越王墓や雲南省石寨山遺跡の滇《てん》王族墓地と比較すると「王墓」とは言えず、地方的な首長の墓とみるのが妥当である(今村 二〇一四：八八－八九頁)。ドンソン文化には王墓と言える規模の墓は発見されていないが、ヴェトケ遺跡と近い時代に、紅河平野の最高権力者は巨大な城郭を築いた。コーロア(Cổ Loa)城である。

コーロア城址はハノイ市街中心部から北へ直線距離で約一〇キロメートルの位置にある。現在でも三重の城壁(土塁)がよく残っており、その総延長は一六・一五キロメートルに達する(Trần Quốc Vượng 1969; 西村二〇一一：一二五－一四〇頁、Lại Văn Tới 2015)。土塁の外側には濠が巡らされ、それらは遺跡の南側を東流するホアンザン川とつながる。

ベトナムと中国の史書が記録する伝承によれば、コーロア城を築城したのは甌雒《おうらく》国を建てた安陽《あんよう》王である。安陽王は蜀王の孫とされる人物で、ベトナムに進出して雄王の文郎国を滅ぼした。安陽王の城は神弩の威力によって護られていたが、南越の趙佗の策略によって神弩が壊され、ついに趙佗に攻められて落城したとされる。

コーロアの内城には安陽王を祀るデントゥォンという寺がある。ここで二〇〇四－〇五年に発掘調査が実施され、青銅製三翼鏃の鋳造炉とその関連遺構が検出された。三分割式の石製鋳型も出土している。調査者は遺構の年代を前三世紀末から前二世紀初頭、つまり統一秦から前漢初期並行と考え、安陽王の居処と目される内城に青銅器鋳造の一大工房が存在し、武器の大量生産が行われたと考えた(ファム 二〇一〇)。

コーロアの城壁では二〇〇七－一四年に、三重の城壁すべてに横断トレンチを入れる発掘調査が行われた(Kim 2015; Lại Văn Tới 2015)。その結果、築城工事が四段階にわたったこと、城壁の造営が非常に短期間に行われたことが判明した。調査者は放射性炭素年代を考えあわせ、コーロアの城壁を前三－前二世紀に築かれたものとする。

ベトナムの考古学者は、安陽王のもとでコーロアを造営した甌雒国の社会を初期国家段階と認識する。農業生産の発展があり、それにともなって金属器の鋳造に携わる専業工人集団が出現し、金属器原料の採掘と流通が国家によって管理された。短期間のうちに城壁を建設した労働力の管理もまた、初期国家の成立を裏付ける。それは史書の記録にある「西甌」「雒越」というふたつの部族が同盟した甌雒国の人々がもたらした革新であり、つまりはドンソン文化が上りつめた頂点でもあったと評価する(Lại Văn Tới 2015: 152-153)。

ドンソン文化には一ヵ所の中心地が認められ、それぞれが政治経済的な中心をもつチーフダムであり、文郎国―甌雒国という初期国家の基礎を形成したと考える説がある。地域集団が特定の範囲を占めて並立し、銅鼓を頂点とする青銅器群を尊重する価値観を共有し、史料に「雒王」「雒侯」「雒将」と言及されたエリート層が成長していた。出土遺物における青銅製武器の比率の高さは、そのような地域集団が軍事的緊張のもとにあったことを示唆する(Trịnh Sinh 2011)。銅鼓や青銅容器に描き出された羽飾りをまとった戦士や、戦士が乗り込む船の図像もその状況を裏付ける。戦争と同盟を経て出現したであろう最高権力者のもとで前三世紀、コーロアの地に短期間に大規模な軍事拠点が建設された。それは外からの軍事的脅威、例えば南下する秦軍への対抗策であったのではないか。

ドンソン文化の社会が初期国家段階であったのか、首長制の段階であったのか、様々な見方がある(Higham 2014: 198-211)。いずれにせよ紅河平野には中国の南下に圧倒される前に、東南アジアのどの地域と比べても複雑な社会が出現していたとみることは妥当である。

トゥーボン川流域に注目して

現在までに知られているサーフィン文化の遺跡のほとんどは埋葬遺跡であり、居住址や工房址は確認されていない。そのため墓が唯一の情報源となっている。

サーフィン文化の特徴は甕棺墓である。蓋付きの甕は墓壙内に縦に置かれた。円筒形もしくは卵形の胴部をもつ甕と、帽子型の蓋の組み合わせが典型的である〔**図5**〕。副葬遺物には土器、鉄器、鉄器ほど多くない数量の青銅器、そしてビーズと耳飾りなどの装身具がある〔**図6**〕。甕棺内に人骨が残る例は非常に少ない。

クアンナム省にはサーフィン文化の遺跡が最も多く分布する。筆者とベトナム人共同研究者は、省内を流れるトゥーボン川の河口近くから内陸山間部までを踏査し、川沿いに多くの遺跡が連なる状況を明らかにした(Yamagata 2006; 山形・桃木 二〇〇一)。

トゥーボン川流域においてサーフィン文化は新旧二つの段階に区分できる。筆者は古い方をI段階、新しい方をII段階として分類した。I段階の甕棺は胴部が卵形を呈するものが多く、II段階になると胴部円筒形の甕が主流となる。副葬土器はI段階の土器のほうが器形・紋様装飾ともに多様性に富む。副葬されるビーズの量はII段階つまりサーフィン文化の後半に顕著に数が増える。

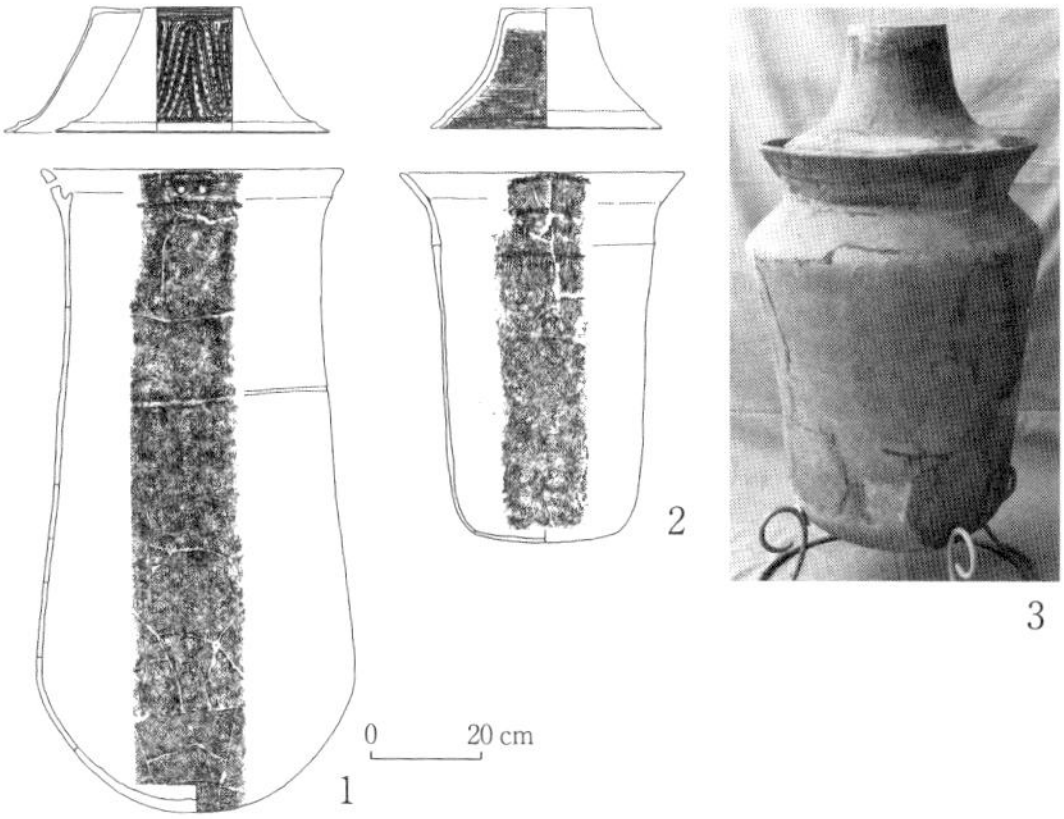

図5 サーフィン文化の甕棺と蓋(筆者実測・撮影)
1・2 ビンイェン遺跡(甕高 1. 111.8 cm, 2. 62 cm)
3 ゴーマーヴォイ遺跡(甕高 70 cm)

II段階には漢鏡の副葬もみられる。中流のビンイェン(Bình Yên)遺跡の七号墓では、甕棺の底からサーフィン文化には珍しく人骨が出土し、六〇歳くらいの男性と分析された。その頭蓋骨の下から小型の日光鏡が出土した。日光鏡は中国での製作年代が前七〇―前五〇年にほぼ限定される鏡である。同じくトゥーボン川中流のゴーズア(Gò Dừa)遺跡の甕棺からは前漢末の獣帯鏡が出土している(Yamagata et al. 2001)〔**図7**〕。

サーフィン文化の甕棺の形態をもとに三つの甕棺系統を抽出し、

その分布を調べた鈴木朋美によれば、北からトアティエンフエ省のフォン川流域に一系統、クアンナム省のトゥーボン川流域に三系統、ビンディン省のライザン川流域に二系統が存在することが明らかになった(鈴木 二〇一六)。トゥーボン川流域ではI段階に既に三つの系統が出揃っており、甕棺系統がトゥーボン川流域で生み出された後に他の流域に伝播して在地化した可能性がある。トゥーボン川流域の重要性が浮かび上がる。

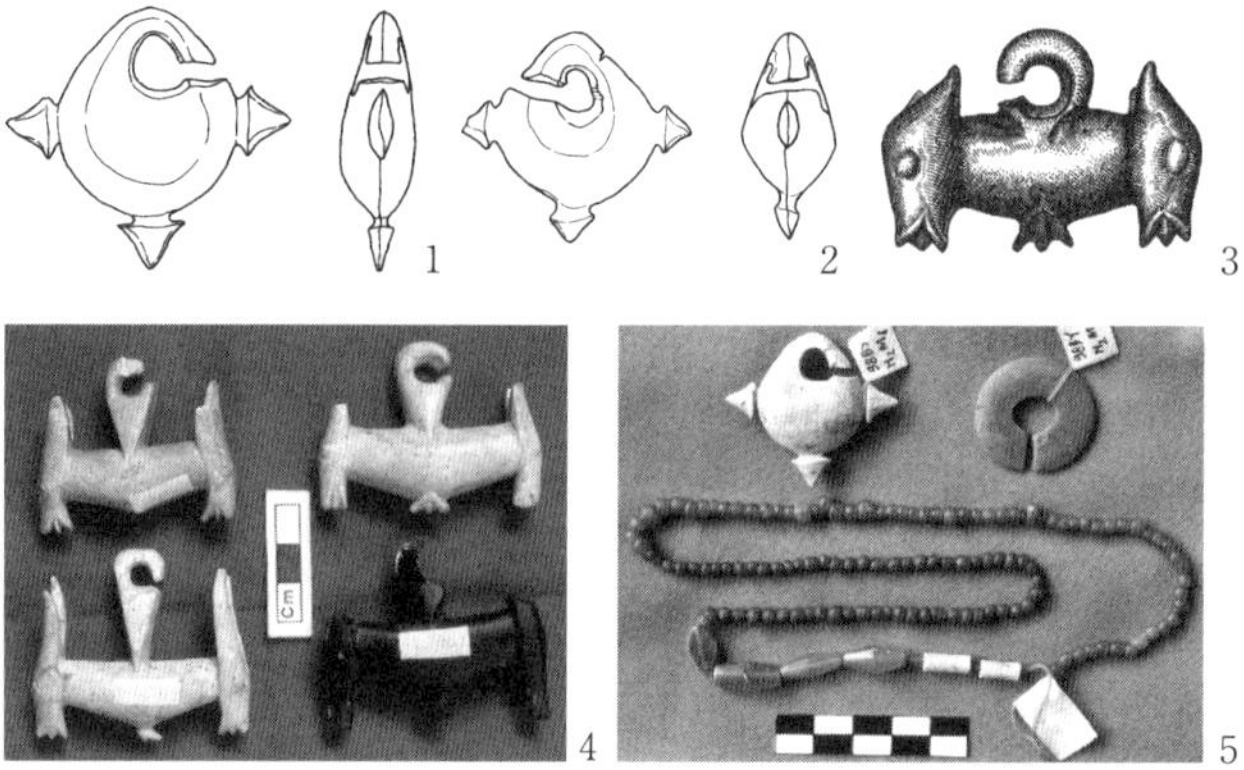

図6 鉄器時代の耳飾りとビーズ(3. Fox 1970；他は筆者実測・撮影)
1・2 三つの突起を持つ玦状耳飾り(ベトナム・ビンイェン遺跡 1. 長さ 3.8 cm，2. 長さ 3 cm) 3 双獣頭形耳飾り(フィリピン・ドゥヨン洞穴 幅 4.7 cm) 4 双獣頭形耳飾り(ベトナム・ダイライン遺跡 右上資料の幅 5.9 cm) 5 ビンイェン遺跡の甕棺墓(6 号墓)出土の耳飾りとビーズ

図7 サーフィン文化の甕棺墓から出土した前漢鏡(筆者撮影)
1 ビンイェン遺跡(直径 6.4 cm) 2 ゴーズア遺跡(直径 10.4 cm)

かつてトゥーボン川では、下流の平野、中流、そして上流の山間部が河川交通でつながれ、人と物品が往来し、水系全体が一つの社会経済システムを形成していた。そのシステムを統括した首長とエリート層は、河口に近い平野部を拠点にしたことであろう。ライギ(Lai Nghi)遺跡はそのような拠点が残した墓地である可能性が高い(Lâm Thị Mỹ Dung 2017)。ライギでは被葬者の社会的地位が副葬遺物の質と量の違いに反映されていると報告された。さらに、ライギの三七号墓は特異な土壙墓で、北から移住した漢人の墓であったのだろうか、漢の青銅容器六点(三足釜、鍋、鼎、碗、盆二点)と青銅製帯鉤《たいこう》、石製の硯と磨石など、ベトナム北部の漢墓からも出土する種類の遺物を伴っていた。

ライギ遺跡からは総計一万〇三六〇点もの装身具が出土したことも注目される。ガラス、カーネリアン、金、アメジスト、水晶、ネフライト、メノウ、青銅など、材質も多様である。種類別にみるとビーズが一万〇二八九点と圧倒的に多く、耳飾りが三四点、瓔珞が三四点、腕輪一点と報告されている。ビーズの多くは交易によって輸入されたものとみられる。獅子をかたどったカーネリアン製のビーズもあり、これらはビルマ、タイ、ベトナム、そして中国でも広西壮族自治区や広州市の漢墓から出土している。獅子はインドで釈迦のシンボルであり、これらのビーズもインドの交易者がもたらしたものか、あるいはインドの製品を模して東南アジアで製作された可能性もある。

中流で日光鏡を所有したビンイェン七号墓の老齢男性は地域の有力者であったとみられるが、鏡以外の副葬遺物では際立っているわけではない。七号墓のビーズが八〇点であったのに対し、最も多い墓は一六六点を持っていた。トゥーボン川流域のサーフィン文化遺跡の中でも最奥部に位置するタビン(Tabhing、またはパスア Paxua)遺跡は、河口から九〇キロメートルほどさかのぼった山間部にある。ここでは発掘総面積八六平方メートルの範囲で二基の甕棺墓が調査され、そのうち一基からガラス製ビーズ五点とメノウ製ビーズ一点が出土した。中流と上流に比べ、下流のライギが圧倒的な数のビーズを有したことは、平野を拠点とした首長層が外来の貴重な品を入手し、それを再分配した状況を想起させる。

四、鉄器時代の広域ネットワーク

銅鼓の南方への拡散

銅鼓と耳飾りは、鉄器時代の東南アジアに広く拡散した遺物である。銅鼓はドンソン文化の、耳飾りはサーフィン文化の代表的遺物として、両文化が遠方の社会と接触し、広範な交易ネットワークを形成したことを反映している。

銅鼓は河川交通の拠点や港湾、陸上交通の拠点などから発見されることが指摘されている（新田 二〇〇一：一〇二―一〇三頁）。南方海域をみると、前一―後一世紀にタイとマレー半島、インドネシアに多数の銅鼓が現れ、その半数以上が大型であった。さらに遠方のインドネシア東部の島々やニューギニア島にも大型銅鼓が運ばれた。ベトナム北部で製作された大型銅鼓が、製作されてすぐに、集中してインドネシア東部に運ばれたとする説が有力である（今村 二〇一〇：一七―二〇頁、Calo 2014: 107-126）。銅鼓の拡散は、受け入れた側に首長をいただく階層化社会が成熟していたからこそ起きた現象であった。

サーフィン文化圏へも銅鼓はもたらされた。トゥーボン川流域では上流の森の中で銅鼓一点が発見されている。ビンディン省ではサーフィン文化の遺跡は海岸に近い平野にあるが、内陸から一五点もの銅鼓が出土している。それらの多くが前一世紀の型式であることから、その時期にベトナム北部で製作され、サーフィン文化圏内へと移入されたとみられる。

サーフィン文化圏とその南にあたるベトナム中部と南部からは、計六一点の銅鼓が出土している。埋葬と関連する事例が多いが、中でも特異な銅鼓葬として注目されたのはビンズォン省フーチャイン（Phú Chánh）遺跡である。南部の最大都市ホーチミン市から東北へ直線距離で約三〇キロメートル、ドンナイ川流域の低湿地に埋もれていた。ここでは銅鼓は木製の桶型容器と組み合わされて棺体とされている。銅鼓は前一世紀の型式と考えられ、前漢末の四乳虺《しにゅうき》龍《りゅう》紋鏡が副葬されていた(Bùi Chí Hoàng 2017)。

マレー半島やインドネシア方面への銅鼓の搬送に、ベトナム中部と南部にいた航海者集団の関与を想定する仮説が提起されている(横倉 一九九三)。彼らがより遠方へと銅鼓を運ぶ中継者として役割を果たしたという想定は、成り立つと考えられる。

耳飾りを再考する

鉄器時代の東南アジアには四種類の耳飾りがあり、それは「玦状耳飾り」「四つの突起を持つ玦状耳飾り」「三つの突起を持つ玦状耳飾り」「双獣頭形耳飾り」である。このうちサーフィン文化の甕棺墓から多く出土するのは「三つの突起を持つ玦状耳飾り」と「双獣頭形耳飾り」である［図6］。同種の耳飾りは台湾東部旧香蘭遺跡、台湾蘭嶼、フィリピンのバタン諸島、ルソン島アルク(Arku)洞穴、同カラタガン(Calatagan)遺跡、パラワン島イリ(Ille)洞穴、同タボン(Tabon)洞穴群、マレーシアのボルネオ島ニア(Niah)洞穴、カンボジアのサムロンセン(Samrong Sen)貝塚、タイ中西部ウトン(U Thong)遺跡とバンドンタペット(Ban Don Ta Phet)遺跡、タイ南部カオサムケーオ(Khao Sam Kaeo)遺跡からも出土し、南シナ海とタイ湾を取り囲むように広く分布している。

この広域分布はサーフィン文化のネットワークの広がりを示すものと理解されているが、近年、広域分布の意味を書き変える研究が進んでいる。深山絵実梨は耳飾りの形態分類、製作技法と石材の観察にもとづいて耳飾りの製作体系(製作者集団)を識別した。まず後期新石器時代の台湾からフィリピン北部地域において「プロトタイプ」の製作体系が発生し、次いでフィリピン南部のパラワン島タボン洞穴群を中心に、台湾産ネフライト(5)の使用を特徴とする別の製作体系が展開する。その後、耳飾りは東南アジア大陸部へと拡散し、各地で入手可能な石材を用いる「在地製作段階」へと移行する。この段階では、東南アジア大陸部と島嶼部の間で耳飾りの製作に関わる情報が活発にやり取りされた。最終的にはサーフィン文化の地域に耳飾りの製作と使用が集約され、初期国家の形成期に入ると耳飾りは姿を消す(深山 二〇二一)。

耳飾りの起源と拡散に、南シナ海周辺の多くの地域社会が関わったことが明らかにされた。深山は、耳飾り製作工人があちこちの製作センターを回遊した状況を想定している。各地に散らばる鉄器時代社会に、専門工人が製作する装身具を欲したエリート層が存在していたのである。

五、鉄器時代の多様な甕棺葬

甕棺葬という葬制自体も海を越えて伝えられたとする説もある。東南アジア島嶼部では新石器時代から後一千年紀にかけて、各地に様々な甕棺葬が存在した。ピーター・ベルウッドはその甕棺葬伝統の伝播を、オーストロネシア語族という言語ファミリーの拡散と結びつけた。サーフィン文化の甕棺葬も、フィリピンやボルネオ、マレー半島方面から南シナ海を渡ってベトナムの海岸に移住した、オーストロネシア語族に属する言語を話す集団によって伝えられたと考えたのである(Bellwood 1997: 272)。

フィリピンのパラワン島タボン洞穴遺跡群では複数の洞穴から甕棺墓が発見されており、双獣頭形耳飾りと三つの突起を持つ耳飾りも出土している。サーフィン文化と類似する帽子形の蓋もある(Fox 1970; 田中 二〇一〇)。しかし、フィリピンからベトナムへという一方向の伝播を証明することは難しい。オーストロネシア語族の拡散とそれに伴う文化の伝播よりも、むしろ南シナ海を挟む地域間の相互交流の過程で、両岸それぞれに甕棺葬伝統が根付いたと考える方が自然である。

ベトナムの海岸にも、サーフィン文化とは異質の鉄器時代の甕棺葬があった。ドンナイ川河口のマングローブ地帯にあって豊富な副葬遺物を出土したホーチミン市ゾンカーヴォ(Giồng Cá Vồ)遺跡、ベトナム中部カインホア省カムラン湾岸にあってフィリピン中部と同じ型式の土器を副葬したホアジェム(Hòa Diêm)遺跡、ベトナム北中部でドンソン文化とサーフィン文化の両要素を併せ持つハティン省バイコイ(Bãi Cọi)遺跡などは、それぞれが独自の甕棺葬伝統を示す。

サーフィン文化はこれらとは一線を画するものであった。サーフィン文化は広範な地域で共通の伝統が保持され、その中には濃密な遺跡分布がみられる水系や、多くの甕棺墓を出土する複数の遺跡が立地する砂州も含まれていた。そういった地域ごとに成長した首長制社会の集合体が、サーフィン文化の社会であったとみられる。

おわりに

鉄器時代の東南アジアには、史料に記された南海交易の航路はもとより、海と内陸で銅鼓が運ばれたルート、耳飾りの工人が回遊したルート、ビーズの素材と製品が運ばれたルートなど、考古学的な知見から推測される様々な道が交錯し、人、物、情報が行き交うネットワークが広がっていた。そのような中でドンソン文化とサーフィン文化は、それぞれの交易ネットワークを通じて東南アジア各地の鉄器時代文化とつながっていた。ドンソン文化は銅鼓を頂点とする精巧で優美な青銅器群を造形し、サーフィン文化は独特の甕棺葬伝統を保持した。両文化はともに後一〇〇年頃までに衰退したが、それは偶然ではなく、歴史的背景を同じくした必然であったといえる。鉄器時代から初期歴史時代へと移り変わる転換期に独自の文化を花開かせたのが、ドンソン文化とサーフィン文化であった。

注

（1）本稿で言及する遺跡の位置については**図1・図2**の地図を参照されたい。

（2）ベトナム考古学界はフングエン文化を初期金属器時代とするが、青銅器の出土は確実ではない。フングエン文化期の遺跡から中国の玉器である牙璋《がしょう》が出土しており、中国側資料との比較からフングエン期は前二千年紀前半にさかのぼる(西村 二〇一一：五二−五四頁)。ドンダウ文化期に青銅器とその鋳造が始まり、ドンソン文化期の前三世紀以降に鉄器が出現するが、青銅器が卓越するドンソン文化にあって鉄器の出土数は限られている。

（3）ロンタイン段階に確実に伴う金属器は確認されていない。ビンチャウ段階に青銅製の斧、釣り針、鏃がみられ、サーフィン文化期に至ると鉄器が出現する。ロンタイン段階が前二千年紀末から前一千年紀初頭、ビンチャウ段階が前一千年紀前半から中半にあたる。

（4）銅鼓研究の基準となっている型式分類を行ったのはオーストリアの考古学者フランツ・ヘーガーである(Heger 1902)。ヘーガーは銅鼓をⅠ式−Ⅳ式に分類した。それに加えて今村は「先ヘーガーⅠ式」を提起し、最古の銅鼓と位置付けた(今村 一九七三)。今村はヘーガーⅠ式に「ドンソン系」と「石寨山系」の二つの系統が存在したことを認識し、両系統の消長を含むⅠ式銅鼓の年代的変遷の枠組みを作った(今村 一九九二)。先ヘーガーⅠ式(前四−前三世紀)に続き、Ⅰ式銅鼓を1期(前三−前一世紀)、2期(前一−後一世紀)、3期(後二世紀以降)とし、それぞれをａとｂの二段階に細分している。

（5）鉄器時代の耳飾りに使われた石材で最も多いのはネフライトで、その産地は限られる。飯塚義之と洪暁純は台湾東部豊田産ネフライトの同定基準を確立した(Iizuka and Hung 2005)。飯塚による分析の結果、パラワン島タボン洞穴群ウヤウ(Uyaw)洞穴、同ドゥヨン(Duyong)洞穴、ボルネオ島ニア洞穴、ベトナム中部のゴーマーヴォイ(Gò Mả Vôi)遺跡、そしてマレー半島東岸のカオサムケーオ遺跡出土の耳飾りや石材が台湾産ネフライトで作られていることが判明した。

参考文献

今村啓爾(一九七三)「古式銅鼓の変遷と起源」『考古学雑誌』五九巻三号。

今村啓爾(一九九二)「HegerⅠ式銅鼓における2つの系統」『東京大学文学部考古学研究室研究紀要』一一号。

今村啓爾(二〇一〇)「ヘーガーⅠ式銅鼓の南方海域への展開――その年代と歴史的背景」同編『南海を巡る考古学』同成社。

今村啓爾（二〇一四）「中国最南地域とベトナムの王墓」アジア考古学四学会編『アジアの王墓』高志書院。

桜井由躬雄（一九七九）「雒田問題の整理――古代紅河デルタ開拓試論」『東南アジア研究』一七巻一号。

桜井由躬雄（二〇〇一）「南海交易ネットワークの成立」『岩波講座 東南アジア史1 原史東南アジア世界』岩波書店。

鈴木朋美（二〇一六）「ベトナム中部サーフィン文化の甕棺にみる系統と地域性の関係」『東南アジア考古学』三六号。

田中和彦（二〇一〇）「フィリピンの先史時代」菊池誠一・阿部百里子編『海の道と考古学』高志書院。

俵寛司（二〇一四）『脱植民地主義のベトナム考古学――「ベトナムモデル」「中国モデル」を超えて』風響社。

西村昌也（二〇一一）『ベトナムの考古・古代学』同成社。

新田栄治（二〇〇一）「金属器の出現と首長制社会の成立へ」『岩波講座 東南アジア史1 原史東南アジア世界』岩波書店。

ファム・ミン・フエン（二〇一〇）「ハノイ郊外コーロア城における鋳造炉遺構」西野範子・西村昌也編訳、今村啓爾編『南海を巡る考古学』同成社。

深山絵実梨（二〇二一）『東南アジア先史時代の海域ネットワーク――南海の耳飾』雄山閣。

山形眞理子（二〇〇三）「金属器の編年問題」桃木至朗・早瀬晋三編『岩波講座 東南アジア史 別巻』岩波書店。

山形眞理子・桃木至朗（二〇〇一）「林邑と環王」『岩波講座 東南アジア史1 原史東南アジア世界』岩波書店。

山本達郎（一九六六）「古代の南海交通と扶南の文化」『古代史講座13』学生社。

横倉雅幸（一九九三）「ドンソンとサーフィン」『東南アジア――歴史と文化』二二号。

吉開将人（一九九五）「ドンソン系銅盂の研究」『考古学雑誌』八〇巻三号。

Bellwood, Peter (1997), *Prehistory of the Indo-Malaysian Archipelago* (*Revised edition*), Honolulu, University of Hawaii Press.
Bùi Văn Liêm (2015), "The Đông Sơn Culture in the Red River Delta and its relations with adjacent cultures", A. Reinecke (ed.), *Perspectives on the Archaeology of Vietnam*, Bonn, German Archaeological Institute.
Calo, Ambra (2014), *Trails of bronze drums across early Southeast Asia*, Singapore, Institute of Southeast Asian Studies.
Fox, Robert, B. (1970), *The Tabon Caves*, Manila, Monograph of the National Museum Number 1.
Goloubew, Victor (1929), "L'âge du bronze au Tonkin et dans le Nord-Annam", *Bulletin de l'École française d'Extrême-Orient*, 29.

Heger, Franz (1902), *Alte Metalltrommeln aus Südost-Asien*, Leipzig, Kommissions-Verlag von Karl W. Hiersemann.

Heine-Geldern, Robert von (1937), "L'art prébouddhique de la Chine et de l'Asie du Sud-Est et son influence en Océanie", *Revue des arts asiatiques*, 11 (4).

Higham, Charles F. W. (2014), *Early Mainland Southeast Asia: from First Humans to Angkor*, Bangkok, River Books.

Iizuka, Yoshiyuki and Hung Hsiao-chun (2005), "Archaeomineralogy of Taiwan Nephrite: Sourcing study of Nephrite Artifacts from the Philippines", *Journal of Austronesian Studies*, 1-1.

Imamura, Keiji and Chu Van Tan (eds.) (2004), *The Lang Vac Sites*, Volume I: *Basic Report on the Vietnam-Japan Joint Archaeological Research in Nghia Dan District, Nghe An Province, 1990-1991*, Tokyo, The University of Tokyo.

Kim, Nam C. (2015), *The origins of ancient Vietnam*, New York, Oxford University Press.

Lại Văn Tới (2015), "Cổ Loa; the capital of the Âu Lạc Kingdom in the 3rd and 2nd centuries BCE", A. Reinecke (ed.), *Perspectives on the archaeology of Vietnam*, Bonn, German Archaeological Institute.

Pham Huy Thong, Pham Minh Huyen, Nguyen Van Hao, Lai Van Toi (1990), *Dong Son drums in Viet Nam*, Ha Noi, The Vietnam Social Publishing House.

Yamagata, Mariko (2006), "Inland Sa Huynh Culture along the Thu Bon River Valley in Central Vietnam", E. Bacus, I. C. Glover and V. Piggot (eds.), *Uncovering Southeast Asia's Past*, Singapore, NUS Press.

Yamagata, Mariko, Pham Duc Manh and Bui Chi Hoang (2001), "Western Han bronze mirrors recently discovered in central and southern Vietnam", *Bulletin of the Indo-Pacific Prehistory Association*, 21.

Bùi Chí Hoàng (ed) (2017), *Khảo cổ học Nam bộ thời Tiền sử* (『ベトナム南部の先史時代考古学』), Hà Nội, Nhà xuất bản Khoa học Xã hội.

Bùi Văn Liêm (2013), *Mộ thuyền Đông Sơn Việt Nam* (『ベトナムのドンソン文化の舟形木棺墓』), Hà Nội, Nhà xuất bản Từ điển Bách khoa.

Hà Văn Tấn (ed.) (1994), *Văn hóa Đông Sơn ở Việt Nam* (『ベトナムのドンソン文化』), Hà Nội, Nhà xuất bản Khoa học Xã hội.

Hà Văn Tấn (ed.) (1999), *Khảo cổ học Việt Nam tập* II *Thời đại Kim khí Việt Nam* (『ベトナム考古学　第Ⅱ集　ベトナムの金属器時代』), Hà Nội, Nhà xuất bản Khoa học Xã hội.

Lâm Thị Mỹ Dung (2017), *Sa Huỳnh-Lâm Ấp-Chămpa, thế kỷ 5 trước Công nguyên đến thế kỷ 5 sau Công nguyên* (『サーフィン—林邑—チャンパ、紀元前五世紀から紀元後五世紀まで』), Hà Nội, Nhà xuất bản Thế giới.

Phạm Minh Huyền (1996), *Văn hóa Đông Sơn, tính thống nhất và đa dạng* (『ドンソン文化、統一性と多様性』), Hà Nội, Nhà xuất bản Khoa học Xã hội.

Trần Quốc Vượng (1969), "Cổ Loa: những kết qủa nghiên cứu vừa qua và những triển vọng tới (「コーロア、現在までの研究結果と今後の展望」)", *Khảo cổ học*(『考古学』), 1969 (3-4).

Trịnh Sinh (2011), *Sự hình thành nhà nước sơ khai ở miền Bắc Việt Nam (qua tài liệu khảo cổ học)* (『ベトナム北部における初期国家の形成(考古資料から)』), Hà Nội, Nhà xuất bản Khoa học Xã hội.

Viện bảo tàng Lịch sử Việt Nam (1965), *Ngôi mộ cổ Việt-Khê* (『ヴェトケ古墓』), Viện bảo tàng Lịch sử Việt Nam.

Viện Khảo cổ học (1971-74), *Hùng Vương dựng nước tập* I-IV (『雄王建国　I—IV集』), Hà Nội, Nhà xuất bản Khoa học Xã hội.

Vũ Công Quý (1991), *Văn hóa Sa Huỳnh* (『サーフィン文化』), Hà Nội, Nhà xuất bản Văn hóa Dân tộc.

焦点｜*Focus*

東南アジアの古代国家

田畑幸嗣

はじめに

海の東南アジアと陸の東南アジアという分類に従えば、本稿は陸の東南アジアを主に取り扱う。東南アジアの古代世界を、まずは陸と海との区分ありきで考える事が出発点として相応しいのかどうか、議論の余地はあろう。しかし現状では、両者の間に幾つかの見過ごす事の出来ない違いが見られるのも事実である。これらはまず、国家の成立と密接に関係する都市（＝政治的センター）で顕著に観察される。

国家と呼べるような政体は、史料上は紀元後の数世紀までに、東南アジアのほぼ全域で確認できる[1]。これに対応するように、陸の東南アジアでは、囲塁・囲壁・囲壕によって外界と区画された都市が各地に出現する。ところが同じ時代の海の東南アジアでは、今のところ明瞭な古代の都市は確認されていない[2]。

また都市だけでなく、海と陸とでは産業のあり方にも差異が見られる。専門家集団による産業の成立は、社会が複雑化するにつれて観察される一般的な現象である。しかし東南アジアでは、陶器・磁器といった前近代の窯業は大陸だけの現象で、海の東南アジアでは一切確認されていない[3]。

このような非対称性が、東南アジアにおける海と陸の古代国家の本質的な差異を意味しているのか、それとも単に史資料不足や解釈の誤りに由来するのであって、海と陸を統合した東南アジア古代国家論が将来構築可能なのかどうか、残念ながらどちらとも言い難いのが現状である。だがいずれにせよ、このような状況のため、海の東南アジアでは考古学的に古代国家に迫ることが難しい。そこでこれについては基本的に他稿に譲り、本稿では都市の調査が比較的進展している陸の東南アジアを中心に、古代国家の出現と展開とについて考えてみたい。

一、長い助走期間

今のところ、東南アジアすべての地域を網羅する統一的な時代区分は存在せず、それぞれの地域ごとに時代を設定しているのが現状である。(4) しかし、あえて大枠で捉えると、先史時代後半から国家の成立・発展までの時代は次のように区分出来るだろう。

①稲作の導入と金属器社会の出現(紀元前二千年紀後半以降)
②域外世界との接触の開始(紀元前一千年紀後半以降)
③国家の出現期(紀元前後—六世紀)
④古代国家の発達(七—八世紀前後)
⑤成熟した古代(古典)国家の時代(九世紀以降)

このうち、①②の時代については前章までを参照されたいが、社会の複雑化とともに、首長制段階と考えられる社会が東南アジア各地に成立し、細かい地域的な変異が大きく認められるようになる時代である。本稿では③~④の時代を取り扱うが、この間に在地の首長制社会を背景として成立・発展した初期の国家が都市とともに成熟し、やがて

⑤としてのアンコール朝の成立(九世紀初頭)や、パガンの成立(一一世紀)を見ることになる。

学史的には、東南アジアにおける国家形成は、二〇世紀前半からほぼ一世紀にわたって論じられ続けてきた問題である(Cœdès 1948; Mabbett 1977; Wolters 1999)。(5) このなかで、最も影響力があったのはジョルジュ・セデスのインド化論であろう。紀元前後の組織的な文化移植としての「第一次インド化」はすでに否定されているが、「インド化」そのものは決して「死んだ」理論ではなく、現在でも「コンバージェンス」、「サンスクリット・コスモポリス」、「ベンガル湾の相互作用圏」といった九〇年代以降の諸概念(Pollock 1996; Kulke 1990; Gupta 2005)を用いながら、新たな見直しがされている。(6) そこでまず、近年の動向を踏まえた東南アジア考古学における国家論への基本的なアプローチを指摘しておきたい。

近年の原史・歴史時代初期の東南アジア考古学研究は、以下の大枠を共有しつつ、抽象度の高い=汎用性のある理論を指向するよりも、むしろ社会変容における細かいプロセスの解明に焦点が当てられてきたと言えるだろう。

それを「インド化された国々」と呼ぼうが、「マンダラ」と呼ぼうが、いずれにせよ東南アジアでは、おおよそ六世紀までに古代国家群が成立するが、それに先立ち、紀元前一千年紀後半から各地に大集落が出現し、十分に発達・複雑化したいくつもの社会、おそらくは首長制の社会が成立する。国家形成に先立つ社会の規模・内実は様々であるが、かなりの程度自律的に複雑化し、階層化していったのだろうと考えられている。そしてこうした社会が、東南アジア域外の世界の刺激を受けながら、その文化要素を選択的に採用・適応することによって、東南アジアの古代国家が形成されていったというのが、今日多くの研究者が採用する解釈のフレームワークである。(7)

ここで特に注意を払いたいのは、古代国家に先行する諸社会が、まったく東南アジア域外との交流を持たずに孤絶した状態で複雑化したのではなく、また域外との接触は、これまで考えられていた以上に古くから行われていたという事実である。東南アジアは、少なくとも紀元前四・五世紀以降にはインドとの明瞭な接触を開始している。今のところ、最も古いインド系の遺物は、紀元前四世紀まで遡るとされるタイのカオ・サム・ケオ遺跡出土のガラスや貴石のビーズ類、同じくタイのバン・ドン・タ・ペット遺跡出土の青銅製容器であり(Glover and Bellina 2011)、これが東南アジアとインドの最初期の接触の証拠となる。この後、インド的ないしはインドにインスパイアされた物質・非物質文化をもつ諸国家が成立するまでの約千年間は、「長い助走期間」(青山 二〇一〇：二六二頁)として捉えられている。

こうした長期間の接触を背景に導入された東南アジア域外の文化要素であるが、東南アジアにおけるそのあり方は、おおよそ次のようなプロセスをたどる。すなわち、①そのままの形で流入するが現地化せずにやがて消滅する、②流入して東南アジア化、すなわち現地化する、③現地化するがやがて別のものに取って換わられる、のいずれかである。[8] なお、インド系の遺物は、接触段階の初期には西方への長距離交易ルートにアクセスが容易な地域でのみ観察され、また遺物としての絶対量はごく少数である。これが紀元後四―六世紀頃になると、東南アジア各地でインド起源の物質文化が普遍的に確認されるようになる。極端な話、どこでも出土する。これらは、多くの場合現地での制作・生産というコンテクストで確認されるので、それはそのまま現地化(東南アジア化)のプロセスを意味する。今日的な意味での「インド化」が進展する数世紀はまた、インド起源の物質文化の「東南アジア化」が進展する数世紀であるとも言える。

二、扶南をどう捉えるか

このような背景で成立する東南アジアの古代国家は、漢籍では林邑(チャンパー)、墮羅鉢底(ドヴァーラヴァティー)、驃(ピュー)など様々に記録されているが、その成立と展開のプロセスには、背景としての複雑化した現地社会や東南アジア域外世界との接触といった類似点がある。そこで本稿では紙面の都合もあり、筆者の専門であるメコン下流域の物質文化と最も関連の深い、扶南を事例として取り上げたい。

扶南の名は、漢籍では三世紀から出現し、六世紀を過ぎるとほぼ姿を消す。『隋書』などには後発の真臘がこれを併合したとある(本稿第三節)。『三国志』の呉書には、赤烏六年(二四三)に扶南王范旃による遣使の記録があり、『梁書』によると、呉もまた朱応・康泰という二人を扶南に派遣している。これ以降、扶南は南朝の諸王朝との接触を保ち続けるが、『南斉書』や『梁書』では扶南の建国神話を次のように伝えている。

扶南の本来の風俗は裸体であり、文身をし、衣類も整っていなかった。柳葉という女性を王としていた。ある時、激国(徼国)の混塡という者が夢で神より弓を賜り、船で扶南の外邑に来訪する。柳葉達はこれをみて拿捕しようとしたが、混塡の弓の威力に驚き怖れ、降伏したところ、混塡は柳葉たちに衣類を教え、やがて彼女を妻として国を治める事となった。

この神話は東南アジアで流布した建国神話を収録しているようであり、その最も古い例は、ミーソン刻文(七世紀中頃)に見られる(Cœdès 1948: 70)。漢籍も刻文もほぼ同じ構造であり、異邦人の男性が現地の女性(首長)と結婚し、王家が誕生するというものである。他の世界との接触で、東南アジアの首長制社会が国家を形成していく過程を読みとることが出来るだろう。

宗教的にはヒンドゥーや仏教が信仰されており、そのことを中国側は意識していたようで、晋に仏像を贈った話、梁が扶南に経典を求め仏僧の派遣を依頼した話、扶南では銅製で多面多臂の神像を祀っているといった話などが伝わっている。こうしたインド起原の宗教については、メコン下流域の諸遺跡から出土する、石製や青銅製の仏像、車輪、ヒンドゥーの神像によって考古学的にも裏付けられている。南朝にとっての扶南とは、東南アジアにおけるヒンドゥー・仏教の中心地の一つだったのだろう。

また『南史』では、扶南は周囲三〇〇〇里で、金、銀、銅、錫といった金属だけでなく、沈香のような超高級香木、さらには象や犀からクジャク、五色のオウムなどまでが産物としてあげられ、「珍物寶貨無不有(珍品や宝物で無いものはない)」とまで言い切り、その繁栄を伝えている。

ところで扶南という国名であるが、セデスは、ルイ・フィの説を引き継ぎ、これを古クメール語のブナンの音写であるとして、扶南から真臘(アンコール)への連続性を強調している。ブナンは、現在のクメール語ではプノンに相当し、山や丘を意味する。扶南の王たちは、「山の王」を意味するkuruṅ vnaṃ(古クメール語)やparvatabhūpāla(サンスクリット語)という称号をもっていたから、その古クメール音の発音を中国側で漢字に置きかえて国の名前にしたのだという(Cœdès 1948: 68)。

この説は今でも一定の影響力があるが、刻文を再検討したクロード・ジャックによると、そもそも古クメール語の刻文ではkuruṅ vnaṃという語そのものが用いられていないし、またサンスクリット語のparvatabhūpālaも、六世紀の刻文に見られるが、前後の文脈を検討すると、扶南の王の称号ではなく、単に(戦争相手だった)「高地の王たち」という意味になる(Jacques 1979: 375)。しかし、扶南と後に続く真臘が文化的にまったく無関係だったとも考えにくい。六世紀以降の彫刻や寺院建築では、前の時代の要素を残しながら徐々に表現方法が変化し、アンコール時代へとつながる様式の連続性が認められている。宗教的価値観の表現が一貫しているということは、両者の関係性を考えるうえで極めて重要であろう。

こうした事を踏まえ、筆者は、扶南とは、少なくとも後の真臘とよく似た価値観をもつ人々の政体だったのだろうと考えている。ただし、それは現代人が国と聞いてイメージする様な統一国家ではなく、ある種の総称だったのだろう。この事について、さらに考えてみたい。

まず現地史料として最も価値のある刻文だが、九世紀以前は数があまり多くなく、二六〇くらいしか知られていない。一番刻文の数が多いのが七世紀で約二二〇、八世紀は三七しかない(石澤 二〇一三：一二一–一二四頁)。扶南や真臘関連で最も古い刻文はラオス南部の五世紀と考えられるデーヴァニカ王刻文であるが、これを含む五―六世紀の刻文は数例しかない。つまり、扶南に関しては六世紀までは漢籍以外の文字記録はほぼゼロであり、史料としてはどうしても、漢籍に頼らざるを得ない。

その漢籍で最初に扶南が登場するのは前述の通り三世紀であり、また東南アジアにおけるこの時期は、首長制社会のなかから初期の国家が誕生していく時代と位置づけられる。

物質文化の面でみると、メコン下流域には六世紀より古い建築遺構で上部構造が残っているものはなく、彫刻も六世紀以降はその様式的な展開をたどることが出来るが、それ以前は不明な点が多く、また出土数も後の時代にくらべれば少ない。

さらに、そうした数少ない初期の遺構や遺物をみるかぎり、これらは規格化が十分に進んではおらず、度量衡のような単位も(ある程度は存在したのだろうが)厳密に管理されていたようには見えない。こうしたことから筆者は、中国側の史料に現れはじめた頃の扶南とは、ある地域に明瞭な王権を及ぼすような単一の政体ではなく、首長制社会から国家へと移り変わる変容期の諸政体の総称だったのではないかと考えている。扶南の時代と地域、つまりメコン下流域の三世紀から六世紀は、首長制社会から国家へと変容をとげた集団が、国家としての内実を備えていく過渡期なのだろう。他の史料に基づく研究でも、扶南は中央の管理下に置かれるような統一された政体であった可能性は低いとしている(Jacques 1979; Wheatley 1983; Vickery 1998)。

では、その扶南が国家として成熟していく過程で、都はどこにあったのだろうか。刻文にはしばしば、「プラ」という語が見られる。サンスクリット語で城や都市、町を意味し、一種の政治的センターを示していると考えられている(金山 一九六〇:五六頁)。しかし、扶南の頃とされる六世紀以前の刻文では、このプラに言及したものが見当たらない。漢籍でも三世紀頃には扶南の都に関する記述はほとんど見られないが、『新唐書』など後代の記録になると、扶南の都である特牧城が真臘に攻められ、都は那弗那城へ移ったなど、都に関する具体的な記述が見られる。漢籍の特牧城は刻文のヴィヤーダプラ、那弗那城はナラヴァナガラの転写と考えられており、特牧城はカンボジア南部のバ・プノン、那弗那城はさらに南のアンコール・ボレイに比定されている。なお、ヴィヤーダプラもナラヴァナガラも、六世紀までの刻文ではなく、それよりも後の時代に、過去について言及している刻文に見られる都市名である。

刻文でも漢籍でも、都に関する具体的な記述については、比較的後の時代になって出現することで共通している。考古学的にも、六世紀頃になればアンコール・ボレイのようなしっかりした都市遺跡が出現する。都市を確認することが難しい首長制社会から都市をもつ国家への漸進的な発展が、こうした事から読み取れる。『南史』が伝える扶南の繁栄は、国家としての内実が整ってきた事を意味するのだろう。筆者はこのような、首長制社会に端を発し、いまのカンボジア・ベトナム南部にあった幾つもの政治的なまとまりの総称が扶南なのだろうと考えている。

次に考古学的な調査成果であるが、扶南に関連する地域で最も著名な遺跡は、ベトナム南部のオケオだろう。一九四四年にフランス極東学院のルイ・マルレによって発見・発掘され、ベトナム独立後も周辺地域を含んで現在まで継続的に調査されている。遺跡の周囲には「水路」が巡らされ、そのうちの一つは北に一〇〇キロほど離れたアンコール・ボレイまで一直線に延びていたとされる。アンコール・ボレイは前述の通り那弗那城に比定されていることから、オケオは扶南の外港とされてきた(9)。

オケオの年代については、ベトナム人研究者によってオケオ文化編年として整理されている。先オケオ文化(前二世紀—紀元前後)、オケオ文化早期(一—三・四世紀)、発展期(三・四—六世紀)、後期(七—八世紀)、後オケオ文化(八世紀以降)の五期区分が設定され、かなり長期の居住が見られる(平野 二〇〇七:一九頁)。また一九九〇年代後半の調査では、同地域は前三世紀までには居住が開始され、四世紀後半にはインドの影響を見せ始め、八世紀以降は破棄されたと考えられている(O'Reilly 2007: 103)。

オケオから出土する主要な遺物としては、漢代の鏡、南インドのブラーフミー系文字のある護符や印章、仏像、ヒンドゥーの神像、注口土器(ケンディー)、建築部材と考えられるテラコッタ製品、二世紀のローマ皇帝であるアントニヌス・ピウスやマルクス・アウレリウス・アントニヌスの金貨などがあげられる。なお、この金貨は二世紀におけるインドシナ半島を介した東西交易の物証とされることがあるが、これを検討した新田栄治によると、オケオ出土金貨は端部が加工されており、同様のローマ金貨加工品(装身具)はインド中部と北部を中心に一－五世紀まで見られるという(新田 二〇〇〇：一頁)。このオケオの資料も実際にもたらされたのは二世紀よりかなり時代が下るのであろう。

いずれにせよ、出土遺物から見ると、中国、インド、ローマという海のシルクロードの巨大文明圏からの物質文化がオケオに集約されており、東の中国と西のインド、ローマ世界がオケオを介して結ばれていた事になる。またオケオでは、ピューやドヴァーラヴァティーの諸遺跡で出土するものと同様の、いわゆる旭日銀貨も出土しており、同遺跡が東南アジア域内ネットワークの主要な結節点の一つであったことを物語っている。(10)

ところで前述の通り、オケオとアンコール・ボレイは「水路」で結ばれているとされ、また両遺跡の周辺にも複数の水路が巡らされていたとされている。これは、一九三〇年代に航空写真を利用して行われた遺跡の地形解析(Paris 1931; 1941)を根拠としている。現状では地表でその存在を確認することが難しいが、近年の調査で、両遺跡の周辺に巡らされた複数の水路の存在が、新たな地形解析、発掘調査、ボーリング調査などによりある程度明らかになっている。両遺跡の水路は、低地のデルタ地帯という自然環境を考えると、水運よりも主として水利、それも排水の為に掘削されたのだろう。(11)

水路については、ハワイ大学のグループが、アンコール・ボレイの水路は紀元一千年紀前半までに掘削され、紀元後五世紀初頭から六世紀初頭に廃絶したが、オケオの水路はアンコール・ボレイの水路の運用が停止した段階で建設されるとし、メコン下流域での経済的優位性が内陸のデルタ（アンコール・ボレイ周辺）からデルタの南側のより沿岸部（オケオ周辺）に移った可能性を指摘している（Bishop et al. 2004: 334）。しかし、オケオ周辺水路の堆積物中からは複数の異なる年代が提示されており（船引ほか 二〇一九：二一二頁）、現状では両遺跡周辺水路の新旧は決定し難い。デルタ内のミクロなセンターの移動を論じることはまだ難しく、メコンデルタ全体で、三・四世紀から六世紀までに都市化の進展や経済的な発展が見られると捉えた方がよいだろう。

三、扶南と真臘

これまでの通説では、扶南は七世紀前半頃に新興の真臘[12]に併合され、真臘は八世紀に分裂するが、九世紀には再統合されていわゆるアンコール朝の創出を見ることになる。扶南から真臘への交代は、漢籍を主な根拠としており、例えば『隋書』では、真臘王質多斯那が扶南を併呑し、その子伊奢那先代のときに伊奢那城を建設し、六一六年に遣使したとある。伊奢那先代は刻文にあるイーシャーナヴァルマン、質多斯那はチトラセーナ・マヘーンドラヴァルマンの事だろう。

セデスによって完成されたこの交代劇の特徴として、同時代史料よりもむしろ後代の刻文に記された系譜に基づき、伝説上の始祖から扶南を経てアンコール朝にいたる王たちの系譜を単線的に描いていることがあげられる[13]。一方マイケル・ヴィッカリーは、こうした漢籍上の朝貢国家の交代と刻文に基づく王統上の連続性は解釈上多くの矛盾を含むと批判する。その上で、七世紀をメコン中・下流域の社会・経済・政治的な移行期として位置づけ、「（現在のタイ・カンボジア・ラオスの国境地帯の）ダンレークの諸首長」が王権と支配領域を拡大し、王を頂点とするヒエラルキーを構築する過程で、カンボジア南部の王ないしは共同体の首長達を統合したのだと主張している（Vickery 1998: 321-415）。

ヴィッカリーの説に基づくと、扶南と真臘の交代とは、沿岸域に分布し、交易に経済基盤をもつ複数の小政体(＝扶南)が、より内陸に分布し、農業(稲作)に経済基盤をもつ政体(＝真臘)へと変化しつつ政治的に統合される過程として理解されよう。

また近年、深見純生は漢籍の記述を検討し、真臘による扶南の「併合」について、これまでの通説とは異なり六世紀中頃から七世紀前半にかけて三度行われ、扶南は七世紀末まで存続したのであり、真臘の扶南征服は百年以上にわたる長期の事業であったと結論づけている(深見 二〇一六：八六頁)。深見とヴィッカリーの両者は、アプローチこそ異なるものの、七世紀をターニングポイントとするメコン中・下流域における政治的統合の長期的プロセスを明らかにしている。

こうした政治的統合の結果なのだろう。真臘関連の刻文は、七世紀以降に現在のカンボジアを中心とする内陸の広い地域に分布している。また同じ頃から、サンスクリット語刻文だけでなく、古クメール語刻文も出現する。最古の年紀を持つ古クメール語刻文は六一一年のアンコール・ボレイ刻文であるが、これはサンスクリット刻文に伴う形で、寺院の奉納品のリストとなっている。現地語刻文は、真臘においてはまず宗教的ないしは政治的なコンテクストのなかで、ヴァナキュラーな物事を表現するために採用されている。

刻文はまた、こうした内陸の政治的なセンターである「プラ」の存在を伝えている。漢籍にある真臘の「大城」や「城」がこれに相当するのだろう。前アンコール期の真臘で最も完成されたプラは、イーシャーナヴァルマンの拠点であったイーシャーナプラ、すなわち『隋書』の「伊奢那城」あるいは『大唐西域記』の「伊賞那補羅」である。これは、カンボジア中部のサンボー・プレイ・クック遺跡群に比定されている。実在の遺跡出土刻文に記された都市(国)名と漢籍の表記とがほぼ完全に対応する、東南アジア古代史では数少ない事例のひとつである。

政治的にはプラ間にある種のヒエラルキーがあったようで、『隋書』では伊奢那城の支配下にある大城は三〇以上、そのおのが数千家を有していたとある。イーシャーナプラを頂点とし、それに従属するプラという構図がみてとれる。また刻文では税の一種として米を納めていることから、こうしたプラ周辺には付随する農村があったのだろう。

遺跡としてのイーシャーナプラは、一辺約二キロの環濠・土塁に囲まれた都市区域と、多数の煉瓦積祠堂からなる寺院区域とから構成されている。都市区域の平面形は方形であるが、東側には土塁や環濠は存在せず、小河川が南流している。イーシャーナプラだけでなく、陸の東南アジア初期の都市には、平面形が方形で、一部を河川で区画しているものが目立つ。中部ベトナム、林邑の都である典冲に比定されているチャーキュウ、ラオス南部のワット・プー近郊の古代都市などである。

これらのなかには、相当量が河川に浸食されているため、実際に河川を区画としたのか、あるいは囲壁があったのだが浸食されてしまったのか、判別しがたいものもあるが、そもそも大規模に浸食されるほど河川の際《きわ》に都市を築いており、河川が都市に対して(水運だけでなく)大きな意味を持っていたのは間違いないだろう。なおイーシャーナプラの例では、区画している小河川は乾期には一部干上がることもあり、元々存在した土塁を完全に浸食したとは考えられない。最初から河川を都市計画の一部に組み込んだのだろう。さらに、寺院区の東方を流れるセン川は、メコン水系の一部であり、最終的には海上のネットワークに接続することが可能であることから、当時の河川交通に大きな役割を果たしていたと考えられる。

都市内の本格的な調査はようやく着手されたばかりであり、アンコール時代の都市の最終形であるアンコール・トム(第三次ヤショーダラプラ)のように、方形都市の中心にメール山(須弥山)としてのピラミッド型寺院を配し、政治的中心である王宮は中心から外れた北西に築くといった構造が見られるのかどうかよくわからない。

また、イーシャーナプラは多くの寺院遺構を都市区域内に内包しているが、それだけでなく、都市東方に巨大な寺院区を持っているのも大きな特徴である。寺院区は大きくN、C、Sグループの祠堂群からなる。最も規模の大きいNグループのプラサート・サンボーは、七世紀前半、イーシャーナヴァルマンの治世下に造営されたものと考えられている。複数の祠堂や周壁、溜池などによって伽藍が構成されており、クメール建築にみられる複合伽藍構成としては最初期に位置づけられる。

複合伽藍構成を持つ寺院は、後のアンコール朝で巨大化するが、その祖型であるプラサート・サンボーの段階で、その構成は十分に発達しており、メール山の表徴としてのクメール寺院というコンセプトがこの頃までに確立していたことを窺わせる。なお、メコン下流域では、聖山としての寺院だけでなく、都市近辺の実際の山(残丘)上に寺院を建立し、都市と聖山のシンボリズムを組み合わせている。こうした結びつきは、オケオとバテ山、アンコール・ボレイとプノン・ダといった六世紀以前の都市からみられ、イーシャーナプラではプノン・バリエンがそれに相当すると考えられている(下田 二〇一〇:一三〇頁)。これらはやがて、アンコール朝でのハリハラーラヤやヤショーダラプラといった都市とプノン・クーレンやプノン・バケンといった聖山との組み合わせへと結実する。[14]

おわりに

最後に、本稿で取り上げた扶南の成立と展開についてキーワードを整理すると、次のようになる。

①背景としての複雑化した現地社会

②「長い助走期間」による東南アジア域外世界との接触

③長期間の政治的統合プロセス

これらのキーワードはまた、他の古代国家にも共通するだろう。漢籍に登場する初期の国家は、基本的に扶南と同じく、領域的・統一的なものではなく、首長制社会から変容をとげた集団が、国家としての内実を備えていく過渡期のアモルファスな政体(ないしはそうした小政体群の総称)だと考えられる。これを裏付けるように、陸の東南アジアでは、囲壁を備えた拠点集落ないしは原都市的な遺跡が紀元前後から多数出現する(山形 二〇〇一、新田 二〇〇五)。したがって、国家形成のプロセスは、扶南だけでなく、林邑、墮羅鉢底、驃といった他の政体でも同様であったと考えられる。なお考古学的に極言すれば、陸の東南アジアにおける古代国家とは、複数の小規模なセンターが統合された結果である。しかし同時にこれは、本稿でみてきたように、より長期的なスパンで捉えられなければならないだろう。

長い助走期間をへて成立した東南アジアの古代国家は、その後も長期間の政治的統合プロセスを経ることで政治的・経済的・宗教的内実をそなえ、アンコールに代表されるより成熟した国家を準備するのである。

注

(1) 本稿で扱う「東南アジアの古代国家」からは、国家の出現が他の地域よりかなり新しくなるフィリピン諸島や、国際政治上は紀元前より漢であったベトナム北部の国家を除くものとする。

(2) もちろん、国別の調査件数の違いから、海の東南アジアでは未発見なだけで、分厚い火山灰で覆われている地域で都市が発見される事があるかもしれない。例えばジャワ島のラトゥ・ボコ遺跡は、全面的なプランはまだ未確定だが、しっかりした石壁をもっており、都市であった可能性もある。同様の可能性は、スマトラ島のプグン・ラハルジョやバンカ島のコタ・カプルなどにもあるかもしれない(この二遺跡については、深見純生先生、山﨑美保先生にご教示頂いた)。しかし、たとえ一例や二例、そのような発見があったとしても、区画された都市の出現を海の東南アジアの普遍的な現象とみなすことは難しいだろう。

(3) 現在、島嶼の一部で小規模な陶磁器の生産は見られるが、それらは管見の及ぶ限りすべて近代以降に他地域からもたらされたものである。

(4) 例えば、本稿で主に取り扱うカンボジアを中心とするメコン中・下流域では、おおよそ①先史時代(—紀元三世紀前後)、②前《プレ》アンコール時代(紀元三世紀前後—八世紀)、③アンコール時代(九世紀—一五世紀頃前半?)、④後《ポスト》アンコール時代(一五世紀前半?—一九世紀)という時代区分が設定されている。

(5) 一九九〇年代までの議論については、内外の概説(Legge 1992; 桃木 一九九六)を参照されたい。

(6) 新たな潮流については、青山亨(二〇〇七、二〇一〇)による詳細なレビューを参照されたい。

(7) こうした立場にたった研究として、幾つかの論集(Glover and Bellwood 2004; Manguin et al. 2011)が刊行されている。

(8) 紙面の都合上、東南アジア域外の物質文化として、南アジアからのもののみを取り上げているが、同様のプロセスは、東アジアからのものについても観察できるだろう。

(9) もっとも、オケオが港であるという考古学的な直接の証拠(遺構や遺物)はいまのところ発見されていない。遺跡はメコンデルタの、今の海岸線から二〇キロほど内陸に位置していて、これまでの発掘では、船体も、碇のようなものも出土していない。杭は出土しているが、舟杭というよりも杭上家屋の柱ではないかと考えられており、考古学的に港と認定できるような資料はみられない。海岸に近いことと、水路が巡らされているということだけが、港の根拠となっている。ただし、今でこそ遺跡一帯は水田だが、これは近代以降の大規模な土地開発によるものであり、もともとメコンデルタは沼状の低地で、雨季には一帯が湛水し、平底の船ならば自由に行き来できた。そのため、直接の証拠がなくとも、オケオを港ないしは水運をコントロールしていた一種のセンターであるとして差し支えなかろう。

(10) 現在ベトナム人研究者によってオケオ近辺の同時代遺跡の調査が精力的に行われており、これまで知られていなかった遺物・遺構が発見されているようであるが、残念ながら未公表・未報告であり、その成果を本稿に活かすことができなかった。

(11) 実は、近年に行われたどの調査でも、アンコール・ボレイとオケオを結ぶ水路だけはその存在の考古学的な証明がない。オケオであれ、アンコール・ボレイであれ、短い水路ないしは堀のようなものは水利のために当然必要だったろうし、今後調査が進めば、類例も増えるだろう。しかし、沿岸域から内陸まで一〇〇キロ近くもある一直線の運河が、六世紀頃までの政体がもつ権力や土木・工学的知識で果たして運用できたのだろうか。筆者はその存在自体を強く疑問視している。

(12) 漢籍では、隋代以降はクメール語の話者の国家を真臘としたようであり、この表記は明代まで続く。今日の我々のいうアンコール朝も漢籍上は真臘である。

(13) これは、史料に基づく研究の第一歩として、あくまでも刻文に記されている系図に基づいて王統を構築すると、見かけ上は単線的になるという事に過ぎない。セデスの著書と巻末に掲載された単線的な王統図のインパクトが強かったため、それが定説化してしまったのであり、セデス自身は、こうした後代の刻文が述べる王の婚姻関係についてはしばしば怪しいとし、諸王家の存在を明らかにしている(Cœdès 1948)。

(14) クメール都市と聖山との関係については、佐藤(二〇一六)を参照されたい。

参考文献

青山亨(二〇〇七)「インド化再考——東南アジアとインド文明との対話」『総合文化研究』一〇号。

青山亨(二〇一〇)「ベンガル湾を渡った古典インド文明——東南アジアからの視点」『南アジア研究』二二号。

石澤良昭(二〇一三)『〈新〉古代カンボジア史研究』風響社。

金山好男(一九六〇)「カンボディア・プレアンコール期のpura(城市)に就いて」『南方史研究』Ⅱ。

佐藤桂(二〇一六)「山を降りた聖域——七世紀から一〇世紀におけるクメール都市の展開」『東南アジア古代史の複合的研究二〇一三~二〇一五年度科学研究費補助金(基盤研究B)研究成果報告書』。

下田一太(二〇一〇)『クメール古代都市イーシャナプラの研究』早稲田大学提出学位請求論文。

新田栄治(二〇〇〇)「オケオ遺跡出土のローマ金貨を考える」『考古学ジャーナル』四五四巻。

新田栄治(二〇〇五)「ドヴァーラヴァティーの都市と構造」『東南アジアの都市と都城』東南アジア考古学会。

平野裕子(二〇〇七)『港市オケオの形成と展開——東南アジア域内交流の複合化の過程とメコンデルタ開拓史』上智大学提出学位請求論文。

深見純生(二〇一六)「三転四起する扶南」『南方文化』第四二輯。

船引彩子・久保純子・南雲直子・山形眞理子・Kien Nguyen(二〇一九)「メコンデルタ、オケオ遺跡における古代運河の形成」『日本地理学会発表要旨集』二〇一九。

桃木至朗(一九九六)『歴史世界としての東南アジア』山川出版社。

山形眞理子(二〇〇二)「東南アジア」『東アジアの囲壁・環濠集落』金沢大学考古学研究室。

Bishop, Paul, David C. W. Sanderson, Miriam T. Stark (2004), "OSL and radiocarbon dating of a pre-Angkorian canal in the Mekong delta, southern Cambodia", *Journal of Archaeological Science* 31.

Cœdès, George (1948), *Les Etats hindouisés d'Indochine et d'Indonésie*, Paris: de Boccard.

Glover, Ian C. and Bérénice Bellina (2011), "Ban Don Ta Phet and Khao Sam Kaeo: The Earliest Indian Contacts Re-assessed", Manguin et al. (eds.), *Early Interactions between South and Southeast Asia: reflections on cross-cultural exchange*, Singapore: Institute of Southeast Asian Studies.

Glover, Ian C. and Peter Bellwood (eds.) (2004), *Southeast Asia: From Prehistory to History*, London: Routledge Curzon.

Gupta, Sunil (2005), "The Bay of Bengal Interaction Sphere (1000 BC-AD 500)", *Bulletin of the Indo-Pacific Prehistory Association* 25.

Jacques, Claude (1979), "'Funan', 'Chenla': The Reality Concealed by these Chinese Views of Indochina", P. B. Smith and W. Watson (eds.), *Early Southeast Asia: Essays in Archaeology, History, and Historical Geography*, New York, Kuala Lumpur: Oxford University Press.

Kulke, Hermann (1990), "Indian Colonies, Indianisation or Cultural Convergence? Reflections on the Changing Image of India's Role in South-East Asia", H. Schulte Nordholt, *Onderzoek in Zuidoost-Azie: Agenda's voor de jaren negentig*, Leiden: Rijksuniversiteit te Leiden (Semaian 3).

Legge, John D. (1992), "The Writing of Southeast Asian History", N. Tarling, *The Cambridge History of Southeast Asia*, vol. I, Cambridge: Cambridge University Press.

Mabbett, Ian W. (1977), "The 'Indianisation' of Southeast Asia: Reflections on the Prehistoric Sources / The 'Indianisation' of Southeast Asia: Reflections on Historical Sources", *Journal of Southeast Asian Studies* 8 (1, 2).

Manguin, Pierre-Yves, A. Mani, Geoff Wade (eds) (2011), *Early Interactions between South and Southeast Asia: reflections on cross-cultural exchange*, Singapore: Institute of Southeast Asian Studies.

O'Reilly Dougald JW (2007), *Early Civilizations of Southeast Asia*, Lanham: Altamira Press.

Paris, Pierre (1931), Anciens canaux reconnus sur photographies aériennes dans les provinces de Tà Kèv et de Châu-Dôc, *Bulletin de l'École Française d'Extrême Orient* 31.

Paris, Pierre (1941), Anciens canaux reconnus sur photographies aériennes dans les provinces de TaKeo, Châu-Dôc, Long-Xuyèn et Rạch-Già, *Bulletin de l'École Française d'Extrême-Orient* 41.

Pollock, Sheldon (1996), "The Sanskrit Cosmopolis, 300-1300: Transculturation, Vernacularisation, and the Question of Ideology", J. E. M. Houben (ed.), *Ideology and Status of Sanskrit: Contributions to the History of the Sanskrit* Language, Leiden: E. J. Brill, Brill's Indological Library.

Vickery Michael (1998), *Society, Economics and Politics in Pre-Angkor Cambodia*, Tokyo: The Center for East Asian Cultural Studies for UNESCO, The Toyo Bunko.

Wheatley, Paul (1983), *Nagara and Commandery: Origins of the Southeast Asian Urban Traditions*, Chicago: University of Chicago, Dept. of Geography.

Wolters, Oliver W. (1999), *History, Culture, and Region in Southeast Asian Perspectives, Revised Edition*, Cornell University, Southeast Asia Program Publications.

集点 Focus

女神信仰とジェンダー

横地優子

はじめに

南アジアでは歴史上、また現代でも多種多様な女神たちが崇拝されており、なかにはその信仰が先史時代に遡る女神たちも存在するだろう。とはいえ、現代でもその隆盛を誇る南アジアの女神信仰にとって重要な契機は、五世紀頃から女神信仰がヒンドゥー教の主流の一部となり、さらに仏教やジャイナ教にも女神信仰が包摂されていったことにある。特に、八世紀後半頃に女神信仰のもっとも有名な聖典である『デーヴィー・マーハートミャ』(「女神の勲《いさおし》」、小倉・横地 二〇〇〇)が成立してからは、この聖典の読誦を伴う女神の大祭である九夜祭(ナヴァラートリ、現在ではドゥルガー・プージャーの名前で知られている)の普及とともに、この聖典で主張された「世界の最高の神格はシヴァやヴィシュヌといった男性神ではなく、シャクティと呼ばれる、世界に充満する普遍的な力を体現した女神である」という思想も広まっていく。このような南アジアにおける女神崇拝は、特に一九七〇年代以降、家父長的な大宗教の外にあった女神信仰を探求するフェミニズムの一潮流の中で、国際的に研究者の関心を引き、女神信仰についても(Kinsley 1986; Hawley and Wulff 1996; Slouber 2021 等)、また宗教文化における女性の歴史的役割についても(Leslie 1991; Patton

2002; Pintchman 2007 等)、現在までに多くの成果があげられている。

ここで問題となるのは、全般的に南アジアの中世は女性に対する社会的制約が強くなり、社会的地位が低下していく時代であったことである。すなわち、女神信仰の隆盛、女神の地位の上昇は、女性性の肯定や女性の主体的・能動的活動の強化にはつながらなかった。なぜこのような、一種の逆転現象が生まれたのであろうか。

本稿では、汎南アジア的〈女神〉(1)と特定の地域や社会集団に信仰される実体的な女神たちの相互作用という観点から、南アジア中世における女神信仰の発展過程のダイナミズムを解き明かすと同時に、その発展過程でなぜこのような女性性に関する逆転現象が起きたのかを考察する。そのために、まず次節で汎南アジア的〈女神〉の成立に伴う女神たちの階層化の見取り図を示したのち、第二節と第三節では、女神信仰の隆盛にもっとも貢献した汎南アジア的〈女神〉、すなわち〈戦闘女神〉と〈死の女神〉の各々についてその形成過程をみていく。最後に、ジェンダーに関する逆転現象がなぜ生じたのかを検討する。

一、女神たちの三階層化

南アジアの女神たちは、存在の在り方、つまり観念性・普遍性の度合いに関しても多様である。一方には、村のお母さんと呼ばれるような特定の村の女神や部族の女神などの、実体的で個別性を備えた女神たちがいる。他方には、より普遍的な、〈戦闘女神〉などの汎南アジア的〈女神〉たちや、抽象概念が擬人化・具現化された女神たち、神話の中に登場する女神たちなどがいる。こうした多様な女神たちは、基本的に以下の三つの階層に分類することができる。

まず、最初の階層に属するのは、もっとも実体的な、日常生活に根ざした女神たちである。特定の村や地域、部族や家系の守護女神たちがそうであり、川や池に住む女神たちもいる。またより普遍的ではあるが社会的に低い階層において信仰されている、いわゆる民間信仰に属する女神たちもこの層に含めたい。たとえば、母神群(文字通りには「母たち」)と総称される女神たちがおり、妊婦や幼児を病気にしたり、四辻や空家に棲みつき通りかかるものに取り憑いたりする。樹木の精霊と見なされ、森に入る旅人を誘惑するヤクシニーもこの類である。

このような女神たちから進化し、より普遍的な女神概念となったものが次の第二層の女神たちであり、その代表は〈戦闘女神〉と〈死の女神〉である。〈戦闘女神〉とは、第一層の女神たちの中から好戦的な性格を持つものたちが融合し、いわば結晶化したものである。多くの腕にさまざまな武器を携える若々しい美女であり、時には乗騎となる獅子や虎、雄鹿などを伴い、神々や世界の守護のために魔神たちを征伐すると考えられている。一方ここで筆者が〈死の女神〉と呼ぶ女神は、恐怖を呼び起こす、時には醜い女神であり、火葬場や死、病に関連している。七母神や八母神(第三節参照)の一柱としては、チャームンダー、カーリー、ヨーゲーシュヴァリー等の名がよく知られている。またいわゆるタントリズム(2)において、飛行力などの呪力(超能力)を求める修行者に呪力を授ける存在でもある。〈戦闘女神〉と〈死の女神〉は常に明確に区別できるわけではなく、時には両者が融合しているようにみえる。

最後の最上層には、女性名詞で表される抽象概念を神格化した女神たちや神話上の女神たちが属する。前者でもっとも重要なのはシャクティという概念である。シャクティはシヴァ教マントラ道において、最高神シヴァのさまざまな活動力を示す概念として発展したが、のちに女神信仰と融合し、世界に遍満する力を意味すると同時に、女神たちはその力の具現化と考えられるようになった。この点からインドの女神信仰はシャクティズムとも呼ばれる。シャクティの他に、やはり根源的な原理としてのヴァーチュ「言葉」やチット「普遍意識」なども女神化される重要な抽象概念である。

神話上の女神としては、河の女神から言葉や技芸の女神となったサラスヴァティー(弁才天・弁財天)や、美・富・王権を表象する女神ラクシュミー(またはシュリー、吉祥天)が挙げられる。また、ラクシュミーはヴィシュヌの妃としてヴィシュヌ信仰に包摂されると、世界の母なる最高の女神となる。シヴァ信仰の中では、シヴァ妃パールヴァティーが同様の地位を占める。

この最上層の女神たちは汎南アジア的に信仰対象となるが、地に根付いた第一層の女神たちやそこから進化した第二層の〈女神〉たちから進展したものではなく、いわば下位の二つの層の上に置かれたものである。下位層の女神たちはこの最上層の女神と関連づけられることで、汎南アジア的な神格として理論化、神話化されうる。

一方、第二層の〈女神〉は最下層の女神たちに起源を持ち、一度この〈女神〉が成立すると、最下層の女神たちの一部は次第にこの第二層の〈女神〉と同定され、あるいはその低位の顕現とみなされるようになる。その結果この〈女神〉の信仰は南アジア全域に広まり、汎南アジア的女神としてヒンドゥー教の主流の中に組み込まれていく。同時に、最下層の女神はこの〈女神〉、さらにはこの〈女神〉を通して最上層の女神と同定されると、特定の地域や部族に根ざしつつも汎南アジア的ヒンドゥー教の中に一定の地位を獲得する。このように、汎南アジア的な上層の女神たちとより地に根ざした下層の女神たちが相互に作用し続けることで、中世以来の女神信仰は、普遍性と個別性、汎南アジア性と地域性、観念性と実体性、無定型性と具象性といった二面性を常に備えることになり、この二面性――二極間を流動的に動きつつ相互に強化しあうダイナミズム――が南アジアにおける女神信仰の発展の原動力になったと考えられる。

このようにみていくと、女神信仰が発展しヒンドゥー教の主流の一部となるために、第二層の〈女神〉たちが決定的な役割を果たしたことは明瞭である。言い換えれば、中世初期に〈戦闘女神〉や〈死の女神〉といった〈女神〉が成立したことが、現在に至るまでの南アジアにおける女神信仰の隆盛の契機となったと言えるだろう。そこで次に、この〈女神〉を代表する〈戦闘女神〉と〈死の女神〉各々の成立過程についてもう少し詳しく見ていきたい。

二、〈戦闘女神〉の成立とその最高神化(3)

〈戦闘女神〉の成立

〈戦闘女神〉成立の中核となったのは、二柱の魔神を殺す女神――ヴィンディヤ山の女神と水牛の魔神を殺す女神――である。ヴィンディヤは北インドと中インドの間に東西に広がる山地地域であり、ヴィンディヤ山の女神という名称は、広大なヴィンディヤ山地で崇拝対象となっているどの女神を指示することもできる。この総称が一柱の女神に結晶化したことを示唆するのは固有の神話の発生であり、この女神神話の原型は、『ハリヴァンシャ』(一―三世紀頃)に伝えられるクリシュナ神話内に包摂されたものと『スカンダ・プラーナ』(六―七世紀)(4)が伝えるシヴァ神話内のものとを比較し、共通する要素を抜き出すことで再構成できる。この原神話では、ヴィンディヤ山の女神は魔神の兄弟スンバとニスンバを討伐し、その結果インドラ神に妹として灌頂(王の即位式等で行われる聖水を注いで聖別する儀礼)され、カウシキー(ヴェーダの聖仙クシカの子孫の女性を意味する氏族名)という名とヴィンディヤ山地という領地を与えられる。ヴェーダの聖仙に由来する氏族名と、神々の王インドラの妹という地位は、ともにこの女神を権威づけるものであり、さらにインドラからヴィンディヤ山を領地として与えられることで、この女神がヴィンディヤ山地の守護神格であることが正当化される。このようにこの原神話からは、この女神をヒンドゥー教の神々の正統な一員とするという意図をうかがうことができる。一方、この女神は暗色の肌色をもち、好戦的で酒や血肉を好む処女として描かれており、その本来の性質が示唆されている。

水牛の魔神を殺す女神については、この名称はおそらく女神に水牛を殺して捧げる儀礼に関連しているので、水牛を犠牲獣として捧げられるどの女神を指すこともできる。一方、女神が水牛と戦う姿を描き出した神像が、既にクシャーナ期（一―二世紀）にはマトゥラーを中心として多数製作されており（Srinivasan 1997: 282-304）、ここに女神が水牛の姿をもつ魔神を討伐する神話を持つ一柱の神格の成立が認められる。

四世紀末に向けて、東マールワー（マディヤ・プラデーシュ州）と東ヴィダルバ（マハーラーシュトラ州東部）において、グプタ型と呼ばれる、前述のクシャーナ期の作例とはまったく異なる図像が出現する（Yokochi 1999b）。グプタ型の図像に言及する初期の資料（六世紀から八世紀半ば）すべてにおいて、この女神はヴィンディヤ山の女神と統合されていることから、新しい図像はこの女神と一体となったヴィンディヤ山の女神を表象している可能性が高い。

この初期資料の中で、一貫した神話を語るのは『スカンダ・プラーナ』の中のヴィンディヤ山女神神話サイクルだけである（Yokochi 2013a）。シヴァ妃が脱ぎ捨てた暗色の外皮から生まれ、カウシキーと呼ばれるヴィンディヤ山の女神が、魔神兄弟スンバとニスンバを討伐し、シヴァの許しを得て、インドラの命で神々による灌頂を受けるというのがその主筋であり、その後に、この女神が水牛の魔神を殺す短い挿話が付け加えられている。

この神話サイクルは、以下の三点において、ヴィンディヤ山の女神が〈戦闘女神〉へと進化しつつあることを示す。まず魔神軍と戦うために、ヴィンディヤ山の女神はその身体からさまざまな動物や鳥の頭をもつ獰猛な女神たちを放出する。この記述は母神群と総称されている女神たち（第三節参照）が、ヴィンディヤ山の女神にその低位の顕現として統合されたことを示す。次にこの女神は、白い傘蓋《さんがい》と払子《ほっす》を捧げる女神たちを従え、四頭のライオンに引かれた戦車に乗って戦いに赴く。白い傘蓋と払子、戦車での戦いはこの女神が王に擬されていることを示している。最後に、灌頂の際にこの女神はインドラにヴィンディヤ山だけではなく、全大地の守護を命じられ、自身の身体から放出した女神たちそれぞれに特定の領地を与える。女神と領地の対応関係のいくつかについては、当該の女神がここで与えられる地方で信仰されていたことが他の資料から知られており、その女神たちはヴィンディヤ山の女神の権威の下で、その地方の正統な守護神と認められたことになる。このようなヴィンディヤ山の女神と派生的な女神たちとの関係は、グプタ朝などの帝国の帝王と臣従する地域の領主の関係と類比される。〈女神〉の魔神討伐を称える『チャンディー百頌』(七世紀前半)などの他の三資料はすべて宮廷文化に関わっている。そこでは合体した水牛の魔神を殺す女神とヴィンディヤ山の女神はシヴァ妃と同定されているが、その信仰の焦点は魔神たちを殺すこの〈女神〉である。

五世紀から八世紀の間に、グプタ型の図像をもつ水牛の魔神を殺す女神[図1]の像は広範囲に——東はオリッサ、南はクリシュナー河とトゥンガバドラー河および西海岸沿い、西はサウラーシュトラ(グジャラート州半島部)、北西はチャンバ(ヒマーチャル・プラデーシュ州)、カシミールまで——伝播した。神像のいくつかはその地の王の命で作られたものであり、前述の三資料が宮廷文化に関わることも考慮すると、この神像の伝播は王権に関与する社会集団によって促進されたと考えられる。さらに数例の像に示されているように、これらの神像は各地域の女神を表象する像として使われたと思われる。木や石を依り代として崇拝されてきた女神がヒンドゥー儀礼の対象となる時、特定の図像をもつ神像が必要とされる。この女神の像はそのような需要を満たしたのであろう。その場合、この女神像の伝播は結果として、各地方の女神たちがこの女神の顕現であるという考え方を広めることになる。ヴィンディヤ山の女神は遅くとも五世紀中にはこの女神と一体化していたため、この女神像と前述のヴィンディヤ山女神神話の伝播の結果、さまざまな地方の女神たちを統合した、魔神を殺すより普遍的な女神、すなわち〈戦闘女神〉が成立したのである。

図1　水牛の魔神を殺す女神. デーオーガル，ウッタル・プラデーシュ州

王権を授ける女神としての〈戦闘女神〉

このようにして成立した〈戦闘女神〉の概念は、『デーヴィー・マーハートミャ』(八世紀後半頃)で頂点に達する。この作品は、〈戦闘女神〉の魔神討伐に関する三つの物語と枠物語で構成されている。まず三つの物語はそれぞれ、ヴィシュヌ神話に包摂されたヴィンディヤ山の女神神話、水牛の魔神を殺す女神神話、シヴァ神話に包摂されたヴィンディヤ山の女神神話に基づいており、この三つの物語を同一の〈女神〉の行為として語ることで、ここに初めて一柱の〈戦闘女神〉の神話が生み出されたのである。戦いの場所は特に言及されず、普遍的な〈戦闘女神〉を成立させるために、ヴィンディヤ山という地域性は意図的に捨てられたと思われる。

さらにこの作品では、この〈戦闘女神〉は神々の内的エネルギーの集合体としてすべての神々を超える最高神格であり、シヴァ妃の上位に置かれている。また処女神であるため、男性の配偶神に従属することもない。この最高神である〈女神〉は、根本原理として宇宙に遍満するシャクティという概念で理論化されており、すべての女神たちはこのシャクティの顕現態であり、〈女神〉はその最高の顕現であるとされる。

では、この普遍的〈戦闘女神〉の確立とその最高神化は何を目的としていたのであろうか。それに答えるには枠物語が鍵となる。枠物語の中心人物はスラタと呼ばれる王である。王国を失ったこの王はメーダスというブラーフマナ(バラモン)から三つの〈女神〉の物語を聞いて〈女神〉に深く帰依し、その恩寵で王国を回復し、次生では次の第八マヌ期(世界の創造から帰滅に至る一サイクルを一四のマヌ期に分け、各マヌ期にその期間を主宰するマヌを想定する。現在は第七マヌ期)を主宰するマヌになると予言される。ここではスラタ王はこの作品の享受者の模範として設定されており、この王にならって〈女神〉に帰依すれば、その恩寵により失った王権を回復し、また新たに王権を獲得できるという考え方が鼓吹されている。さらにこの枠物語では、〈女神〉を祀る儀礼、特に秋の大祭においてこの作品を朗誦することが薦められる。この秋の大祭は前述の九夜祭に相当するが、九夜祭の儀規を記述する最古の文献『ヴィシュヌダルモッタラ・プラーナ』(七―八世紀頃)では、〈女神〉の礼拝は武器を清め礼拝する儀礼と合体しており、王権儀礼の一環となっていたと推測される(永ノ尾 一九九三、Sarkar 2020)。したがって、この作品で想定されている〈女神〉の大祭も王権儀礼であった可能性が高い。

三、母神群、七母神、ヨーギニーたちと〈死の女神〉

次に〈死の女神〉について、母神群から進化した七母神の中でその主神格とみなされ、地域や町の守護神を表象する側面と、タントリズムにおいてヨーギニーたちを主宰する神格としての側面、この二つの面からその形成過程を検討する。

母神群、七母神と〈死の女神〉

文献上で母神群が最初に登場するのは『マハーバーラタ』の中のスカンダ神話である。スカンダは、集合的な憑きもの群が次第に一柱の神格に結晶化して軍神となり、さらにシヴァの息子としてシヴァ信仰に包摂された神であるが、クマーラ「少年」という別名を持ち、母と子のペアとして「母たち」である母神群とは密接に関わっている。まず同書第三巻のスカンダ神話では、スカンダと呼ばれる憑きもの群の中に、妊婦や胎児、幼児に取り憑き病気や死をもたらすが、祀られるとかれらの守護者ともなる女神たちが言及され、総称して母神群と呼ばれる。この女神たちの一部は、さまざまな動物や鳥たちの母と呼ばれており、クシャーナ期の母神の図像を考慮するなら(Harper 1989: 58-70)、動物や鳥の頭を持つ姿をしていたと思われる。同書第九巻に含まれるスカンダ神話では、スカンダの随身となる母神群として二〇〇ほどの女神の名前が列挙される。これらの名前には固有名もあるが属性を叙述する名前もあり、一部は動物や鳥の頭を持つこと、四辻や空家などに棲むこと、祀られると恩恵を施すことなどを読み取ることができる。『スカンダ・プラーナ』では、前述のヴィンディヤ山の女神神話サイクルとスカンダ神話サイクルの中に、動物や鳥の頭を持つなど、『マハーバーラタ』の母神群をほぼ継承する母神群が登場する。ただし、ここでは母神群はヴィンディヤ山の女神の低位の顕現として位置づけられている。

このような最下層の女神に属する母神群から、グプタ期になると七母神と呼ばれる七柱の特定の女神たちのグループが出現する。七柱のうち、ブラーフミー等の最初の六柱は、ブラフマン等のヒンドゥー教の代表的な男性神格の名称を女性形にした名前で呼ばれ、対応する男性神と同じ属性や特徴を備えている。このことからわかるように、七母神はそれ以前の母神群たちをヒンドゥー化あるいはサンスクリット化したものと考えられる。この七母神の成立を示すのは、四〇〇年頃に作成されたウダヤギリ(マディヤ・プラデーシュ州ボパール近郊)にある三つの群像であり、五世紀以降、七母神の神像は各地に普及する(Harper 1989)。王などによる母神群への寄進を示す碑刻文は、北インドでは四世紀後半から現れる。南インドでは、カダンバ朝(四―六世紀頃)の王たちはスカンダと七母神の恩寵で即位したと述べ、カダンバを引き継ぐ初期チャールキヤ朝(六世紀半ば―八世紀半ば)の王勅は、スカンダと七母神に加えカウシキー(ヴィンディヤ山の女神の別称)にも言及する(Sarkar 2017: 99-101)。このようにグプタ期から中世前期にかけて、七母神は軍神スカンダや〈戦闘女神〉と並んで、王権を授ける女神とも考えられていた。

この七母神の中で、第七番目の女神は対応する男性神格を持たず、非常に恐ろしい女神とみなされている。北インドではチャームンダーという名称がよく使われ、痩せ細り肋骨が浮き出ししなびた乳房を垂らす老婆として表現されることが多い。しばしば生首や切断された腕や足を繋げた首飾りを身につけ、死体や死肉を漁る山犬などが共に描かれる場合もある。南インドでは一般にヨーゲーシュヴァリーと呼ばれ、体は豊満であるが、牙をむきだし髪を解き放つことでその恐ろしさを示している。汎南アジア的〈死の女神〉は、この女神が普遍化され南アジア全域に広まったものである。

この女神が七母神の首領であり、特定の地域や町の守護女神を表象することは、七母神の神話を語る現存最古の文献でもある、『スカンダ・プラーナ』のコーティーヴァルシャ縁起譚において明らかである(Yokochi 2013b; Bakker 2014: 241-269)。コーティーヴァルシャは、グプタ期の銅板文書によると、北ベンガルのプンドラヴァルダナ地方コーティーヴァルシャ郡の首都である。この縁起譚の前半では、シヴァ妃の威力で女性になってしまった男性神たち(シヴァを除く)が、シヴァの命でそれぞれ対応する女神たちを身体から放出して男性性を回復し、放出された女神たちはコーティーヴァルシャに赴いて、町を支配している魔神たちを殺すという話が語られている。この女神たちの代表が七母神であり、第七番目の女神はバフマーンサーと呼ばれ、恐ろしい姿に変身したシヴァから出現する。バフマーンサーという名は「とても太った女」または「たくさんの肉をとる女」を意味し、後者の場合にはこの女神に肉の供物すなわち動物供犠が捧げられることを示し、前者の場合には、痩せ細った老婆の姿に対する世辞的婉曲表現とみなすことができる。いずれにせよこの女神がチャームンダーに相当する恐ろしい女神であることは間違いない。この女神は、前述のヴィンディヤ山の女神神話サイクルの中で、ヴィンディヤ山の女神の体から出現した女神たちの一柱としてコーティーヴァルシャを与えられることで、この町の守護神の地位を認められている。

この女神の起源は、いくつかの共通する特徴から、『マハーバーラタ』第三巻のスカンダ神話に登場し、カダンバ樹に住み、スカンダの乳母であり血を糧とすると言われるローヒターヤニ(「ローヒタの娘」、ローヒタ「赤いもの」はおそらくブラフマプトラ河を指す)に辿ることができる。『ハリヴァンシャ』に登場する、コーティーヴァルシャと同定しうるショーニタプラ(「赤い町」または「血の町」)の王でありシヴァ信者である魔神バーナを守護する女神コータヴィーも、バフマーンサーの先駆であり、この町の守護女神であろう。初期シヴァ教タントラ文献では、この地は聖なる火葬場の一つとされ、守護女神は「人々を道に迷わせるもの」を含意するカルナモーティーという名で呼ばれ、イチジクの木に住む。またパーラ期にはチャルチカーという名で東インドの広い範囲で信仰されたようである［図2］(Melzer 2009)。このことから、ベンガル地方で崇拝されていたローヒターヤニという女神が町の守護女神とされ、七母神の頭である第七番目の女神と同定されて〈死の女神〉に包括されていくという変遷過程を推測することができる。

図2　チャルチカー．バルルガト大学博物館所蔵，南ディナジプル，西ベンガル州(古井龍介撮影)

ヨーギニーたちと〈死の女神〉

この縁起譚は、〈死の女神〉と初期タントリズムとの関係を示す点でも重要である。縁起譚の後半では、シヴァが母神たちに対して、彼とヴィシュヌとブラフマンと聖仙たちが、ヤーマラと呼ばれる、母神への祭祀の儀軌を規定する経典群を作成すること、それらに従って祀られると母神たちは祀る人に超能力などを与えること、また母神たちを秘儀をもって祀る女たちは、ヨーゲーシュヴァリーになることを予言する。そして最後に、この地は母神たちの最愛の聖地であり、優れた火葬場であると締めくくる。ここで名前を挙げられる経典のうち、唯一現存する『ブラフマ・ヤーマラ』は、シヴァ教マントラ道の中の女神志向の経典群の中では現存最古のものであり、その古層は六―八世紀頃に成立したと考えられている[5]。このことから、当時この地がシヴァ教マントラ道の女神信仰を重視する宗派、特にヤーマラ経典群を奉じるグループの拠点の一つであったことがわかる。

前述のシヴァの予言で、女たちがヨーゲーシュヴァリーになると述べられていたが、このヨーゲーシュヴァリーはヨーギニーとほぼ同義語として使われている。ヨーギニーはタントリズムにおいて、母神群にとってかわる概念である(Hatley 2012; 2013)。一〇世紀頃になると、北・中インドとオリッサ、おそらくカーンチー(タミル・ナードゥ州)周辺にも、いくつかのヨーギニー寺院が建立されるが、その典型的な例では、六四や八一などの特定の数のヨーギニー像が、シヴァまたは彼の恐ろしい相であるバイラヴァの祠堂を中心として、青天井のもとに円形または方形に並べられるという非常に特異な形をとる(Dehejia 1986; Kaimal 2012)。このヨーギニー群像の中には動物や鳥の頭を持つ像も含まれており、クシャーナ期以来の母神群の後継とみなすことができる。またタントラ経典において、ヨーギニーたちはしばしば七柱または八柱等の母神それぞれの家系に分類されることから、七母神の伝統も受け継いでいることがわかる。

しかし大きな相違点もある。それはヨーギニーには女神だけではなく、人間の女性が含まれている点である。この人間のヨーギニーは大きく二種類に分けられる。一つは男性修行者の女性版である女性の修行者であり、もう一つは、生まれつき、または母親から受け継いで霊能力を備え、霊媒となって女神を降ろして体現し、修行者(基本的に男性)に女神の力(呪力、超能力)を授ける女性である(Hatley 2019; Törzsök 2014)。シヴァ教マントラ道の正統派の初期経典とは異なり、女神志向の初期経典では、女性修行者にも男性と同じだけの修行が認められていたが(Törzsök 2014)、タントラ経典の対象の基本設定は男性修行者であり、女性修行者は『マーラティーとマーダヴァ』(八世紀前半)等の文学作品からその存在を推測はできるが、例外的な存在であったと思われる。一方後者の、女神を体現しその力を修行者に授けるヨーギニーは、女神志向のタントラ経典の中核であり、そのような力の授受はしばしば火葬場で行われる。この場合、人と神との境界は溶解してしまい、経典の記述から両者を判別できないことが多い。このような女性でありかつ女神であるヨーギニーたちを統括する〈女神〉もまた、〈死の女神〉として表象される。

四、南アジアの女神信仰とジェンダー

では最後に、南アジア中世の女神信仰の隆盛に対する女性の社会的価値の低下という逆転現象について考えてみたい。

第二層の〈女神〉を代表する〈戦闘女神〉は、好戦的な性格を持つ第一層の女神たちが融合し結晶化したものであり、戦いに勝利をもたらし王権を授ける女神である。また、ヒンドゥー社会の周縁域の人々が信仰するその地域や部族の女神を〈戦闘女神〉と同定することは、周縁域の人々をヒンドゥー的価値観に基づく社会の中に統合する手段となる。逆に周縁域の部族の首長が軍事的に成功しより広い地域の支配者となる場合にも、部族の女神を〈戦闘女神〉と同定することによって、自身の信仰を維持しつつそれをヒンドゥー社会の中で権威づけることができる。このように〈戦闘女神〉の受容は、中世の軍事的・政治的支配者にとって、支配の正当化や地域の統合という宗教政治的側面で有効であった。

一方〈死の女神〉は、七母神の一柱としては、特定の土地の守護女神を表象することがあり、その場合は〈戦闘女神〉と同様に、第一層の女神である土地の守護女神を汎南アジア的女神と同定する機能を果たすことで宗教政治の手段となる。さらに、〈死の女神〉はタントリズムと密接に関わり、呪力を求める修行者に呪力を授ける神として重要となる。女神志向のタントラ文献からは、この〈女神〉は神の力を媒介する女性の能力と関わっていることが窺えるが、その教説の対象は基本的に男性修行者であり、女性の霊能力や宗教的役割が尊重されるのは、あくまでも神の力を男性修行者に授ける媒体としてである。

このように〈戦闘女神〉と〈死の女神〉は、軍事的・政治的権力や呪術的権力を求める者たちが力を獲得し維持するた

めの有効な手段として、その信仰が受容され広まった。すなわち、第一層の女神たちから第二層の〈女神〉たちが形成されていくということは、最下層の女神信仰におそらく存在した、結婚や出産などの女性の生活との関わりや女神信仰への主体的な参加が取捨され、女神信仰が野心的な男性に権力を授ける手段に変容したということである。その結果、女神信仰はヒンドゥー教の主流の中に確かな地位を占めることになる。極端な言い方かもしれないが、中世以降の南アジアにおける女神信仰の発展は、女神信仰が力を求める男性に搾取された結果だということができる。このように考えれば、女性の社会的価値の低下と並行するという逆転現象は決して不思議ではない。

この点に関連してもう一つ重要な点を指摘しておきたい。それはこの第二層を代表する〈戦闘女神〉と〈死の女神〉はともに暴力や死と結びついているということである。〈戦闘女神〉は美女として描かれることもあるが、この美しさは魔神を戦いに誘い出し殺すための罠である。またこの〈女神〉たちは、酒と血肉を好み、動物供犠、時には人間の犠牲も受け取る神格であり、ヒンドゥー教の主流となっても浄性を重んじるバラモン的価値観からは不浄とみなされる。しかし、南アジアで崇拝されている女神たちの中には、豊穣や吉祥、清らかな美しさを象徴する女神たちも多数存在する。しかし、南アジアにおける女神信仰隆盛の原動力となったのは、暴力や死と結びついた女神たちであり、おそらく男性から見た女性性の恐ろしい側面——女性の他者性——を象徴し、恐ろしいからこそ対峙して慰撫することができれば力を与えてくれる、そのような女神たちである。これは南アジアの女神信仰の大きな特徴であろう。

注

(1) 以下、英語ならば大文字で書かれるような(例えば the Goddess)特定の女神概念を示す際に、〈 〉を使う。もちろん実体的な女神と観念的な女神との区分は相対的なものであり、実質的にはすべての女神は概念であるが、南アジアにおける〈女神〉は非常に流動的で無定型であり、同一の〈女神〉が多数の名前を持つため、この区分は女神信仰を研究する上で有効であると考えている。

本稿では、次節に説明する女神たちの階層のうち、第二層の女神たちを第一層の女神たちと区別するために〈　〉を用いる。

（2）タントリズムという用語は、シヴァ教（ヒンドゥー教のうち、シヴァ神を最高神とする宗教）ではマントラ道、仏教ではマントラ乗または金剛乗（密教に相当する）と呼ばれる教義と実践の体系と、ヴィシュヌ教やジャイナ教などに適用された同様の体系を総称したものである。シヴァ教や仏教における名称からわかるように、マントラ「呪文、真言」と称される特定の言葉の力を重視し、これを用いたさまざまな儀礼によって現実世界を操作し、超能力を得ること、神または仏になることを目指す。マントラは男性神として具現化されるが、女神として具現化される呪文はヴィディヤー「呪術的知、明」と呼ばれる。古くはマントラという語は、最古のヴェーダ文献であるリグヴェーダ・サンヒター等にまとめられ、ヴェーダ儀礼において用いられる詩句を指し、この詩句の言葉の力と儀礼を通して現実世界を操作できると考えられていた。このことから、タントリズムとはヴェーダの宗教における、特定の言葉の力への信仰と祭式至上主義に倣いつつ、より広範囲の多様な民間信仰やヨーガなどの身体技法と一神教的教理を包摂したものとみなすことができる。

（3）この節の記述は、横地（二〇一一）の第三節から第五節に基づいている。この節および次節の前半に関する詳しい研究はYokochi（1999a; 2004）を参照されたい。〈戦闘女神〉に関する最近の優れた歴史研究として、Sarkar（2017）は中世における女神信仰の発展のさまざまな様相、特に広義の王権との関係に関して碑刻文などの資料を網羅的に収集している。

（4）この文献は、現在この名前で知られている、このプラーナに帰属すると伝承される独立した作品群を集めてヴェンカテーシュワラ出版社から出版されたものとは異なり、それらの作品群の帰属元である本来の『スカンダ・プラーナ』である。一九八八年にクリシュナプラサード・バッタラーイーによって初めて出版された。現在新しい校訂版の作成が継続中であり、現在までに第五巻まで（全体の約六割）が出版されている。以下のウェブサイトを参照せよ（https://www.universiteitleiden.nl/en/research/research-projects/humanities/the-skandapur%C4%81%E1%B9%87a-project#tab-1）。

（5）『ブラフマ・ヤーマラ』の校訂研究は、現在シャーマン・ハトリー氏とチャバ・キス氏の手で進められており、現在までに二巻八章分が出版されている。詳細はHatley（2019）の参考文献表を参照せよ。またシヴァ教マントラ道の中での女神志向の経典群、さらにその中でのヤーマラ経典群の位置付けについては、Sanderson（1988; 2014）を参照せよ。

参考文献

永ノ尾信悟（一九九三）「プラーナ文献が記述する秋の女神の大祭」『東洋文化』七三（特集：インド文化の諸相）。
小倉泰・横地優子（訳注）（二〇〇〇）『ヒンドゥー教の聖典 二篇――ギータ・ゴーヴィンダ／デーヴィー・マーハートミャ』〈東洋文庫〉、平凡社。
横地優子（二〇一一）「処女戦士が最高神となるとき」吉田敦彦・松村一男編著『アジア女神大全』青土社。
Bakker, Hans T. (2014), *The World of the Skandapurāṇa: Northern India in the Sixth and Seventh Centuries*, Supplement to Groningen Oriental Studies, Leiden/Boston, Brill.
Dehejia, Vidya (1986), *Yoginī Cult and Temples: A Tantric Tradition*, New Delhi, National Museum.
Harper, Katherine Anne (1989), *Seven Hindu Goddesses of Spiritual Transformation: The Iconography of the Saptamatrikas*, Studies in Women and Religion, vol. 28, Lewiston, Queenston, Lampeter, E. Mellen Press.
Hatley, Shaman (2012), "From Mātṛ to Yoginī", István Keul (ed.), *Transformations and Transfer of Tantra in Asia and Beyond*, Berlin, De Gruyter.
Hatley, Shaman (2013), "What is a Yoginī? Towards a polythetic definition", István Keul (ed.), '*Yoginī*' *in South Asia, Interdisciplinary approaches*, London and New York, Routledge.
Hatley, Shaman (2019), "Sisters and consorts, adepts and goddesses: Representations of women in the *Brahmayāmala*", N. Miring, M. Rastelli and V. Eltschinger (eds.), *Tantric Communities in Context*, Wien, Austrian Academy of Sciences Press.
Hawley, John Stratton and Donna Marie Wulff (eds.) (1996), *Devī: Goddesses of India*, Berkeley, Los Angeles, London, University of California Press.
Kaimal, Padma (2012), *Scattered Goddesses, Travels with the Yoginis*, Asia Past & Present: New Research from AAS, No. 8, Ann Arbor, Associations for Asian Studies.
Kinsley, David (1986), *Hindu Goddesses: Visions of the Divine Feminine in the Hindu Religious Tradition*, Berkeley, University of California Press.
Leslie, Julia (ed.) (1991), *Roles and Rituals for Hindu Women*, London, Pinter.
Melzer, Gudrun (2009), "The Wrathful Śiva and the Terrifying Great Goddess in Eastern Indian Art: Andhakārī, Bhairava, and Cāmuṇḍā", *Journal of Ancient Indian History* 25 (2008–2009).

Patton, Laurie L. (ed.) (2002), *Jewels of Authority: Women and Textual Tradition in Hindu India*, New Delhi, Oxford University Press.

Pintchman, Tracy (ed.) (2007), *Women's Lives, Women's Rituals in the Hindu Tradition*, New York, Oxford University Press.

Sanderson, Alexis (1988), "Śaivism and the Tantric Traditions", Friedhelm Hardy (ed.), *The Religions of Asia*, London, Routledge.

Sanderson, Alexis (2014), "The Śaiva Literature", *Journal of Indological Studies* 24/25 (2012-13).

Sarkar, Bihani (2017), *Heroic Shāktism: The Cult of Durgā in Ancient Indian Kingship*, A British Academy Monograph, Oxford, University of Oxford Press; London, The British Academy.

Sarkar, Bihani (2020), "Toward a History of the Navarātra, the Autumnal Festival of the Goddess", D. Goodall, S. Hatley, H. Isaacson and S. Raman (eds.), *Śaivism and the Tantric Traditions: Essays in Honor of Alexis G. J. S. Sanderson*, Gonda Indological Studies, 22, Leiden/Boston, Brill.

Slouber, Michael (ed.) (2021), *A Garland of Forgotten Goddesses: Tales of the Feminine Divine from India and Beyond*, Oakland, University of California Press.

Srinivasan, Doris Meth (1997), *Many Heads, Arms and Eyes: Origin, Meaning and Form of Multiplicity in Indian Art*, Studies in Asian Art and Archaeology, Leiden, New York, Köln, E. J. Brill.

Törzsök, Judit (2014), "Women in Early Śākta Tantras: Dūtī, Yoginī and Sādhakī", *Cracow Indological Studies* 16.

Yokochi, Yuko (1999a), "The Warrior Goddess in the *Devīmāhātmya*", M. Tanaka and M. Tachikawa (eds.), *Living with Śakti: Gender, Sexuality and Religion in South Asia*, Senri Ethnological Studies 50, Osaka, National Museum of Ethnology.

Yokochi, Yuko (1999b), "Mahiṣāsuramardinī Myth and Icon: Studies in the *Skandapurāṇa*, II", 『インド思想史研究』一一。

Yokochi, Yuko (2004), *The Rise of the Warrior Goddess in Ancient India: A Study of the Myth Cycle of Kauśikī-Vindhyavāsinī in the Skandapurāṇa*, Doctoral thesis, University of Groningen (https://research.rug.nl/en/publications/the-rise-of-the-warrior-goddess-in-ancient-india-a-study-of-the-m).

Yokochi, Yuko (2013a), *The Skandapurāṇa, Volume III, Adhyāyas 34.1-61, 53-69, The Vindhyavāsinī Cycle, Critical Edition with an Introduction and Annotated English Synopsis*, Supplement to Groningen Oriental Studies, Groningen, Egbert Forsten; Leiden, Brill.

Yokochi, Yuko (2013b), "The Development of Śaivism in Koṭīvarṣa, North Bengal, with Special Reference to the Koṭīvarṣa-Māhātmya in the *Skandapurāṇa*", *Indo-Iranian Journal* 56.

焦点 *Focus*

アンコール朝の揺れ動く王権と対外関係

松浦史明

はじめに

アンコール朝のイメージ

アンコール朝とは、カンボジアの世界遺産であるアンコール・ワットを遺した国家を指して、後世の歴史家が名付けたものである。九世紀から一五世紀ごろ、日本で言うと平安時代から室町時代あたりまで、王権の中心が主にアンコール地方(カンボジア、シェムリアップ州)に置かれたから、こう呼ばれるようになった。同時代の刻文史料では「カンブジャ国」、中国史料では「真臘」、古ジャワ語では「クミル」などと表記されている。

この王朝に対する一般的な理解として、八〇二年にジャヤヴァルマン二世によって創始されたこと、アンコール・ワットは一二世紀前半ごろにスーリヤヴァルマン二世によって建立されたこと、他にも一二世紀末ごろにアンコール・トムを造営したジャヤヴァルマン七世の代に最盛期を迎えたことについては、高校世界史などでも述べられるところである。また、アンコール・ワットは世界的に有名な観光地であり、各種のガイドブックには、歴代の王の営みと、数々の遺跡に表現された宗教観・世界観がひと通り説明されている。

ところで、これらの情報の中で得られるアンコール朝のイメージは、王と遺跡に集中する。そこでは、およそ六〇〇年におよぶアンコール朝を静的なものとして一括して捉え、強大な王が君臨する、周辺地域とは隔絶されたユニークな存在であるかのような印象が与えられる。しかし、アンコール朝の歴史はもっと多様であり、豊穣であり、変化に富み、奥が深い。本稿では、近年の研究成果を踏まえながら、アンコール朝の対外関係の進展と、それに並行する王権の変容について、考えてみたいと思う。

アンコール史の手がかりと研究の現状

アンコール朝の歴史を考えるとき、大きな手助けとなるのが、遺跡の石材や金属器などに刻まれた刻文史料である。その他の素材に書かれた文書類は湮滅《いんめつ》して残っていない。インド由来の文字を用い、古クメール語やサンスクリット語で書かれたクメール刻文は、基本的に寺院の創建や改修、その他の宗教行事に付随して刻まれたものである。刻文の内容はおおよそ定型化されている。サンスクリット語で書かれた部分では、冒頭にヒンドゥー教・仏教などの神仏諸尊に対する賛辞があり、その時代の王や有力者に対する賛辞が続き、次いで当該の建立事業や寄進を行なった中心人物について、その来歴や業績を時に系譜をたどりながら説明し、どのような財物・土地・奉仕者が寺院に寄進されたかを列挙したうえで、これらの儀礼を毀損しようとする者への呪詛で結ばれる。古クメール語の部分では賛辞の部分が簡略化され、主に「どのような人物が、何に対して、何を寄進したか」について比較的詳細に記載している。

一八八〇年代に本格的な研究がスタートしたクメール刻文研究は、一九七〇年代から一九九〇年代の前半まで続いたカンボジア内戦の影響で縮小を余儀なくされたが、内戦後のカンボジア復興にともない、クメール刻文研究にも新しい時代が到来している。新資料の発見が相次ぎ、既知の刻文は新しいアプローチで再読され、既存の学説の再検証や修正がこれまで以上の量と質で進められている(松浦 二〇一八)。そして、刻文史料と並行して、漢籍その他の文字史料や、発展の目覚ましい考古、美術、建築などの諸研究の成果(Tabata 2015)を組み合わせることで、従来のアンコール朝像を更新する作業が続いているのである。

一、アンコール朝の創始と王権の確立

謎に満ちた創始者、ジャヤヴァルマン二世

八〇二年、ジャヤヴァルマン二世はジャヴァー(海域東南アジア)の勢力による支配を断ち切り、マヘーンドラ山(アンコール地方北部の高丘プノム・クーレン)で即位式を行ない、その後王都をハリハラーラヤ(アンコール地方南東部)に定めた。これ以降、アンコール地方は、短い中断期間はあるものの、一五世紀ごろまでの長きにわたり、国家の中心であり続けた。面積にしておよそ一〇〇〇平方キロメートルの空間に、多数の寺院が建立され、貯水池の掘削などの土木事業が継続して行なわれたのである。古代カンボジアの歴史における重要な画期が、この八〇二年のジャヤヴァルマン二世の即位であり、一般にそれ以前をプレ(前)・アンコール期、以後をアンコール期と区分する。

しかし、その歴史的な重要性とは裏腹に、ジャヤヴァルマン二世の事績をめぐっては、常に論争の的となっている。なぜなら、ジャヤヴァルマン二世に関する同時代史料が極めて限られており、同王の事績については、「ジャヤヴァルマン二世伝説」とも言うべき、一〇〇年以上あとの一〇世紀以降の刻文に頼ることが多いためである(Griffiths 2013)。その上、「ジャヤヴァルマン一世乙《おつ》問題」という史料解釈上の困難さが、事態をさらに複雑にしている。

「ジャヤヴァルマン一世乙問題」とは、碩学ジョルジュ・セデスによって一九〇五年に提起された問題である。そのころには既に、プレ・アンコール期の六五二年から七世紀の終わりごろまで統治したジャヤヴァルマン一世と、八〇二年即位のジャヤヴァルマン二世の存在が知られていたが、その後七七〇年に王として活動していた同じく「ジャ

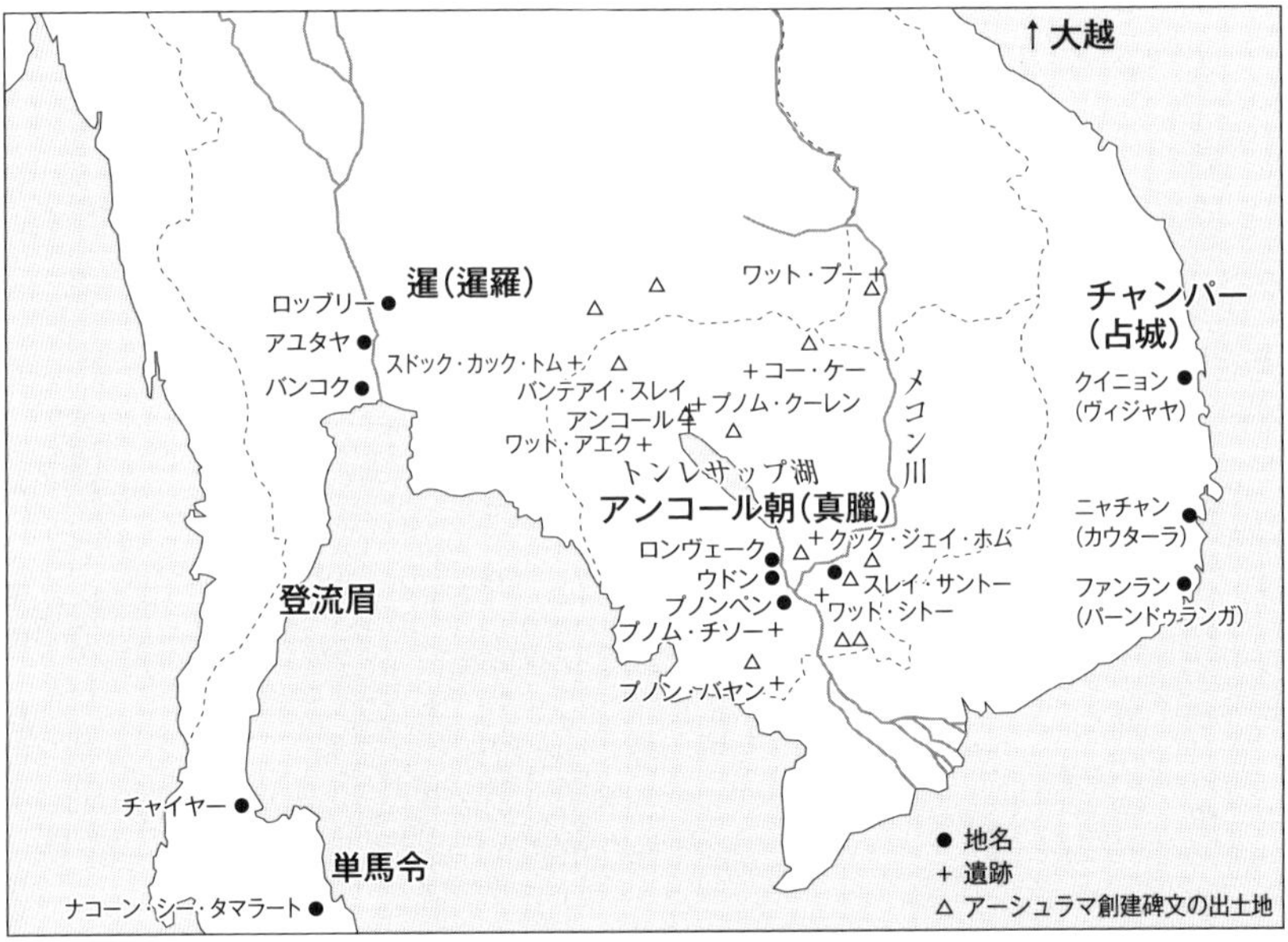

図1　アンコール朝関係地図

ヤヴァルマン」を名乗る人物がいたことが判明し、その年代から、一世と二世の間に位置する人物として「ジャヤヴァルマン一世乙」(Jayavarman $\mathrm{I}^{\mathrm{bis}}$)を挿入した(「一世」「二世」という表記は史料には存在しない研究上の記号である)。その後の研究で、ジャヤヴァルマン一世乙はジャヤヴァルマン二世と同一人物であるといったんは結論付けられたものの、その活動年数が七七〇年から八三四年という少なくとも六四年の長期にわたっており、当時としてはかなり高齢になるまで活動していたと考えなければならなくなることに疑義が呈されてきた(石澤 二〇一三:一四〇頁)。さらに近年、カンボジア南部で七六三年の日付をもつ刻文にもジャヤヴァルマンなる王名が記載されていることが発見され、活動年数がさらに長くなることになった。そこから、やはり八世紀後半にジャヤヴァルマン二世とは別にジャヤヴァルマン一世乙が存在したのではという議論が再燃している(Goodall 2013)。

この問題について現状の史料状況で決着をつけることは困難であるが、今後の展開次第では、アンコール朝黎明期の歴史観が大きく変更される可能性がある。

ヤショーヴァルマン一世が達成した広域統治

同時代史料や建築物などから、王の具体的な業績が確認できるようになるのは、ジャヤヴァルマン二世から半世紀ほど後の、インドラヴァルマン一世(在位八七七頃—八八九年)以降である。

即位の二年後に建立されたプレア・コー寺院では、六基の祠堂入口部分にいくつかの刻文が残されており、それによれば、この寺院はシヴァ神とともに、先王や祖父、父母を祀った祖先寺院としての性格をもっていたことが分かる。その後八八一年には国家の中心寺院としてバコン寺院を建立し、その北方にインドラタターカという名の大型方形貯水池を築いた。王都の外での同王の事績としては、カンボジア最南部の丘上にあるプノン・バヤン寺院の刻文に同王がシヴァ神に対して奉納を行ったことが語られ、東北タイのブーンケー遺跡に刻文を残した人物も王の名前に言及している。ただし、これらの土地に王がどのように関与したのかはよく分からない。

インドラヴァルマン一世が成し遂げた、祖先を祀る寺院、方形の大貯水池、そして国家の中心寺院を擁する王都を造営することは、その後形を変えながら、また時には部分的に、その後の王に引き継がれていく。インドラヴァルマン一世の後を継いだヤショーヴァルマン一世(在位八八九—九一〇年頃)は、激しい王位継承戦争を経て即位したようであるが、前王と同様に、祖先寺院ロレイを建立し、大貯水池ヤショーダラタターカ(現在の東バライ)を建設し、中心寺院プノン・バケンを建立して王都ヤショーダラプラを造営した。なお、「ヤショーダラプラ」の名前はその後も王都の名称として定着する。

ヤショーヴァルマン一世はさらに、国内各地に「アーシュラマ」と呼ばれる宗教者たちの生活・修行の場を建設したとされ、ヒンドゥー教のシヴァ派、ヴィシュヌ派や仏教徒などのためのアーシュラマがそれぞれ作られたという。現在のカンボジア南部から東北タイ、ラオスにかけての地域に、「アーシュラマ創建碑文」と呼ばれる、ほとんど同内容の刻文が二〇点ほど発見されており（Estève and Soutif 2013）、同王の時代になって初めて、王権が広い範囲に影響力をもっていた証拠が出てくるのである。また、アンコール朝では基本的にヒンドゥー教のシヴァ信仰が優勢であるが、王権が仏教に対して主体的に関与する例も、このアーシュラマ創建が初めての例である（松浦 二〇一九a：二〇四―二〇六頁）。

さらに、アーシュラマ創建碑文では「この詩節はカンブジャ文字（Kamvujākṣara）によって書かれた」という一文があり、北インドのシッダマートリカー文字の影響を受けた特殊な文字が用いられている。この新字体は同王以後には普及しなかったようであるが、同王と宮廷が文化面でも新しい政策を行おうとしたことが見受けられる。

インドラヴァルマン一世からヤショーヴァルマン一世にかけての時代に、アンコール朝の国家としてのあり方が基礎付けられたと言えるだろう。

二、挑戦を受ける王権、変容する国のかたち

ジャヤヴァルマン四世の王位奪取と王権の変容

九二一年に即位したジャヤヴァルマン四世は、北東約八〇キロメートルのところにあるコー・ケーに王都を遷した。遷都の理由は明らかでないが、ヤショーヴァルマン一世以後に政治的な混乱があり、外戚の立場にあったジャヤヴァルマン四世が王位を奪取し、自身の権力基盤であったコー・ケーに本拠を構えたものと思われる。コー・ケーでは、ピラミッド状の寺院や巨大な彫刻など、従来の建築・彫刻とは一線を画す要素がみられるだけでなく、王権概念にも新たな変化が加えられた。

同王以前、国家の中心寺院には、王の名前にちなんだ神格名が付けられた。すなわち、インドラヴァルマン二世の

インドレーシュヴァラ、ヤショーヴァルマン一世のヤショーダレーシュヴァラのごとくである。しかし、コー・ケーの中心となる神格は、サンスクリット語で「トリブヴァネーシュヴァラ」(三界の主)、古クメール語で「カムラテーン・ジャガット・タ・ラージャ」(王国・王位の世界の主)という名をもっており、詳細は不明であるものの、新しい王権概念が導入され、王による寺院建立事業を、王個人のものではなく、王国全体に波及させるものとして再構成しようとしたと考えられる。

特に注目すべきは、古クメール語の「カムラテーン・ジャガット・タ・ラージャ」である。「カムラテーン・ジャガット」(世界の主)は、神格や尊格・地名・人名の前に付けられる冠称であり、概ね一〇世紀以降に使用例が増加し、カンボジアにおける祖先崇拝や精霊信仰のネアク・タとの関連が指摘されている(Jacques 1994)。さらにこの語は、一〇五三年(1)のスドック・カック・トム碑文(K. 235(2)、現タイ東部サケーオ県)で語られる王権祭祀である、いわゆる「デーヴァラージャ崇拝(3)」との関連が指摘される。同碑文で主張される、ジャヤヴァルマン二世が即位に際して行った儀式が、サンスクリット語で「デーヴァラージャ(4)」、古クメール語で「カムラテーン・ジャガット・タ・ラージャ」(王の世界の主)と呼ばれている。「ラージャ」(王)と「ラージャ」(王国・王位)の違いはあるものの、両者は同種のものであるという見方が強い。スドック・カック・トム碑文の記述を除いて、ジャヤヴァルマン四世以前の時代にはこの語がみられないことなどから、ジョルジュ・セデスは晩年に、ジャヤヴァルマン四世が「デーヴァラージャ崇拝の真の創始者」であるとして、従来の説を修正している(Cœdès 1970)。

ラージェーンドラヴァルマン二世——復古と革新

ジャヤヴァルマン四世の死後、一代を挟んで即位したラージェーンドラヴァルマン二世(在位九四四―九六八年)は、王都をアンコールへと戻した。そして、ラージェーンドラヴァルメーシュヴァラという名の神格を中心寺院プレ・ループに据えた。言うなれば同王は、前代の変化を否定するアンコールの復古主義の体現者であった。

しかし同時に、王と宮廷は変化する時代に対応することも求められた。この時期から、残される刻文の総量が増加するとともに、王以外の有力者や土豪による刻文作成が隆盛する。これは、統治の進展にともない、国内各地で人口増加と富の蓄積が進み、地方勢力が台頭してきたことの表れであろう。有力者たちは、寺院建立などの地域開発を行い、寺院への寄進を通して王から免税特権や地位の世襲権を獲得し、立場を強化していった。美麗な彫刻で有名なバンテアイ・スレイ寺院(九九〇年頃完成)は、高官のヤジュニャヴァラーハとヴィシュヌクマーラ兄弟によって建立されているが、この時期の個人による寺院造営の典型例と言えよう。

これらの社会変化の対応例として、王の仏教への関与の変化が挙げられる。東メボン刻文(九五二年)には、「比較するものは何もないほど徳に満ちているがゆえに、〔王は〕目覚めてから、誤った道から外れることで、他の方法でもなく、仏教の教理を信じた」(第一七二偈)とあり、同王が仏教を信奉していたと解釈できる一文が含まれている。ただし、刻文全体はシヴァ神に対する賛辞が中心であり、この一節は当時の有力者や領民の一部で広まっていた仏教にも配慮を示していた、という程度の意味合いで理解しておくべきだろう。つまり同王は、伝統を継承するだけでなく、多様化する社会の中で新しい王権像を確立しようとしたとも言えるのである。

スーリヤヴァルマン一世による国内の組織化

ラージェーンドラヴァルマン二世の後、ジャヤヴァルマン五世(在位九六八―一〇〇〇年頃)が即位し、新しい中心寺院としてタ・ケオの建立に着手したが、戦乱もあり完成しないままに放棄された。

その後、王朝を二分する後継争いが勃発する。アンコール王都ではジャヤヴィーラヴァルマンが王位を主張し、国内の広い範囲に同王の刻文が分布するが、カンボジア東部から中部にかけてはスーリヤヴァルマン一世が勢力を保持して対峙した。カンボジア中部コンポントム州からは、双方の王について王位を認める同じ時期の刻文が出土しており、どちらの勢力に与するか、地方勢力の間でも揺れ動いていたようである。

一〇一〇年ごろに争いに勝利したスーリヤヴァルマン一世(在位一〇〇二-一〇五〇年)は、新たな国づくりに着手した。特筆すべき変化として、従来は中心寺院に一つだけ据えられていた王の名を冠した神格を、ワット・アエク寺院(バッタンバン州)、プノム・チソー寺院(タケオ州)など、国内の複数個所に分散して安置した。この背景として、この時期、王以外の人物が、自分の名前を冠した神格を安置する例が目に付くようになる。例えばタイのタ・プラヤ地方にあるプラサート・カオ・ロン刻文(K. 232)によれば、同地の地方官であったサマラヴィーラヴァルマンなる人物が建立した寺院の神が、サマラヴィーラヴァルメーシュヴァラという名であった。また、前述したスドック・カック・トム碑文には、サダーシヴァという人物がジャエーンドラヴァルマンという名を与えられ、ジャエーンドラヴァルメーシュヴァラというリンガ(シヴァ神の象徴)を建立したことが書かれている。つまり、以前では王のみが行っていたことが王以外の有力者たちにも普及することで、王の卓越性が損なわれる恐れがあったのであろう。

また同王は、自らの臣下に対して忠誠の誓いを宣言させたことでも知られる。王宮ピミアナカスの塔門の壁面に記された一〇一一年の刻文(K. 292)によれば、「(王は)全ての家臣をいくつかのグループに分けた後、世界の主の聖なる眼の前で、忠誠を誓うようにした」といい、一から四の等級に分けられた「タムルヴァーチ」(「監察者」の意。各種の行政執行者か)に対し、「命を差し出し、無条件の献身を誓い、(中略)職務に奮励する」ことを求めた。王権の側からこれほどの直接的な表現で家臣の忠誠を要求した例は他にない。王が行政の組織化を目指し、力を増してきた各地の有力者たちを統制することに心を砕いたことが見て取れる。さらに同王の時代には、土地問題と訴訟に関する刻文が多く(Vickery 1985: 232)、有力者間の利害の調整に王が関与することで、王権の浸透・拡大を図っていたのかもしれない。

三、広がる版図、開かれる王朝

西方への拡大とマヒーダラプラ家系の登場

スーリヤヴァルマン一世の時代は、王朝が西方に拡大したことでも知られる。現在のタイ中央部のロッブリーから発見された一〇二二年の刻文では、現地での抵抗を鎮圧しつつ、仏教の修行者を従わせる王命が発布されたことが記されている（サールスーン刻文、K. 410）。現在のタイ東北部から中部にかけての地域には、プレ・アンコール期から刻文史料が散在しているが、おそらくこの時期に改めて影響を強めたものとみられる。このことは、アンコール朝がタイ湾岸地域の港市へのアクセスを確保したことを意味し、海を通じた外世界とのつながりが進展したことだろう。

この時期は対外関係においても変化がみられる。アンコール朝の成立より前から、中国ではこの地域を「真臘《しんろう》」と呼んでいたが、王朝初期の八一四年を最後に、真臘の中国に対する朝貢は途絶していた。朝貢の再開そのものは、およそ三〇〇年後の一一一六年まで待たなければならないが、それ以前から周辺諸国との関係が進展していたことが分かる。

スーリヤヴァルマン一世の二代後、ハルシャヴァルマン三世時代にあたる一〇六七年には、アンコール朝が隣国のチャンパー（ベトナム南部）とともに大越（ベトナム北部）に攻め込んだことが中国史料に書かれている（『宋会要輯稿《そうかいようしゅうこう》』巻八一一六、占城《せんじょう》）。この時期の前後から、とりわけ大越・チャンパーとの三国関係を軸とした友好と対立の記録が各国の史料に残されていく（桃木 二〇一一：一七三、二三六－二三八頁）。

なお、それ以前の一〇世紀後半のワット・シトー刻文（K. 111）に、キールティパンディタなる人物が、当時の仏教が「邪見により暗くなっている」ことを憂い、外国から『真実摂経《しんじつしょうきょう》』などの経典を買い集めたとしているように、交易ネットワークを通じた物流は以前から存在し、アンコール朝は決して閉ざされた内陸国家ではなかった。ただ、『資治通鑑長編《しじつがんちょうへん》』の熙寧《きねい》九年(一〇七六)六月の記事では、真臘は「未だかつて広州に来て貿易したことがなく、人情が通じない」(巻二七六)とあり、一〇世紀末頃までは近隣地域との交流が中心であったものと思われる。

その後王位に就いたジャヤヴァルマン六世(在位一〇八〇―一一〇七年)は、マヒーダラプラと呼ばれる家系に属したとされる。この家系はそれまでの王とのつながりが明瞭でない新王家であり、この家系が王朝末期までアンコール王を輩出していくことになる。この新王家への「交替」の経緯はよく分からないが、その前後で高官としての地位を保持し続けた人物が複数知られており、宮廷の少なくとも一部の支援があったのであろう。さらに、マヒーダラプラ王家の時代になると、刻文に書かれる内容に変化があり、それまで見られていたような、王と神の関係の近さを強調するような、個人崇拝に類する表現が低調になることにも留意すべきである。

また、クック・ジェイ・ホム刻文(K. 86, コンポンチャム州)および新発見の青銅器刻文(K. 1296)をもちいた近年の研究によれば、ジャヤヴァルマン六世が「シャカ族の町のシュッドーダナの子(仏陀)のように振る舞った」という表現で称賛され、同王の妹の夫が仏教の出家者だといい、さらに未公刊の新出刻文(K. 1297)でも、ジャヤヴァルマン六世を仏教徒であると書いているという(Griffiths & Vincent 2014)。前述したラージェーンドラヴァルマン二世の例と同じく、国家の主軸はヒンドゥー教であったが、仏教との関係は前代よりも深まっていったものと思われる。同じ家系に属する、後述のジャヤヴァルマン七世が仏教を国家の中心宗教として強力に推進していったのも、こうした下地があったからこそとも言える。

アンコール朝の最盛期と二人の大王

ここまで述べて来た歴史の流れの先に、アンコール朝で最も有名な、二人の王が登場してくる。スーリヤヴァルマン二世（在位一一一三－五〇年）とジャヤヴァルマン七世（在位一一八一－一二二〇年）である。

アンコール・ワットを建立したことで有名なスーリヤヴァルマン二世であるが、同時院からは寺院創建の縁起を記した刻文が見つかっておらず、その事績や王権概念などについては不明なことが多い。ただ、同王が王朝の拡大政策をさらに推進したことは明らかである。大越やチャンパーの記録には同王がこれらの東方地域に遠征を行ったことが記されている。

前述したように、同王治世下の一一一六年に、中国との朝貢が再開されている（『宋史』巻四八九「外国五・真臘伝」）。さらに宣和二年（一一二〇）には、中国の朝廷から占城（チャンパー）などの領主に任命され、建炎三年（一一二九）には、「城外辺境での恩により」、領地の加増と、領主としての地位を常制とすることを認められた。

このように、朝貢が再開された後の真臘は、急速にその存在感を増していったようにみえる。一一七八年に成立した『嶺外代答《れいがいだいとう》』では、マレー半島北部あたりに位置する登流眉《とうりゅうび》国産の沈香《じんこう》が真臘の産物とされるなど、真臘が占城とならんでインドシナ半島からマレー半島北部の物流の中心地として認識されている（深見 一九九七：三一八、三二三頁）。朝貢が再開されてから半世紀の後、一二世紀の後半には、すでに真臘が国際交易上の重要な位置づけにあると中国に認識されているのである。

一一八一年に即位したジャヤヴァルマン七世は、チャンパーに占領されていた王都を奪還して王となった。その治世中、チャンパー側の史料で「三二年間の争乱」（Lepoutre 2013: 238-242）と呼ばれる、チャンパーと大越を巻き込んだ勢力争いを繰り広げ、王朝の最大版図を獲得、バイヨン寺院を始めとした多数の寺院建立などを行った。その経緯や王の業績については紙幅の関係で詳述できないため、拙稿を参照されたい（松浦 二〇一九b）。

同王は、前述のマヒーダラプラ家系に属するが、母親はスーリヤヴァルマン一世の孫娘であり、それ以前の王家の後継者としても振る舞うことができた。あるいはその必要があった。そのためか、同王の時代には、再び王族の個人崇拝に関する言及が増える。その意味で、即位後の王が最初に建立したのが、母親を般若菩薩(プラジュニャーパーラミター)として祀ったタ・プローム寺院であったことは示唆的である。

さらにジャヤヴァルマン七世は、スーリヤヴァルマン一世の時代までに行われていた王権概念を、同王なりに変容・拡大させたことも明らかである。ジャヤヴァルマン七世時代の寺院には、寺院内の各部屋の入口にあたる部分におおよそ二―三行程度の小刻文があり、各部屋に安置された尊格の名前が掲示されている。それぞれの神格は、主に前述の「カムラテーン・ジャガット」の冠称をもっており、国内各地の地方神・土地神の性格を帯びていた。このような、多数の神仏を一つの建築物に内包させ、それを刻文に記すことは、ジャヤヴァルマン七世時代にのみ現れた異例の方式であった。なお、前述した一〇五三年のスドック・カック・トム碑文に記された、アンコール前半期の王権概念における中心的な神格とされる「カムラテーン・ジャガット・タ・ラージャ」の語は、同碑文以降には用例がみられなくなり、唯一の例外として、バイヨン寺院の北側の塔門入口に多数の尊格のうちの一つとして列挙されるだけである。

この時代には対外交易の面でも進展がみられ、刻文史料にみられる中国製品に目を向けると、一〇世紀後半ごろから寺院への寄進物のなかに「中国の大鏡」や「中国絹で飾られた駕籠」などが若干数みられるが、ジャヤヴァルマン七世時代には、「蚊よけのための中国絹」や「草で出来た中国の敷物」、「中国製の箱」といった、日用品を含む様々な中国製品が大量に寺院に寄進されており、同王の時代に中国製品の流入と消費が大きく発展したことが明らかである。

四、アンコール朝の崩壊とその後

アンコール朝の末期

一二二〇年頃に死去したジャヤヴァルマン七世以降、アンコール朝では大規模な石造寺院が新しく建造されることがなくなり、同時に刻文史料も激減することで、その後の状況がほとんどつかめなくなる。しかし、それはすぐさまアンコール朝の衰退を意味しなかった。一三世紀末にアンコール朝を訪れた中国人の周達観《しゅうたつかん》が残した見聞録『真臘風土記』には、有名な「富貴真臘」の風評とともに、行政が機能し活発に交易がおこなわれていた様子が描写されている。さらに、『明史』や『明実録《みんじつろく》』などをみると、一三七〇年代から一四一〇年代のあいだに、真臘が一三回にわたって中国への朝貢を繰り返していたことが分かる。これは、真臘の朝貢の歴史の中で最も活発な朝貢頻度である。一三〇四年に成立した『大徳南海志《だいとくなんかいし》』にも、交趾《こうし》(北ベトナム)・占城・暹《せん》(タイ)・単馬令《たんまれい》(マレー半島中部)・三仏斉《さんぶっせい》(マラッカ海峡地域)・闍婆《じゃば》(ジャワ)などとともに、真臘も周辺地域を管理する中心地として記されている。

中国の朝貢体制の変化なども考慮に入れる必要はあるが、アンコール朝が国際的なプレゼンスを失っていなかったことは間違いない。さらに、刻文史料は乏しいものの、ジャヤヴァルマン七世の後を継いだインドラヴァルマン二世は一二四三年までのおよそ二五年間、その次のジャヤヴァルマン八世は一二九〇年までのおよそ五〇年間にわたる長期政権を維持している。また、詳しい時期は不明であるものの、バンテアイ・クデイ寺院で発見された廃仏土坑(石澤二〇二一：二六三―二七一頁)など、組織的な仏像破壊が行われた痕跡も各遺跡に残っている。すなわち、この時代には、従来の王がおこなってきたような大規模な土木事業が必要とされなくなった、と考えるべきであり、衰退というよりも王権概念その他の体制の変容が起こったことが示唆される。

アンコール朝の解体

後世に編纂されたタイの年代記などによれば、一三五〇年代から一四三〇年代にかけて、アンコール朝はタイの勢力から何度か侵攻を受けていたようで、特に一三五三年と一三九四年には王都が占領されたという。かつて広大な規模を誇った王朝の版図は、次第に縮小していったと考えられる。同時に、統治システムが制度的な安定性を欠いており、王の属人的なカリスマ性などに依存していたアンコール朝では、ひとたび王と宮廷の求心力が失われると、その影響力は容易に縮小し、地方は自立的傾向を強めていった。

アンコール朝が不可逆的な解体に向かった時期についてはよく分からない。通説では、後世の年代記の言うところに従って、一四三一年にタイのアユタヤ朝の攻撃で王都が陥落して周辺地域が恒常的な支配を受けるに至り、カンボジアの王権は南のプノンペン方面に移ったと言われるが、年代記の版本によって異同があり、またこれを裏付ける同時代史料もない。その経緯についても、アンコール朝の王家がそのまま南部に移動したのか、あるいは当時南部に存在していた地方権力が王位を主張したのか、その詳しい経緯はいまだ歴史の闇のなかにある。

解体の要因としては、軍事的脅威のほかに、有力者による免税特権の獲得が横行して国家財政を圧迫した、気候変動によって農業などに打撃を受けたことなどが挙げられている。また、海上交易が進展するに従い、より海域とのアクセスが容易な南部地方に活路を見出したという側面もあったものと思われる。

カンボジア南部王権の成立

アンコール朝の崩壊過程と並行して、メコン川東岸のスレイ・サントーに基盤を置く勢力と、トンレサップ川西岸に拠った勢力が対峙するようになる(北川 二〇〇〇)。

現在のカンボジア王国の首都であるプノンペンは、北方から流れるメコン川とトンレサップ川が合流した後、東のメコン本流と西のバサック川に分かれる、四本の河川の結節点に位置している。カンボジア南部の王権は、この四つの川の流域を中心に、展開していったのである。一五二九年にアン・チャン王によってトンレサップ川西岸のロンヴェークに王都が築かれ、同王が一五六六年に亡くなるまでは比較的安定していたようであるが、孫のソター王の治世中、一五九四年にアユタヤ朝のナレースエン王によって王都が攻略され、およそ六〇年におよぶロンヴェーク時代は終わりを告げた。その後、一六二〇年にチェイ・チェッタ二世がウドンに王都を築くことになる。

おわりに

以上本稿では、アンコール朝の王権の変容と対外関係の進展を中心に述べて来た。アンコール朝において、王権は挑戦を受け続けてきた。王位の継承に際しては、武力をともなう権力争いが頻発し、さらに対外交易の進展に刺激された地方勢力の台頭により、各有力者が王の真似事をしていくなかで、王は卓越性をアピールするための方法を模索し続けた。王都において巨大な石造寺院を連綿と作り続けた、一見すると変化に乏しいようにみえるアンコール朝は、その内実においては多様な展開をみせていたのである。

最後に、宮廷における高官の動きや地方統治のあり方、往時の宗教実践や地域住民の様相など、本稿では紙幅の関係で触れられなかった話題も多い。これらの豊穣なるアンコール朝の歴史像は、今後さらなる研究の進展のなかで明らかにされていくだろう。

注

(1) 同碑文の年代については、一般に一〇五二年とされることが多いが、正確には一〇五三年二月八日である(Billard & Eade 2006: 418)。これは刻文で用いられているシャカ暦が「四月始まり」であるためにしばしば生じる表記のゆれである。

(2) 刻文史料は、クメールの頭文字「K」を付した整理番号でリスト化されており、基本情報についてはセデスによる刻文リストを参照されたい(Cœdès 1937-1966)。また、近年の刻文研究については拙稿(松浦 二〇一八)を参照のこと。

(3) 同碑文には、デーヴァラージャの祭儀が同碑文の時代までの歴代の王に連綿と受け継がれたことが主張されている。ジョルジュ・セデスをはじめ、この祭儀は王を神格化するためのものであるとする主張があるが、異論も多い(松浦 二〇一二)。

(4) デーヴァ(神)とラージャ(王)からなる複合語で、「神たる王」「神と王」「神々の王」など様々な意味をとりうる。

参考文献

石澤良昭(二〇一三)『〈新〉古代カンボジア史研究』風響社。

石澤良昭(二〇一一)『アンコール王朝興亡史』ＮＨＫ出版。

北川香子(二〇〇〇)「「水王」の系譜――スレイ・サントー王権史」『東南アジア研究』三八巻一号。

深見純生(一九九七)「流通と生産の中心としてのジャワ――『諸蕃志』の輸出入品にみる」『東洋学報』第七九巻第三号。

松浦史明(二〇一二)「アンコールにおけるデーヴァラージャ崇拝」肥塚隆編『環タイ湾地域におけるインド系文化の変容に関する基礎的研究』。

松浦史明(二〇一四)「アンコールの彫像にみる人と神――刻文史料の検討から」『佛教藝術』第三三七号。

松浦史明(二〇一八)「クメール刻文研究の新時代」『東方学』第一三六輯。

松浦史明(二〇一九a)「刻文史料から見たアンコール朝の仏教とその展開」肥塚隆編『アジア仏教美術論集 東南アジア』中央公論美術出版。

松浦史明(二〇一九b)「仏教王ジャヤヴァルマン七世治下のアンコール朝」千葉敏之編『一一八七年 巨大信仰圏の出現』〈歴史の転換期4〉、山川出版社。

桃木至朗(二〇一一)『中世大越国家の成立と変容』大阪大学出版会。

Billard, Roger & John C. Eade (2006), "Dates des inscriptions du pays khmer", *Bulletin de l'École Française d'Extrême-Orient*, No. 93.

Cœdès, George (1937-1966), *Inscriptions du cambodge*, 8 vols, Hanoi-Paris: EFEO.

Cœdès, George (1970), "Le véritable fondateur du culte de la royauté divine au Cambodge", Himansu Bhusan Sarkar (ed.), *R. C. Majumdar Felicitation Volume*, Calcutta: Firma K. L. Mukhopadhyay.

Estève, Julia & Dominique Soutif (2013), "Les Yaśodharāśrama, marqueurs d'empire et bornes sacrées: Conformité et spécificité des stèles digraphiques khmères de la région de Vat Phu", *Bulletin de l'École Française d'Extrême-Orient*, 97-98 (2010-2011).

Goodall, Dominic (2013), "Les influences littéraires indiennes dans les inscriptions du Cambodge: l'exemple d'un chef-d'œuvre inédit du VIIIe siècle (K. 1236)", *Comptes Rendus des séances de l'année 2012 (janvier-mars) de l'Académie des Inscriptions et Belles-Lettres.*

Griffiths, Arlo (2013), "The Problem of the Ancient Name Java and the Role of Satyavarman in Southeast Asian International Relations Around the Turn of the Ninth Century CE", *Archipel*, 85.

Griffiths, Arlo & Brice Vincent (2014), "Un vase khmer inscrit de la fin du XIe siècle (K. 1296)", *Arts Asiatiques*, 69.

Jacques, Claude (1994), "Les Kamraten Jagat dans l'ancien Cambodge", François Bizot (ed.), *Recherches nouvelles sur le Cambodge*, Paris: École Française d'Extrême-Orient.

Lepoutre, Amandine (2013), "Études du Corpus des inscriptions du Campā IV. Les inscriptions du temple de Svayamutpanna: contribution à l'histoire des relations entre les pouvoirs cam et khmer (de la fin du XIIe siècle au début du XIIIe siècle)", *Journal Asiatique*, 301-1.

Maxwell, Thomas S. (2007), "The Short Inscriptions of the Bayon and Contemporary Temples", Joyce Clark (ed.), *Bayon: New Perspectives*, Bangkok: River Books.

Tabata, Yukitsugu (2015), "Recent Developments in Southeast Asian Archeology", *Asian Research Trends New Series*, vol. 10.

Vickery, Michael (1985), "The Reign of Sūryavarman I and Royal Factionalism at Angkor", *Journal of Southeast Asian Studies*, 16-2.

コラム｜*Column*

カンボジア人保存官を育てて三五年
——アンコール・ワットの修復現場から

石澤良昭

私は日本テレビと日本電波ニュース社の依頼で、一九八〇年八月にアンコール遺跡取材班に同行し、戦塵のけむるカンボジアへ入った。ポル・ポト政権(一九七五—七九年)の暴挙によって破壊された遺跡の状況調査のため、西側の専門家としては初めての派遣だった。報告書は写真付で『埋もれた文明——アンコール遺跡』(一九八一年)に結実した。

話は遡るが、一九〇七年にタイからアンコール時代の旧領地が返還された。フランス極東学院はその翌年にアンコール遺跡保存局を新設して本格的な歴史の解明と遺跡の修復活動を開始した。カンボジアは一九五三年にフランスから独立し、遺跡の保存修復のために自前のカンボジア人保存官の研修が一九六〇年代に開始された。私も現地でこの現場研修に参加し、約五〇名近い同年代のカンボジア人保存官候補者と友だちとなった。彼らはフランス語が堪能で、遺跡の修復活動に燃えていた。しかし、ポル・ポト政権崩壊後、生きて戻ってきた保存官は三名だけであった。彼らは外国語に汚染されているとして、行方不明となってしまった。私は彼らの御霊に応えるため、関係者と連絡をとり、保存官養成の活動を継承した。

ポル・ポト政権が一九七九年に崩壊し、ベトナムに支援されたヘン・サムリン政権が樹立された。国内では四派による内戦が続いていたが、ヘン・サムリン政権の支配地域は全土の四分の三に及んでいた。

私はカンボジアからの帰国後、会社を廻り、寄付をお願いして歩いた。カンボジアは内戦中ではあったが、プノンペンでは王立芸術大学が一九八九年に再開され、学生が戻ってきた。一九九一年、同大学の考古学部と建築学部の学生三〇名を国内便の飛行機でシェムリアップへ移動させ、アンコール遺跡の現場研修に投入し、第一回目の約一ヵ月間にわたる遺跡の修復実習をはじめた。そして、アジア人材養成研究センター(敷地面積四八〇〇平方メートル)を一九九六年に現地に建設し、保存官養成の教育拠点とした。

アンコール遺跡の保存修復活動の第一歩はこうしてはじまった。考古学系はバンテアイ・クデイ遺跡で、建築学系はアンコール・ワット西参道が研修場所であった。私たちは近隣の村の青年たちに呼びかけ、失業対策を兼ね石工の訓練を開始した。彼らは八年間の石材加工技術研修を経て修復現場に投入された。保存官養成は、一九九一—二〇一八年まで二七年間に及び五四回の遺跡現場実習が実施され、動員された教授陣の延べ人数は三九二名、国籍は六カ国、受講生は延べ五六七名であった。二〇一九年のコロナ禍以降はオンラインを

バンテアイ・クデイ寺院（12世紀末建立）．
遺跡内で講義する筆者．丸井雅子撮影

介して現在も続いている。現場の保存官養成の教育カリキュラムに加えて以下の関連カリキュラムを彼らと共に実施してきた。

（1）保存官候補者の学位取得プログラム（一九九四―二〇一四年）：上智大学大学院地域研究専攻に留学生一八名を招聘し、博士七名、修士一一名が学位を取得し、母国に戻って遺跡現場で働いている。（2）二八〇体の仏像を発掘：二〇〇一年にバンテアイ・クデイ遺跡内から二八〇体の仏像を発掘し、大発見となった。（3）これら出土仏像を公開する「シハヌーク・イオン博物館」の建設：上智大学とイオン（株）1％クラブが現地に新博物館を建設し、二八〇体の仏像を一般公開中。（4）上智大学学外共同研究「アンコール環境教育プロジェクト」：観光客の急増による環境汚染を防ぐため「ISO14001（環境マネジメント）」を国際標準化機構から二〇〇六年に取得。（5）アンコール・ワット西参道工事：第一期工事は終了（一九九六―二〇〇七年）、第二期工事（二〇一六―二四年）が進行中。（6）二〇一七年に上智大学がR・マグサイサイ賞を受賞：一九九一年からのカンボジア人保存官養成プロジェクトが高く評価され受賞となった。（7）上智大学創立一〇〇周年記念事業：カンボジアにおける人材養成プロジェクトの活動を二〇一四年三月にローマ教皇庁立グレゴリアン大学において世界へ向けて発表。

アンコール遺跡の保護修復における国際協力も着実に進んでいる。各国のチームと担当遺跡（二〇二一年現在）は、以下の通り。

（A）上智大学アンコール遺跡国際調査団（上智大学国際奉仕活動）：保存官緊急養成の現場実習および調査・研究：①考古学系はバンテアイ・クデイ、②建築学系はアンコール・ワット西参道、（B）奈良文化財研究所：西トップ寺院、（C）東京文化財研究所：タ・ネイ遺跡、（D）JASA 日本・アプサラ機構：バイヨン、（E）World Monuments Fund アメリカ：プノン・バケン、（F）インド考古総局：タ・プローム、（G）中国（中国・文物局）：タケオ、ピミアナカス、（H）ドイツ：遺跡壁面の養生活動、（I）韓国：プリアピトゥ・象のテラス、（J）フランス極東学院：西メボン、二〇一八年に西メボン遺跡の修復現場から撤退。

焦点｜Focus

インド洋海域史から見た南インド

和田郁子

はじめに

本稿では、主に一五世紀までの南インドの歴史をインド洋海域史の視点からよみとく。インド洋海域史の視点とは何か。従来の陸域中心の「インド史」や「南アジア地域史」の枠組みでは、一般にその「中原」つまり天下中央の地は北インドにあり、南インドはその「周辺」と位置づけられてきた。(1) 確かに、マウリヤ朝やムガル帝国をはじめとして南北インドにまたがる広域を支配した強大な政権はほぼ北インドから興っており、その点で南アジア陸域の政治史における北インドの中心性は明らかに思われる。しかし、視点をずらして海からインド亜大陸を見ると、全く違った構図が浮かび上がってくる。地図を眺めれば一目瞭然だが、インド亜大陸の大きく突出した半島部――ヴィンディヤ山脈以南の、地理的にいう広義の南インドに相当する部分――はインド洋の北辺のほぼ中央にある。長距離航海の寄港地／補給地として利用できる島が少ないインド洋では、その真ん中にせり出し、長い海岸線を伴う南インドの陸地がもつ航路上の意味は大きい。後述するように、モンスーンという気候現象に大きく依存したインド洋海域における航海の特徴が、その重要性をさらに際立たせる。

歴史的空間としての海を重視する海域史は、二一世紀の歴史学において高まるグローバルヒストリーの潮流のなかで広く関心を集めている分野だが、インド洋については早くも一九八〇年代半ばから海域史的な研究が進められてきた。K・N・チョウドリの『インド洋の交易と文明』(Chaudhuri 1985)はその画期をなす研究として広く認められている。同書においてチョウドリは、イスラームの勃興から一八世紀半ばまでの時期について、自然地理学上のインド洋の範囲をこえた広大な海域と、アフリカ大陸東岸から東アジアまでを含むその沿岸地域、さらにはユーラシア大陸の南部から東部の内陸に至る陸域を一体的な歴史的空間と捉える見方を示し、その後の研究に大きな影響を与えた。また同年、M・N・ピアソンが海陸の連続性を強調しながらインド洋の「沿岸部社会」(littoral society)に注目した論考(Pearson 1985)を発表した。以後数々の研究をものし、理論と実証の両面からインド洋海域史研究の進展に貢献したピアソンは、その集大成として二〇〇三年に出版された『インド洋』において、「歴史上群を抜いて古い海」であるインド洋の古代から二〇世紀までを対象とする全体史を描いた(Pearson 2003)。同様に古代からのインド洋海域を概観する通史の刊行はその後も続いており、この枠組みは定着しつつあると言えよう(Alpers 2014)。

ところで、海域史を歴史研究の分析枠組みとして考える際の主要な論点として、その海域の範囲をどのように構想するか、とくに周辺の陸域をどこまで含むかという問題がある。上述のようにチョウドリが深く内陸に入り込んだ陸域も含めて論ずるのに対し、ピアソンは海と一体的に捉えるべき陸域として主に沿岸地域までを想定する。日本で早くからインド洋海域史研究をリードしてきた家島彦一も、海域に包摂される陸地について「地理学上の大陸の海縁部(海岸・海浜)」をはじめとする範囲として限定的に捉えている(家島 二〇〇六:一〇―一一頁)。一方、近年では、そもそも海域史の空間を緩やかで可変的なものとして考えようとする傾向がみられる(2)。いずれにせよ海域史は海と陸との連関を意識し、常に陸域を(ある程度)視野におさめるものである。日本語の「海域」の字義は「ある範囲内の海」であるが、海域史研究は海上に限定された営為のみを論ずるものではない。むしろ、海域史の発展は、歴史的空間としての海を重視することによって、海陸をまたいだ新たな視点から陸域の歴史像にも見直しを迫るものだと言えよう。

本稿では、このような海域史研究の成果を踏まえ、まずインド洋におけるモンスーン航海の発展と南インドの役割を示し、次いで南インド沿岸部社会の多様性が海を介した諸地域との結びつきのなかで育まれたことに光を当てる。さらに、海を舞台とした交易や軍事遠征のような活動と、陸域に基盤をもつ政治権力の動静、そして内陸の社会や経済の変化の連関について、主に一〇—一五世紀の南インドの諸王朝の事例から考察する。そのうえで、後に続くいわゆる大航海時代に新たに登場するヨーロッパ勢力とこの地域との関わり方を考察する際にもやはりインド洋海域史の視点が不可欠であることに触れて、本稿を締め括りたい。

一、モンスーン航海の発展と南インド

モンスーンとは、季節により大きく変化する卓越風と、これに伴う雨季・乾季の交替がはっきりした気候現象をいう。南緯一〇度以北のインド洋上で卓越するモンスーンは、その海上と周辺の陸地において、生態環境にも人間社会にも多大な影響を与えてきた。とりわけ帆船の時代のインド洋における航海への影響は大きく、ごく単純化して言えば北半球の夏季に南西風、冬季に北東風が規則的に入れ替わるモンスーンの性質を利用して、古くから長距離航海が定期的かつ比較的安全に行われてきた。

歴史を遡ると、インド洋におけるモンスーン航海について確認できる文献としては、プリニウスの『博物誌』(七七年頃成立)と、それより若干早く著された『エリュトラー海案内記』がある。これらの記述を詳細に検討した蔀勇造によれば、インド洋西海域の航路は以下のようにして発展した。すなわち、おそらく遅くとも前二世紀前半には、アラビア半島南岸を経由する沿岸航路をとってエジプト船がインダス川河口付近の港に来航していたが、同じ頃のインド

やアラブの船は、既にモンスーンを利用してアラビア海を横断する航法を採用していた。当時、エジプトや西アジアと直接航路で結ばれていたのはインド北西部の諸港であった。その後、前一世紀末にコンカン海岸(インド西岸中部)へ直航することが可能になり、後一世紀半ばに至ってアデン湾からマラバール海岸への直航法が発見されたという(蔀 二〇一六:一巻 三二七―三五九頁)。

考古学的調査でも、その頃には紅海沿岸やアラビア半島と南インドとの間で交流があったことが裏付けられる。エジプト東岸のベレニーケーやミュオス・ホルモス(古クセイル)、あるいはアラビア半島南部スムフラムの遺跡からは、タミル・ブラーフミー文字で人名が刻まれた、いずれも一世紀頃の陶片が発見されている(Sidebotham 2011: 74-75; Avanzini 2017: 201-202)。また、南インド各地の遺跡でも対ローマ交易の痕跡は見出される。とくに、大量のローマのコインをはじめとする多くの遺物が見つかったコロマンデル海岸のアリカメードゥが有名だが、この海岸沿いには他にも複数の遺跡が残る。マラバール海岸のパッタナムでも輸入品のアンフォラなどが発見されている(辛島 二〇〇七:五七―五八頁)。また、タミル古典文学(サンガム文学)においてヤヴァナと呼ばれたギリシア人はまず商人として登場し、二世紀になると王宮の夜警や職人などとしても現れるようになる。このことから、次第に南インドに居留地を形成して定住し、商人以外の職に就くヤヴァナが出てきたと考えられている(Ray 1988: 313-314)。

『エリュトラー海案内記』の時代に、エジプト船がマラバール海岸からの復路でも往路と同様にモンスーンを利用した直航法を既に利用していたかどうかは定かではないが、航海は季節による一定のスケジュールに沿って行われた。また、エジプト船が目指したマラバール諸港市では、胡椒などのこの地方の産物のみならず、東方の様々な品物も取引されていた。例えば、中国産の絹製品が雲南あるいはチベット経由の陸路でガンジス河口に運ばれ、そこからコロマンデル海岸の港を経由し、沿岸航路または陸路でマラバールに輸送されていたと考えられている(蔀 二〇一六:二巻 一九九―二〇一、二〇六―二一八、二九四―二九五頁)。

ローマ帝国のエジプト船によるインド洋交易は一世紀末には衰退に向かい、二世紀には相当下火になっていた。しかし、三世紀に入って勃興したササン朝(二二四―六五一年)のもとでペルシア湾沿岸の諸港が整備されると、様々な商人が海上交易に参入した。六世紀初頭の文献では、ササン朝のキリスト教徒商人が頻繁に交易のため訪れる場所として南アジア各地の地名が挙げられている。なかでもスリランカの港は、エチオピア・アクスム王国の船や中国の商人も訪れ、西方と東方の品々が取引される交易の中継地として利用されたという(Whitehouse and Williamson 1973; Malekandathil 2010: 2-5; Pearson 2010: 318)。

一方、インド洋東海域については、おそらく前四―前二世紀以降にはインド―東南アジア間の交流があったと推定できる遺物が、近年の考古学的調査により発見されている。(3) この両地域間の交流においてはベンガル湾を渡る海路が重要な役割を果たしたと考えられているが、文字史料を欠いていることもあり、具体的な航法や航路についてはよく分からない。『エリュトラー海案内記』にもコロマンデル海岸以東の情報は含まれているが、著者自身は実際にそれらの場所に行ったことがなかったと見られており、不明な点が多い。

これまでのところ、ベンガル湾におけるモンスーン航海の始まりは四世紀前半と考えられている(Fukami 2014)。五世紀頃には、スリランカから東航して東南アジア島嶼部を経由するルートが利用され、ジャワ島やスマトラ島、マレー半島のクダーが海上交易の重要な中継地として発展した。実際に商船を利用して仏僧がこのルートで中国と南アジアの間を旅した例も複数確認できる。例えば、北インド出身の仏僧グナヴァルマン(求那跋摩、三六七―四三一年)は中国に向かう際、まずスリランカに行き、そこからジャワ島への船に乗ったという。北インドでの求法の旅を終えた法顕が帰国する際、同様にまずスリランカに渡ってから帰国の途についたこともよく知られている(Sen 2019: 28-37)。

以上のように、五世紀頃までにはインド洋の東西海域においてモンスーン航海が発展し、定期的な商船の往来が始まっていた。モンスーンを利用して帆船で横断でき、かつ一年以内に往復可能な範囲は、自然地理的な条件からほぼインド洋の東海域と西海域にそれぞれおさまる。そして、南インドやスリランカの沿岸部はモンスーン航海の発展によって、二つの航海圏・交易圏の重なる結節点としての役割を担うようになっていった。

二、海が育んだ沿岸部社会の多様性

モンスーンを利用した航海では、季節が移って次の出帆が可能になるまで数カ月単位での風待ちが必要になることも多い。そのため、多くの船が訪れる港は、次の航海時期を待つ多様な外来者たちの滞在場所となった。この風待ちの間に、一般に商人は商品の仕入れや販売などを行い、航海時期が来ると帰路についたが、なかには数年にわたって滞在したり移住したりする人々も現れた。前節で触れたヤヴァナはその早期の一例だが、南インドやスリランカの沿岸部ではその後も様々な外来者の居留地が作られた。彼らは集団ごとにコミュニティを形成する一方で、相互に、また在地の人々とも接点をもちつつ、次第にこの沿岸部の社会に根付いていった。

西アジア由来のキリスト教徒とユダヤ教徒

先にも触れたように、ササン朝時代にはペルシア湾岸に整備された諸港を足場に、キリスト教徒商人がインド洋交易で活躍していたことが知られる。その活動拡大に伴い、南アジアへ移住する人々も現れ、三四五年頃にはササン朝からキリスト教徒商人の集団が家族ぐるみでマラバール海岸に来たと伝えられる。実際にはおそらくこの一回だけではなく集団的な移住が四世紀以降に繰り返されており、やがて南アジア、とくに南インドからスリランカの沿岸部には複数の居留地が形成されていった(Malekandathil 2010: 2-7)。

他方、マラバール海岸にはこれに先立ち、すでに別の西アジア由来のキリスト教徒集団が存在していた。その起源を使徒トマスのインド伝道に遡る伝承をもつ、トマス・キリスト教会の信徒として知られる人々である。ササン朝キリスト教徒の商人は、この先住のトマス・キリスト教徒の助力を得て交易を営んでいたらしい。とくに注目されるのは、インド洋交易の重要商品である胡椒をめぐる両者の関係である。近年の研究によれば、胡椒栽培に従事していたトマス・キリスト教徒が、三世紀頃からの需要増を受け、より内陸の胡椒栽培に適した地方に居住地を拡大させていったという。その胡椒を内陸から沿岸部、さらに西方へ輸送する役割を担っていたのがササン朝キリスト教徒商人であった。このような接触を経て、二つのキリスト教徒集団は次第に混交・融合し、そしてインドに根付いていった(4)。

これらのキリスト教徒と同様に西アジアに由来するユダヤ教徒も古くからインド洋交易に従事していた。カイロ・ゲニザの名で知られる文書群は、一〇－一三世紀のインド洋西海域における彼らの活動について具体的に伝えてくれる重要な史料である。同文書によれば、インドとの交易に従事するユダヤ教徒の大部分はインド西海岸を拠点に活動しており、とくにマラバール海岸には彼らの居留地があった。例えば、一二世紀前半の商人アブラハム・ベン・イジューはチュニジアの出身だが、一七年にわたってマラバール海岸で暮らし、イエメンなどとの間で交易を営む一方、青銅製品を作る工房を経営して富を築いたという(Goitein and Friedman 2008: 52-66)。

このような外来商人の存在については、インドで記された史料からも確認できる。マラバール海岸南部の港市コッラム(クイロン)の地方領主による九世紀半ばの銅板刻文は、九世紀前半に西アジアから移住したキリスト教徒の教会に対して、土地およびその他の特権を与えることを示したものである。ここに添えられた一連の名前からは、ユダヤ教徒やムスリム、そしてゾロアスター教徒(パールスィー)もまたコッラムに居留地を築いていたこと、つまり多様な外来商人コミュニティが同時に存在していたことがうかがえるのである(5)(Subbarayalu 2009: 159-161; Prange 2018: 35-39)。

南インド沿岸部のムスリム・コミュニティ

七世紀前半にアラビア半島で興ったイスラームは、七世紀半ば以降急速にその勢力を拡大した。とくにアッバース朝(七五〇―一二五八年)の成立後は、都バグダードを中心とする交易ネットワークが発達し、インド洋交易でもムスリム商人が広く活躍するようになった。

上述のコッラムの銅板刻文は、マラバール海岸のムスリム商人に関する早い時期の史料としても重要である。この刻文を補足するもう一つの刻文には、マニグラーマムとアンジュヴァンナムという二つの商人組織への言及が見られるが、このうち前者がタミル商人を中心とする南インド在地の人々の組織であったのに対して、後者は外来商人によって構成されていたと考えられている。また、内陸部でその存在が知られていないアンジュヴァンナムは基本的に海上交易関係の商人組織であったようだが、とくに一一世紀以降は主にムスリム商人によって構成されるようになったという(Subbarayalu 2009: 158-167)。

ムスリム商人の活動がこのように拡大する一方で、多様な商人の間での宗派を超えた取引関係や協力も見られた。例えばカイロ・ゲニザのなかに、上述のユダヤ商人ベン・イジューに対しアデンのユダヤ商人が送った一一三九年頃の書簡がある。この書簡は、ベン・イジューがマラバール海岸からアデンに向けて託送した品物について知らせるものだが、その荷を積んだ船にはムスリム商人のものとヒンドゥー商人のものがあったことが分かる(ただし、後者の船のうちの一隻は沈没したため託送品の胡椒も失われてしまった。Goitein and Friedman 2008: 594-605; Chakravarti 2000: 45-47)。

一二世紀から一三世紀にかけてムスリム商人の海上交易活動は大きく拡大し、一三世紀までにはマラバール海岸の複数の港市にムスリムのコミュニティが形成されていた。一四世紀半ばに南インドを訪れた大旅行家イブン・バットゥータは、コーリコード(カリカット)、マンガルール(マンガロール)、コッラムなどの港市に相当数のムスリムが住んでいたと記している。ムスリム商人の活動はコロマンデル海岸でも見られ、とくに真珠の産地マンナール湾に近い南部の港市カーヤルに西アジアから多くの商人が訪れていた。一二―一三世紀は中国商人の南洋への進出が活発化した時期でもあり、中国からのジャンク船が南インド沿岸部にまで姿を見せた。一三世紀のカーヤルでは、中国商品とペルシア湾沿岸などの西方から届く品々の取引が行われていたと伝えられる。また、イブン・バットゥータはコチ(コチン)で見た中国ジャンク船について詳しい記述を残している(Shokoohy 2003: 68-70)。

南インド沿岸部のムスリムは、海上交易活動を通じて西アジアのイスラームに触れ続けながら、その土地の文化や慣習も取り入れ、独自のコミュニティを形成してきた。例えば、コロマンデル海岸のマライッカーヤルはアラブ商人の子孫を自称し、アラビア文字表記によるタミル語(Arabic-Tamil)の発展に積極的に寄与した(Bayly 1989: 79-86)。マラバール海岸のマーピラの間でも、マラヤラム語の文法を基礎にアラビア文字で表記される一種のアマルガム言語(Arabic-Malayalam)が発展した。一方、イスラームでは基本的に父系を重視するのに対し、マーピラの間では母系制が見られるが、これはこの地方のヒンドゥーの上位カースト、ナーヤルの慣習が通婚を通じて取り込まれたものと考えられている(Miller 1992: 251-252, 289-296)。

三、インド洋交易の展開と南インドの諸王朝

上述のコッラムの銅板刻文をはじめ、マラバール海岸では在地の領主や王が商人に対して特権を認めたことを示す刻文が複数発見されている。一一世紀初頭の銅板刻文は、ユダヤ商人ヨセフ・ラッバーンをその長とするコドゥンガルール(クランガノール)のアンジュヴァンナムに対する特権付与について伝えている。このような形で商人の活動に王や領主が関与するのは、その後も見られたマラバール海岸の特徴である。政治権力者は商人に特権を付与することにより領内の港を発展させ、そこから得られる経済的な利益を期待したのである。このコドゥンガルールの刻文につ

いては、隣国チョーラ朝からの軍事的脅威に直面していたチェーラ朝の王が、有力商人から受けた援助に対し特権付与で報いたことを示しているのではないかとの解釈もある（Narayanan 2002: 66-70）。

その背景には、その頃ラージャラージャ一世（在位九八五―一〇一四年）とその子ラージェーンドラ一世（在位一〇一二―一〇四四年）の下で最盛期を迎えていたチョーラ朝の勢力拡大がある。チョーラ朝はもともとコロマンデル海岸南部・カーヴェーリ川デルタ地域を中心とする王朝だが、これら両王の時代には、その領土を大いに広げたのみならず海を渡る軍事遠征も行った。ラージャラージャ一世はインド半島部の南半一帯とスリランカ北半を支配下におさめたうえ、モルディヴ諸島をも攻略した。また、ラージェーンドラ一世はこの領土を守りつつ北方のガンジス川流域にまで進軍し、さらにインド洋海域とシナ海域を結ぶ要衝マラッカ海峡付近に大きな勢力をもっていたシュリーヴィジャヤ王国に遠征軍を送り、マレー半島中部の中心都市カダーラム（クダー）を陥落させた（一〇二六年頃）。

チョーラ朝による一連の遠征について、近年ではインド洋交易の覇権争いとして捉える見方が有力である。これに先立つ海上交易の歴史を振り返ると、九世紀末から一〇世紀前半にかけて、それまで中国南部にも達していたムスリム商人の活動が、晩唐の混乱やアッバース朝衰退の影響などにより後退した。しかし、一〇世紀半ばに中国で宋（九六〇―一二七九年）が成立し、ファーティマ朝の勢力がエジプトに確立されると、中国南部からインド洋西海域におよぶ長距離交易は新たな形で再興し、各地でムスリム商人の活動が活発化していく。続く一〇世紀末から一一世紀はインド洋の交易構造の転換期にあたっており、そのような時期に行われた上述のチョーラ朝の遠征は、東西を結ぶ海上交易の利権をめぐる争いの一環と考えられるのである。具体的には、モルディヴ遠征は沿岸に居留地を形成し始めていたムスリム商人に対抗するためであり、シュリーヴィジャヤ王国遠征の背景には中国との交易をめぐる同王国とチョーラ朝との間の利害対立があったと解されている（Kulke 2009: 1-10; Sen 2009: 61-75）。確かにチョーラ朝は商業活動を重視し、とりわけ「五百人組」（アイニューットゥルヴァル）と呼ばれる商人組織と密接な関係をもっていたことが指摘されている(6)。

その後、一三世紀初頭から後半にかけて大陸の東西を結ぶ交易を陸路・海路ともに大きく発展させたのは、モンゴル帝国によるユーラシア統合であった。この時代の南インドは、一方ではスリランカをはじめ、ビルマやタイ南部などベンガル湾沿岸各地に展開する五百人組などの商人の活動拠点であり続け、他方ではインド洋の東西両海域でいっそう活発化するムスリム商人のネットワークに深く組み込まれていく。

その頃の南インドにおいて、とくに重要性を増した交易品は馬である。北インドにおけるムスリム政権の成立以後、インド全域で従来の象と歩兵から騎馬主体へと戦闘様式が転換し、軍馬の需要が高まった。しかし、北インドの一部地域を除くと、気候などの自然条件が馬の飼育に適していないインドでは、ほとんどの馬は小型であり、大型の軍馬は中央アジアや西アジアに依存せざるを得なかった。馬は陸路でも海路でもインドに連れてこられたが、南インドの場合、中央アジアから北インドを経由する陸路が他の勢力によって妨げられる恐れがあり、海路の重要性が高かった。一三世紀末のイエメン・ラスール朝期の史料によると、スーリヤーンと呼ばれる人々がとりわけ熱心に馬を買い求めると伝えられている。スーリヤーンとは本来「チョーラ」に由来する呼称だが、彼らによって購入された馬はおそらく、その少し前にチョーラ朝を滅ぼしたパーンディヤ朝の軍に組み込まれたのであろう(Lambourn 2016: 66-69)。同じ頃にペルシア湾の港市キーシュ島の領主の兄弟にあたる者がパーンディヤ朝の要職にあり、ペルシア湾岸からも多数の馬が同朝に輸出されていたというイル・ハン朝期の史料の記述も、パーンディヤ朝における馬の重要性を裏付ける(Yokkaichi 2009: 89-90)。また、西海岸の諸港にも多数の馬が送られており、ラスール朝期の史料には馬の輸出先としてマラバール海岸北部の港が挙げられている。それらの馬はそこから西ガーツ山脈を越え、当時デカン地方に勢力をもっていたホイサラ朝へ送られたと思われる。マラバール海岸には多数の軍馬を維持し得るような王朝はなかったし、他方でホイサラ朝の寺院建築には、以前の時代、あるいは同時代の周辺地域の建築とは異なり、馬を描いた装飾が豊富に見られるためである。なかでも一三世紀のものが多く、その背景にはこの頃に馬の輸入が増えたことがあると考えられている(Lambourn 2016: 76-79)。

海路による馬の輸入は、トゥグルク朝の南方への拡大を経て南インドに成立したヴィジャヤナガル王国やバフマニー朝においても続けられた。ともにデカン地方に都を置き南インドの覇を競った両勢力にとっても馬は重要な軍需品であり、ホイサラ朝と同じく主に西海岸の諸港を通して輸入された。例えば、イランの没落名家出身のマフムード・ガーワーンは、出世と商機を求めてコンカン海岸の港市ダーボルに到着したとき、バフマニー朝に売り込む商品として絹織物や真珠、宝石などとともに馬を用意していた。後に宰相として同朝の全盛期を支えたガーワーンは、一五世紀以降のデカンにおいて政治的・社会的に活躍したイラン出身者のうちの一人だが、そのキャリアはインド洋交易とも関わりが深い。一四五八年に宰相に任命されたガーワーンに与えられた「商人の王」(malik al-tujjār)なる称号は、軍馬をはじめとする貴重な品々の交易に携わってきた彼の実績を称えたものと言える。ガーワーンは積極的な対外遠征によりバフマニー朝の最大版図を実現したが、とりわけ一四六九年に始まるコンカン海岸への遠征は海陸の交易路上の安全を確保するために重要であった。三年に及んだこの遠征によってバフマニー朝は港市ゴアをヴィジャヤナガル王国から奪い、さらに王朝の中心部と沿岸部とを結ぶ交易路上の要衝に位置する山城を征服した。バフマニー朝では、一四七〇年代初めに都ビーダル近くの市場で二万頭もの馬が売られていたと伝えられるほか、同朝末期の一六世紀初頭には約三万の騎兵を展開できたとも言われており、その馬交易の規模の大きさが窺える(Eaton 2005: 59-77)。

隣国バフマニー朝に比べ騎兵の導入が遅れたヴィジャヤナガル王国も、とくにデーヴァラーヤ二世(在位一四二一—四六年)の時代になると軍事技術に優れたムスリムを積極的に登用し、やはり海路による馬の輸入に乗り出した。そして、一四八〇年頃には馬の主要輸入港であったバトカルを支配下に組み入れ、軍馬を独占的に確保しようとした。また、西海岸の港市から都ヴィジャヤナガルに至る陸路の戦略的重要性を認め、その守備にも努めた(Subrahmanyam

1995: 763; Asher and Talbot 2006: 55-56, 77-78)。

おわりに

以上のように、インド洋海域史の視点から見れば、なぜ一五世紀末までにこの海域で活発な交易が行われるようになっていたのか、なぜ海上交易が南インドの政治や軍事にも影響し得るほどの重要性をもっていたかが分かるだろう。そしてこのことは、この時期以降インド洋海域に新たに参入するヨーロッパ勢力と南インドとの関わり方を考えるうえでも非常に重要である。ポルトガルは一五一〇年にバトカルの約二〇〇キロメートル北に位置するゴアを占領する。当時のインド総督アルブケルケはゴアの交易を拡大させようと、バトカル周辺での船の航行を武力によって妨害したり、ヴィジャヤナガル王にゴア経由での馬交易を持ちかけたりと、硬軟織り交ぜ様々な策を講じた。しかし、目ぼしい成果を上げることができなかったばかりか、一五三〇年以降、おそらくジェッダとの胡椒交易の復活を背景に、バトカルと紅海沿岸の間を往来する商船の活動はむしろ活発化した(Subrahmanyam 1990: 120-135)。

ところが、バトカルは一五六〇年代以降急速に衰退へ向かう。その最大の要因はデカン・ムスリム諸王国連合軍との戦争(ラークシャシ・タンガディ〔ターリコータ〕の戦い、一五六五年)に敗北したヴィジャヤナガル王国が建国以来の都を失い、重心を南東方面へ移していったことであった。ポルトガルはこの機に乗じて、バトカルの南北に位置する三つの港市を武力で押さえ、バトカル—紅海・ペルシア湾岸間の交易の封じ込めを図ったが、交易港バトカルの衰退は、このようなポルトガルの戦略よりもヴィジャヤナガル王国の遷都によるところが大きかった。それは、港市バトカルの繁栄を支えていた陸域の都との緊密な関係が失われることを意味していたからである。その一方で、ポルトガルは馬交易を南インドでの活動の足掛かりとして利用することに成功する。当時、南インド各地の政権にとって依然として馬の確保は重要であった。ポルトガルはそこに目を付け、ヴィジャヤナガル王国や、その支配下から次第に自立性を高めていった各地の地方領主(ナーヤカ)などが求める軍馬を供給し、引き換えにコロマンデル海岸のいくつかの港市で地歩を築いていった。これらの事例は、新興勢力ポルトガルもまた、それまでにインド洋海域において形作られてきた海と陸の連関から自由でいることはできなかったということを如実に示していると言えるだろう。

注

(1) これに対し、『世界歴史大系 南アジア史3』は南インドと北インドの相互影響とそこから生まれる新たな発展を重視し、南インドの歴史を「周辺」ではなく独自性を持った一つのものとして描く姿勢を明確に示している(辛島 二〇〇七:三—六頁)。

(2) 例えばK・ウィゲンは、海域とは「曖昧で移り変わる境界」をもち、本質的に定まらないものとして理解すべきだと述べる(Wigen 2006: 720-721)。M・P・M・フィンクは、インド洋海域史の空間的な理解に際しては、旅や交易、結婚、戦争などの多種多様な行為・交流・移動に伴うプロセスを重視するべきだと主張する(Vink 2007: 52-53)。日本においても、鈴木英明が「陸域対海域という二項対立」を乗り越え、領域化や固定化の可能性を排したインド洋海域史研究を志向している(鈴木 二〇二〇)。

(3) 例えば、タイ南部マレー半島には、当時インドから来た職人が滞在してビーズ細工の技術を伝えたのではないかと考えられる遺跡があるほか、タミル・ブラーフミー文字やブラーフミー文字が刻まれた陶片や回転紋付土器などの遺物が見つかっている(Glover and Bellina 2011: 39-41; Chaisuwan 2011: 83-84)。

(4) トマス・キリスト教会がマラバール地方の内陸農業地帯に広がる動きは、その後、インド洋交易においてムスリム商人が活発な活動を展開した九世紀から一五世紀にかけても観察され、ここでも海上交易の拡大とキリスト教徒による胡椒増産は連動していたと考えられる。また、在地のトマス・キリスト教会信徒による胡椒栽培については、一五世紀末以降にインド洋交易に参入したポルトガル人の記録でも言及される(Malekandathil 2010: 7-11, 45-47)。

(5) この刻文は、すでに九世紀のマラバール海岸にパールスィー商人のコミュニティが存在していたことを示す史料としても注目される(Cereti 2007: 211-213)。

（6） しかし、チョーラ朝の勢力が衰退する一二世紀以降になると、五百人組は王朝から距離を取り、より自立的に活動を展開していった（辛島 二〇〇七：一三八―一四一頁、Karashima 2009: 151-152）。

参考文献

辛島昇編（二〇〇七）『世界歴史大系 南アジア史3 南インド』山川出版社。

蔀勇造訳註（二〇一六）『エリュトラー海案内記』全二巻、平凡社。

鈴木英明（二〇二〇）「海域世界の鼓動に耳を澄ます――一九世紀インド洋西海域世界の季節性」『国立民族学博物館研究報告』四四巻四号。

家島彦一（二〇〇六）『海域から見た歴史』名古屋大学出版会。

Alpers, Edward A. (2014), *The Indian Ocean in World History*, Oxford: Oxford University Press.

Asher, Catherine B. and Cynthia Talbot (2006), *India before Europe*, Cambridge: Cambridge University Press.

Avanzini, Alessandra (2017), "The Port of Sumhuram (Khor Rori): New Data on Its History", K. S. Mathew (ed.), *Imperial Rome, Indian Ocean Regions and Muziris: New Perspectives on Maritime Trade*, London: Routledge.

Bayly, Susan (1989), *Saints, Goddesses and Kings: Muslims and Christians in South Indian Society, 1700-1900*, Cambridge: Cambridge University Press.

Cereti, Carlo G. (2007), "Some Primary Sources on the Early History of the Parsis in India", Fereydun Vahman and Claus V. Pedersen (eds.), *Religious Texts in Iranian Languages*, Copenhagen: Det Kongelige Danske Videnskabernes Selskab.

Chaisuwan, Boonyarit (2011), "Early Contacts between India and the Andaman Coast in Thailand from the Second Century BCE to Eleventh Century CE", Pierre-Yves Manguin, A. Mani and Geoff Wade (eds.), *Early Interactions between South and Southeast Asia: Reflections on Cross-Cultural Exchange*, Singapore: Institute of Southeast Asian Studies.

Chakravarti, Ranabir (2000), "Nakhudas and Nauvittakas: Ship-Owning Merchants in the West Coast of India (C. AD 1000-1500)", *Journal of the Economic and Social History of the Orient*, 43-1.

Chaudhuri, K. N. (1985), *Trade and Civilisation in the Indian Ocean: An Economic History from the Rise of Islam to 1750*, Cambridge: Cambridge

University Press.
Eaton, Richard M. (2005), *A Social History of the Deccan, 1300–1761: Eight Indian Lives*, Cambridge: Cambridge University Press.
Fukami, Sumio (2014), "'Indianization' and the Establishment of Monsoon Voyaging in Maritime Southeast Asia: An Examination of Faxian's Three Homeward Voyages",『国際文化論集』49.
Glover, Ian and Bérénice Bellina (2011), "Ban Don Ta Phet and Khao Sam Kaeo: The Earliest Indian Contacts Re-assessed", Pierre-Yves Manguin, A. Mani and Geoff Wade (eds.), *Early Interactions between South and Southeast Asia: Reflections on Cross-Cultural Exchange*, Singapore: Institute of Southeast Asian Studies.
Goitein, S. D. and Mordechai Akiva Friedman (2008), *India Traders of the Middle Ages: Documents from the Cairo Geniza, ("India Book")*, Leiden: Brill.
Karashima, Noboru (2009), "South Indian Merchant Guilds in the Indian Ocean and Southeast Asia", Hermann Kulke, K. Kesavapany and Vijay Sakhuja (eds.), *Nagapattinam to Suvarnadwipa: Reflections on the Chola Naval Expeditions to Southeast Asia*, Singapore: Institute of Southeast Asian Studies.
Kulke, Hermann (2009), "The Naval Expeditions of the Cholas in the Context of Asian History", Hermann Kulke, K. Kesavapany and Vijay Sakhuja (eds.), *Nagapattinam to Suvarnadwipa: Reflections on the Chola Naval Expeditions to Southeast Asia*, Singapore: Institute of Southeast Asian Studies.
Lambourn, Elizabeth (2016), "Towards A Connected History of Equine Cultures in South Asia: Bahrī (Sea) Horses and 'Horsemania' in Thirteenth-Century South India", *The Medieval Globe*, 2-1.
Malekandathil, Pius (2010), *Maritime India: Trade, Religion and Polity in the Indian Ocean*, revised edition, Delhi: Primus Books.
Miller, Roland E. (1992), *Mappila Muslims of Kerala, a study in Islamic trends*, Hyderabad: Orient Longman, revised edition (First published 1976).
Narayanan, M. G. S. (2002), "Further Studies in the Jewish Copper Plates of Cochin", *Indian Historical Review*, 29, 1-2.
Pearson, M. N. (1985), "Littoral Society: The Case for the Coast", *The Great Circle*, 7-1.
Pearson, M. N. (2003), *The Indian Ocean*, London and New York: Routledge.
Pearson, M. N. (2010), "Islamic Trade, Shipping, Port-states and Merchant Communities in the Indian Ocean, 7th–16th Centuries", David O.

Morgan and Anthony Reid (eds.), *The New Cambridge History of Islam,* Volume 3: *The Eastern Islamic World Eleventh to Eighteenth Centuries*, Cambridge: Cambridge University Press.

Prange, Sebastian R. (2018), *Monsoon Islam: Trade and Faith on the Medieval Malabar Coast*, Cambridge: Cambridge University Press.

Ray, Himanshu P. (1988), "The Yavana Presence in Ancient India", *Journal of the Economic and Social History of the Orient*, 31-3.

Sen, Tansen (2009), "The Military Campaigns of Rajendra Chola and the Chola-Srivijaya-China Triangle", Hermann Kulke, K. Kesavapany and Vijay Sakhuja (eds.), *Nagapattinam to Suvarnadwipa: Reflections on the Chola Naval Expeditions to Southeast Asia*, Singapore: Institute of Southeast Asian Studies.

Sen, Tansen (2019), "Buddhism and Maritime Crossings", A. Schottenhammer (ed.), *Early Global Interconnectivity across the Indian Ocean World*, Volume II, Cham: Palgrave Macmillan.

Shokoohy, Mehrdad (2003), *Muslim Architecture of South India: The sultanate of Ma'bar and the traditions of maritime settlers on the Malabar and Coromandel coasts* (*Tamil Nadu, Kerala and Goa*), London: RoutledgeCurzon.

Sidebotham, Steven E. (2011), *Berenike and the Ancient Maritime Spice Route*, Berkeley: University of California Press.

Subbarayalu, Y. (2009), "Anjuvannam: A Maritime Trade Guild of Medieval Times", Hermann Kulke, K. Kesavapany and Vijay Sakhuja (eds.), *Nagapattinam to Suvarnadwipa: Reflections on the Chola Naval Expeditions to Southeast Asia*, Singapore: Institute of Southeast Asian Studies.

Subrahmanyam, Sanjay (1990), *The Political Economy of Commerce: Southern India, 1500-1650*, Cambridge: Cambridge University Press.

Subrahmanyam, Sanjay (1995), "Of Imârat and Tijârat: Asian Merchants and State Power in the Western Indian Ocean, 1400-1750", *Comparative Studies in Society and History*, 37-4.

Vink, Markus P. M. (2007), "Indian Ocean Studies and the 'new thalassology'", *Journal of Global History*, 2.

Whitehouse, David and Andrew Williamson (1973), "Sasanian Maritime Trade", *Iran*, 11.

Wigen, Karen (2006), "Introduction, AHR Forum: Oceans of History", *American Historical Review*, 111.

Yokkaichi Yasuhiro (2009), "Horses in the East-West Trade between China and Iran under the Mongol Rule", Bert G. Fragner, Ralph Kauz, Roderich Ptak, and Angela Schottenhammer (eds.), *Pferde in Asien: Geschichte, Handel und Kultur: Horses in Asia: History, Trade and Culture*, Wien: Austrian Academy of Sciences Press.

コラム｜*Column*

世界を駆け巡るインドの綿織物

鎌田由美子

インドは優れた染織品の産地として古くから名高く、少なくとも四〇〇〇年以上前から綿織物が生産されていた。モヘンジョダロの遺跡からは、茜で染められた綿の繊維が出土し、紀元前一七六〇年ごろのものとみられている。インドの気候・風土によって生み出された綿と染料、そして卓越した染めの技術が、多様なデザインを色とりどりに表す更紗(木版または手描きによる模様染め綿織物)の出現を可能にした。それらはインド国内で衣装や、寺院・宮殿の装飾として用いられるほか、世界各地に輸出されて高く評価された。

ローマがエジプトを征服すると、一世紀には紅海沿岸の港界が貿易によってつながり、一世紀には紅海沿岸の港が栄えが栄えるようになった。このころの紅海からアラビア海、インド洋にける交易の実情を伝える『エリュトラー海案内記』には、さまざまな種類のインド産綿織物が各地に輸出されていたとある。インドの綿織物が高く評価されていた様子は、九世紀半ばのインド洋交易の様子を記した『中国とインドの諸情報　第一の書』に、ベンガル地方の綿織物は他に例を見ないほど素晴らしく、指輪を通るほど薄いと称えられていることからもうかがえる。インド産綿織物は重要な貿易品であり続け、エジプトのフスタート遺跡からは一一世紀頃から一七世紀頃のグジャラート産更紗が出土している。

インドの布は東方にも運ばれた。中国宋代(四二〇—四七九年)の史書『宋書』には、四三〇年にインドの織物が現在のインドネシアから中国に献納されたことを示す記述があるという。その後もインド商人やムスリム商人たちは、更紗をはじめとするインドの綿織物を東南アジアに運んだ。たとえば、スラウェシ島のトラジャ人のもとには、儀礼に用いられたインド更紗が伝わり、そのなかには一四世紀から一六世紀のグジャラート産と推測されるものもある。その多くは木版であるが、なかにはより手間がかかり高価な手描きの更紗もあり、現在のインドネシア中部にあたる地域の経済的な繁栄を物語る。

コロマンデル産の更紗も名高く、元の汪大淵による南海諸国の見聞記『島夷誌略』(一三五〇年頃)からは、コロマンデル産の更紗とみられる「花布」が南スマトラに輸出されていたことがうかがわれるという。ポルトガルの薬剤師トメ・ピレス(一四六五頃—一五四〇年頃)の『東方諸国記』によると、マラッカ経由でジャワに運ばれた、更紗を含むさまざまなインドの織物は高価であるにもかかわらず、大量に消費されており、東南アジアにおけるインドの織物への需要の高さをうかがわせる。また、オランダの旅行家リンスホーテン(一五六三

—一六一一年)による『東方案内記』には、ジャワ島では香料と交換にグジャラートやベンガル、コロマンデル産の各種の織物が取引されていると記されている。その他の記録からは、スマトラ島やジャワ島だけでなく、ボルネオ島、バリ島、ティモール島、さらにはビルマ、タイ、カンボジアなど、東南アジアの広い地域にインドの織物が流通していたことがわかる。

シャム(タイ)の人々もまたインド更紗に魅せられた。一六世紀初めには、シャム向けのインド更紗がマラッカ経由でもたらされていた。現存する一八世紀のコロマンデル産のシャム向け更紗には、火焔形や稲穂形、ガルーダ、天人など、シャム向けインド更紗にしか見られないモチーフが多く用いられているが、それはシャム側がデザインを指定していたことによる。外交上の贈り物にも用いられたらしく、琉球王国の外交文書である『歴代宝案』によれば、一四八〇年にシャムから琉球国王にインド更紗とみられる織物が贈られている。

インド更紗は日本にも貿易品や贈り物としてもたらされた。はやくも一七世紀初頭にオランダ東インド会社は日本向けのデザインのインド更紗を作らせていた。一六一五年に京都に滞在していたイギリス商館員は、京都でインド産の織物がよく売れると述べているが、これはおそらくインド更紗だろう。日本にはない鮮やかな色彩と斬新なデザインは目を引き、山鹿素行(一六二二—八五年)のように、インド更紗を羽織に仕立てる者もいた。インド更紗の人気は衰えず、一八世紀には、煙草入れなどの装身具や、茶道具の包み裂《ぎれ》などに用いられたほか、『佐羅紗便覧』(一七七八年)などのインド更紗文様集が出版された。彩り豊かで異国的なインド更紗は京都祇園祭の山鉾をも飾った。

一七世紀後半以降、インド更紗はヨーロッパでもブームを引き起こした。イギリスやオランダの東インド会社の管理のもと、コロマンデルでヨーロッパ向けにデザインされた更紗は、ベッドカバーなどの室内装飾や、衣服などに取り入れられた。長期にわたり世界各地で人々に熱心に求められたインドの綿織物は、使用者の要望に応えてデザインを変え、輸出先の社会のなかで多様な機能と役割をもって使用されたグローバルな商品だったのである。

更紗(部分)，インド(グジャラート)，1340-80年ごろ，ヴィクトリア・アンド・アルバート美術館所蔵(IS. 96-1993) © Victoria and Albert Museum, London.

【執筆者一覧】

三田昌彦（みた まさひこ）
1961年生．名古屋大学大学院人文学研究科助教．南アジア中世史．

鈴木恒之（すずき つねゆき）
1944年生．東京女子大学名誉教授．東南アジア史（インドネシア）．

馬場紀寿（ばば のりひさ）
1973年生．東京大学東洋文化研究所教授．仏教学．

二宮文子（にのみや あやこ）
1976年生．青山学院大学文学部教授．南アジア前近代史．

小磯 学（こいそ まなぶ）
1960年生．関西国際大学教授．南アジア考古学．

山形眞理子（やまがた まりこ）
立教大学学校・社会教育講座学芸員課程特任教授．東南アジア考古学．

田畑幸嗣（たばた ゆきつぐ）
1972年生．早稲田大学文学学術院教授．東南アジア考古学．

横地優子（よこち ゆうこ）
1959年生．京都大学文学研究科教授．古代・中世インド宗教文化．

松浦史明（まつうら ふみあき）
1981年生．日本学術振興会特別研究員（上智大学）．東南アジア前近代史．

和田郁子（わだ いくこ）
岡山大学学術研究院社会文化科学学域准教授．南アジア近世史・インド洋海域史．

宮治 昭（みやじ あきら）
1945年生．名古屋大学・龍谷大学名誉教授．仏教美術史．

応地利明（おうじ としあき）
1938年生．京都大学名誉教授．人文地理学．

伊東利勝（いとう としかつ）
1949年生．愛知大学名誉教授．東南アジア経済史．

石澤良昭（いしざわ よしあき）
1937年生．上智大学アジア人材養成研究センター所長．カンボジア碑刻文学・東南アジア史学．

鎌田由美子（かまだ ゆみこ）
1979年生．慶應義塾大学経済学部准教授．イスラーム美術史．

【責任編集】

弘末雅士（ひろすえ まさし）
1952年生．立教大学名誉教授．海域東南アジア史．『海の東南アジア史――港市・女性・外来者』（ちくま新書，2022年）．

【編集協力】

古井龍介（ふるい りょうすけ）
1975年生．東京大学東洋文化研究所教授．南アジア古代・中世初期史．*Land and Society in Early South Asia: Eastern India 400-1250 AD* (Routledge, 2020)．

青山 亨（あおやま とおる）
1957年生．東京外国語大学大学院総合国際学研究院教授．東南アジア前近代史・宗教史．『アジア仏教美術論集 東南アジア』（共著，中央公論美術出版，2019年）．

岩波講座 世界歴史 4　第8回配本（全24巻）

南アジアと東南アジア ～15世紀

2022年5月27日 第1刷発行

発行者 坂本政謙

発行所 株式会社 岩波書店 〒101-8002 東京都千代田区一ツ橋2-5-5
電話案内 03-5210-4000 https://www.iwanami.co.jp/

印刷・法令印刷 カバー・半七印刷 製本・牧製本

ISBN 978-4-00-011414-1

岩波講座

世界歴史

A5 判上製・平均 320 頁（黒丸数字は既刊，＊は次回配本）

全㉔巻の構成

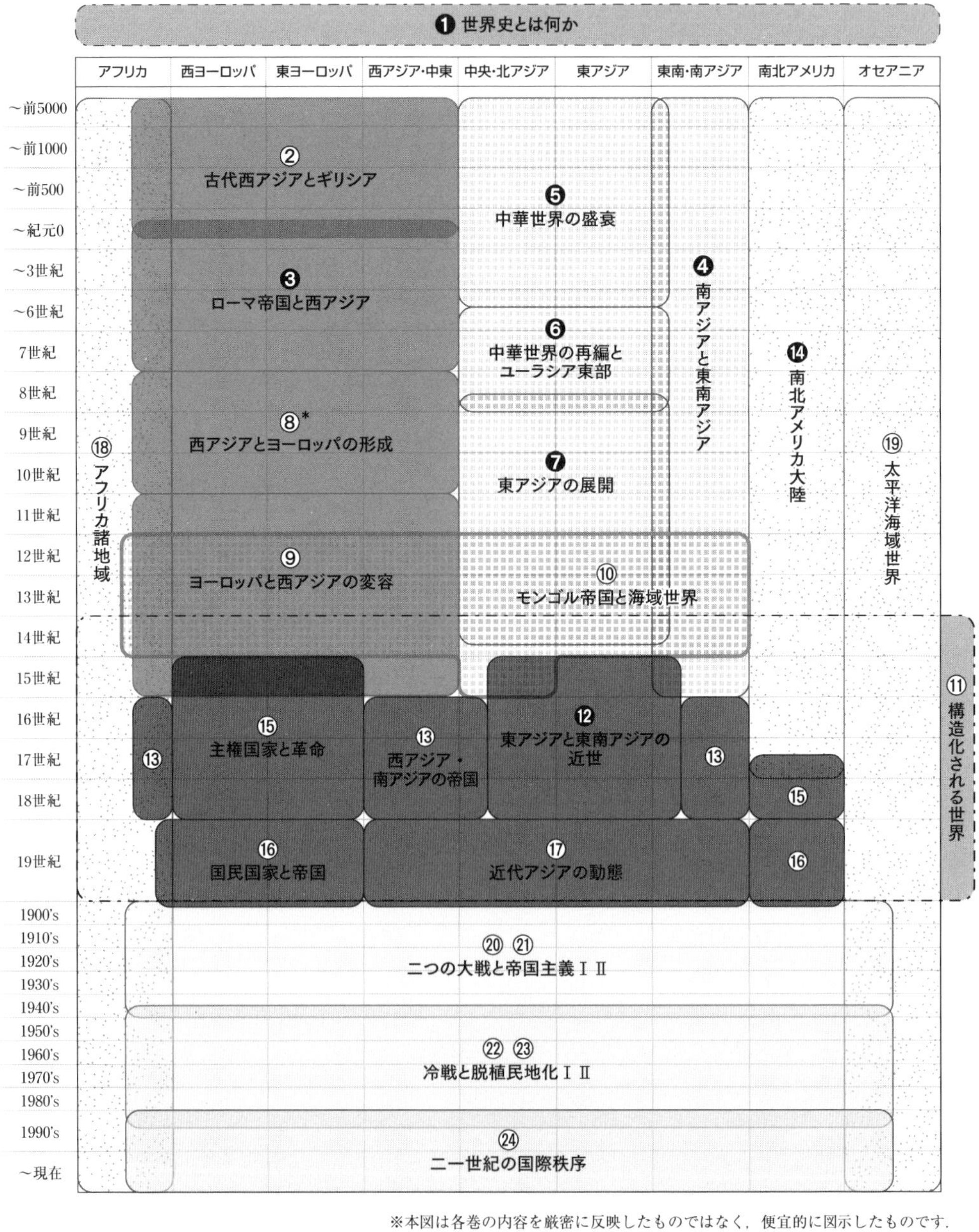

※本図は各巻の内容を厳密に反映したものではなく，便宜的に図示したものです．